W9-BXZ-444

WITHDRAWN

DESIERTO

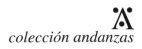

colección andanzas

Libros de J.M.G. Le Clézio en Tusquets Editores

J.M.G. LE CLÉZIO
DESIERTO

Traducción de Alberto Conde

TUS**Q**UETS
EDITORES

Título original: *Désert*

1.ª edición: diciembre de 2008

© Éditions Gallimard, 1980

Desierto

Sagia el-Hamra, invierno de 1909-1910

Aparecieron, como en un sueño, en la cima de una duna, medio escondidos por la bruma de arena que levantaban sus pies. Lentamente descendieron a la vaguada, siguiendo la pista casi invisible. Al frente de la caravana estaban los hombres, envueltos en sus mantos de lana, con los rostros ocultos por el velo azul. Con ellos marchaban dos o tres dromedarios, más las cabras y los corderos hostigados por los chiquillos. Las mujeres cerraban la marcha. Eran siluetas sobrecargadas, abultadas por los pesados mantos, y la piel de sus brazos y sus frentes parecía todavía más oscura tras los velos de índigo.

Marchaban sin ruido por la arena, lentamente, sin mirar adónde iban. El viento soplaba sin descanso, el viento del desierto, caluroso de día, frío de noche. La arena se escabullía a su alrededor, entre las patas de los camellos, fustigaba el rostro de las mujeres, que se protegían los ojos con la tela azul. Los niños pequeños corrían, los bebés lloraban fajados en la tela azul a la espalda de sus madres. Los camellos mascullaban, estornudaban. Nadie sabía adónde iban.

El sol estaba aún en lo alto del cielo desnudo, el viento llevaba consigo los ruidos y los olores. El sudor resbalaba lentamente por el rostro de los viajeros, y su piel oscura había tomado el reflejo del índigo en las mejillas, los brazos, a lo largo de las piernas. Los tatuajes azules en la frente de las mujeres brillaban como escarabajos. Los ojos negros, semejantes a gotas de metal, apenas miraban la extensión de arena, buscaban el rastro de la pista entre las olas de las dunas.

No había nada más sobre la tierra; nada ni nadie. Habían nacido del desierto, ningún otro camino podía conducirlos. No decían nada. No querían nada. El viento los sobrepasaba, se filtraba entre ellos, como si no hubiese nadie en las dunas. Marchaban desde la primera luz del alba sin detenerse, la fatiga y la sed los envolvían como una ganga. La sequedad les había endurecido los labios y la lengua. El hambre los minaba. No habrían sido capaces de hablar. Después de tanto tiempo, se habían vuelto mudos como el desierto, llenos de luz cuando el sol abrasa en el centro del cielo vacío y helados en la noche de estrellas escarchadas.

Continuaban descendiendo lentamente la pendiente hacia el fondo de la vaguada, zigzagueando cuando la arena se desmoronaba bajo sus pies. Los hombres escogían sin mirar el lugar donde los pies iban a plantarse. Era como si caminasen sobre huellas invisibles que los condujeran hacia el otro extremo de la soledad, hacia la noche. Sólo uno entre ellos portaba un fusil, una carabina de chispa con largo cañón de bronce ennegrecido. La llevaba al pecho, estrechada entre los brazos, con el cañón dirigido hacia arriba como el asta de una bandera. Sus hermanos marchaban junto a él envueltos en sus mantos, algo encorvados por el peso de los fardos. Bajo los mantos, sus vestiduras azules estaban raídas, desgarradas por los espinos, ajadas por la arena. Tras el rebaño extenuado marchaba Nur, el hijo del hombre del fusil, delante de su madre y sus hermanas. Su rostro oscuro estaba ennegrecido por el sol, pero le brillaban los ojos, y la luz de su mirada era casi sobrenatural.

Eran los hombres y las mujeres de la arena, del viento, de la luz, de la noche. Habían aparecido, como en un sueño, en lo alto de una duna, como si hubieran nacido del cielo sin nubes y poseyeran en sus miembros la dureza del espacio. Llevaban consigo el hambre, la sed que hace sangrar los labios, el silencio duro donde luce el sol, las noches frías, el fulgor de la Vía Láctea, la luna; tenían con ellos su propia sombra gigante a la caída del sol, las olas de arena virgen que tocaban los dedos separados de sus pies, el horizonte inaccesible. Tenían sobre todo la luz de la mirada, que brillaba con tanta claridad en la esclerótica de sus ojos.

El rebaño de cabras bazas y corderos marchaba delante de los niños. También los animales iban sin saber adónde, plantando las pezuñas sobre huellas antiguas. La arena se arremolinaba entre sus patas, se agarraba a sus sucios vellocinos. Un hombre guiaba los dromedarios sólo con la voz, gruñendo y escupiendo como ellos. El ruido ronco de las respiraciones se mezclaba con el viento, desaparecía enseguida en el seno de las dunas, hacia el sur. Pero el viento, la sequedad, el hambre no tenían ya importancia. Los hombres y el rebaño se extendían lentamente, descendían hacia el fondo de la vaguada sin agua, sin sombra.

Estaban en ruta hacía semanas, meses, yendo de un pozo a otro, atravesando los torrentes resecos que se perdían en la arena, franqueando las colinas pedregosas, las estepas. El rebaño comía las hierbas magras, los cardos, las hojas de euforbio, que compartía con los hombres. Al atardecer, cuando el sol se hallaba cerca del horizonte y la sombra de los zarzales se alargaba con desmesura, los hombres y los animales detenían su marcha. Los hombres descargaban los camellos, construían la gran tienda de lana parda montada sobre su único puntal de madera de cedro. Las mujeres encendían el fuego, preparaban la papilla de mijo, la leche cuajada, la manteca, los dátiles. La noche venía muy deprisa, el cielo inmenso y frío se abría sobre la tierra apagada. Entonces nacían las estrellas, los miles de estrellas detenidas en el espacio. El hombre del fusil, el que guiaba el grupo, llamaba a Nur y le mostraba la punta de la Osa Menor, la estrella solitaria que denominan el Cabrito, y luego, en el extremo opuesto de la constelación, Kochab, la azul. Hacia el este, mostraba a Nur el puente en que brillan las cinco estrellas Alkaid, Mizar, Alioth, Megrez, Fecda. Al este del todo, apenas por encima del horizonte ceniciento, Orión acababa de nacer, con Alnilam un poco ladeado como el mástil de un navío. Conocía todas las estrellas, les daba a veces nombres extraños que eran como principios de historias. Señalaba a Nur la ruta que seguirían de día, como si las luces que se encendían en el cielo trazasen los caminos que deben recorrer los hombres en la tierra. ¡Había tantas estrellas! La noche del desierto estaba henchida de esas fuentes luminosas que palpitan suavemente, mientras el viento pasaba una y otra vez como un aliento. Era un ámbito al margen del tiempo, quizá lejos de la historia de los hombres, un ámbito donde no podía aparecer o morir nada más, como si ya estuviera separado de los demás ámbitos, en la cima de la existencia terrestre. Los hombres miraban a menudo las estrellas, la gran vía blanca que forma como un puente de arena encima de la tierra. Hablaban un poco fumando hojas de kif liadas, se contaban los relatos de viajes, los rumores que corrían sobre la guerra contra los soldados de los cristianos, las venganzas. Después escuchaban la noche.

Las llamas del fuego de ramas menudas danzaban bajo la tetera de cobre con un ruido de agua que silba. Al otro lado del brasero hablaban las mujeres, y una de ellas arrullaba a su pequeño, que se le iba durmiendo

13

en el pecho. Los perros salvajes aullaban, y les respondía el eco en el seno de las dunas como si hubiera otros perros salvajes. El olor de los animales subía, se mezclaba con la humedad de la arena gris, con la acre humareda de los braseros.

Poco después, las mujeres y los niños dormían en la tienda, y los hombres se tumbaban encima de sus mantos alrededor del fuego extinto. Desaparecían en la inmensidad de arena y piedra, invisibles, mientras el cielo negro resplandecía todavía más.

Habían marchado así durante meses, quizá años. Habían seguido las rutas del cielo entre las olas de las dunas, las rutas que vienen del Draa, de Tamagrut, del Erg Igidi o, más al norte, la ruta de los Ait Atta, de los Gheris, de Tafilete, que comunican con los grandes alcázares de las estribaciones del Atlas, o la ruta sin fin que se interna hasta el corazón del desierto, más allá del Hank, hacia la gran ciudad de Tombuctú. Algunos habían muerto en el camino, otros habían nacido, se habían casado. Los animales también habían muerto, con la garganta abierta para fertilizar las profundidades de la tierra, o fulminados por la peste y abandonados a la putrefacción en la tierra dura.

Era como si aquí no hubiera nombres, como si no hubiera palabras. El desierto lavaba todo en su viento, borraba todo. Los hombres tenían la libertad del espacio en la mirada, su piel era como el metal. La luz del sol inundaba todo con su resplandor. La arena ocre, amarilla, gris, blanca, la arena ligera resbalaba, hacía ver el viento. Cubría todas las huellas, todos los huesos. Repelía la luz, ahuyentaba el agua, la vida lejos de un centro, que nadie podía reconocer. Los hombres sabían de sobra que el desierto no los quería: marchaban así sin detenerse, por los caminos que otros pies ya habían recorrido, en busca de algo distinto. El agua, a su vez, estaba en los *aiún,* los ojos color cielo, o en los lechos húmedos de los viejos arroyos embarrados. Pero no era agua para el disfrute ni el reposo. Era sólo la huella de un sudor en la superficie del desierto, el don parsimonioso de un Dios seco, el último movimiento de la vida. Agua pesada arrancada a la arena, agua muerta de las fisuras del terreno, agua alcalina que provocaba el cólico, que hacía vomitar. Era preciso continuar más lejos, vencidos un poco hacia adelante, en la dirección que habían indicado las estrellas.

Pero era el único, quizá el último territorio libre; un territorio donde ya las leyes de los hombres carecían de importancia. Un territorio para las piedras y el viento, también para los escorpiones y los gerbos, los que saben ponerse a salvo y esconderse cuando el sol abrasa o la noche hiela.

Habían aparecido ahora sobre la vaguada de Sagia el-Hamra, descendían lentamente por las pendientes de arena. Al fondo de la vaguada comenzaban los rastros de vida humana: campos de tierra cerrados con vallados de piedra seca, cercas para los camellos, campamentos de barracas de hojas de palmito, grandes tiendas de lana que se antojaban barcos del revés. Los hombres descendían lentamente, incrustando los talones en la arena, que se desmoronaba. Las mujeres aminoraban la marcha y se quedaban a distancia, tras el grupo de los animales enloquecidos de repente por el olor de los pozos. Aparecía la inmensa vaguada, se abría bajo la estepa pedregosa. Nur buscaba las altas palmeras verde oscuro, que brotaban del suelo en hileras apretadas en torno al lago de agua clara; buscaba los palacios blancos, los minaretes, todo lo que le habían dicho desde pequeño cuando le hablaban de la ciudad de Smara. Hacía tanto tiempo que no había visto árboles... Con los brazos algo despegados, caminaba hacia la parte baja de la vaguada; con los ojos entornados por culpa de la luz y de la arena.

A medida que los hombres descendían hacia el fondo de la vaguada, la ciudad que habían entrevisto un instante desaparecía, y encontraban sólo la tierra seca y desnuda. Hacía calor, el sudor bañaba el rostro de Nur, le pegaba las vestiduras azules a los riñones, a los hombros.

Ahora aparecían también otros hombres, otras mujeres, como nacidos de la vaguada. Unas mujeres habían encendido sus braseros para la cena; niños y hombres esperaban inmóviles ante las tiendas polvorientas. Habían venido de todos los puntos del desierto, más allá de la Hamada pedregosa, de las montañas del Cheheiba y de Uarkziz, del Sirua, de los montes Um Chakurt, más allá incluso de los grandes oasis del sur, del lago subterráneo de Gurara. Habían franqueado las montañas por el paso de Maider, hacia Tarhamant, o más abajo, allá donde el Draa se encuentra con el Tingut, por Rgeibat. Habían venido todos los pueblos del sur, los nómadas, los comerciantes, los pastores, los saqueadores, los mendigos. Puede que algunos hubieran dejado atrás el reino de Biru o el gran oasis de Ualata. Sus rostros llevaban la marca del terrible sol, del frío mortal de las noches en los confines del desierto. Entre ellos había algunos de un negro casi rojo, altos y longilíneos, que hablaban una lengua desconocida; eran los tibbus, venidos del otro lado del desierto, del Borku y del Tibesti, los comedores de nuez de cola, que iban hasta el mar.

A medida que el hato de hombres y animales se acercaba, las siluetas negras de los hombres se multiplicaban. Tras las acacias retorcidas aparecían, como termiteros, las chozas de ramas y barro. Casas de adobe, casamatas de tablas y barro, y sobre todo esos pequeños vallados de piedra seca, que ni siquiera llegaban a la rodilla y dividían la tierra roja en alvéolos minúsculos. En unos campos no mayores que una manta sudadera, los esclavos *haratin* intentaban dar vida a unas pocas habas, guindilla, mijo. Las acequias hundían sus surcos estériles por toda la vaguada para captar la menor humedad.

Allí es donde llegaban ahora, a la gran ciudad de Smara. Los hombres, los animales, todos avanzaban por la tierra reseca, por la cuenca de esa gran herida de la vaguada de Sagia.

Hacía tantos días, duros y afilados como el pedernal, tantas horas que esperaban ver esto. Había tanto sufrimiento en sus cuerpos magullados, en sus labios sangrantes, en su mirada abrasada. Se precipitaban hacia los pozos sin oír los gritos de los animales ni el rumor de los demás hombres. Al llegar ante los pozos, ante el muro de piedra que retenía la tierra blanda, se detuvieron. Los niños alejaron las bestias a pedradas, mientras los hombres se arrodillaban para rezar. Luego, cada uno sumergió el rostro en el agua y bebió largamente.

Así eran los ojos del agua en medio del desierto. Pero el agua tibia contenía la fuerza del viento, de la arena y del gran cielo helado de la noche. Mientras bebía, sentía Nur entrar en él el vacío que lo había empujado de pozo en pozo. El agua turbia y sosa le daba asco, no lograba aplacar su sed. Era como si aquélla instalase en el fondo de su cuerpo el silencio y la soledad de las dunas y las grandes estepas pedregosas. El agua estaba inmóvil en los pozos, tan lisa como el metal, y en su superficie flotaban los residuos de hojas y la lana de los animales. En otro pozo las mujeres se lavaban y alisaban sus cabelleras.

Cerca de ellas, las cabras y los dromedarios estaban inmóviles, como si unas estacas los retuviesen en el barro del pozo.

Otros hombres iban y venían entre las tiendas. Eran los guerreros azules del desierto, embozados, armados con puñales y fusiles, que marchaban a grandes zancadas sin mirar a nadie. Los esclavos sudaneses, vestidos de harapos, llevaban los bultos cargados de mijo o de dátiles, los odres de aceite. Hijos de tienda grande, vestidos de blanco y azul oscuro, bereberes de piel casi negra, niños de la costa de cabellos rojos y piel moteada, hombres sin raza, sin nombre, mendigos leprosos que no se acercaban al agua. Todos marchaban por el guijarral de polvo rojo, iban hacia los muros de la ciudad santa de Smara. Se habían apartado del desierto por algunas horas, algunos días. Habían desplegado la pesada tela de sus tiendas, se habían embutido en los mantos de lana, esperaban la noche. Comían ahora la papilla de mijo bañada con leche cuajada, el pan, los dátiles secos con sabor a miel y pimienta. Las moscas y los mosquitos bailaban alrededor de los cabellos de los niños en el aire del atardecer, las avispas se posaban en sus manos, en sus mejillas sucias de polvo.

Ahora departían en voz muy alta, y las mujeres, al cobijo agobiante de las tiendas, reían y lanzaban chinitas a los niños que jugaban. El verbo brotaba de la boca de los hombres como en la ebriedad, las palabras cantaban, gritaban, resonaban guturalmente. Tras las tiendas, cerca de los muros de Smara, el viento soplaba entre las ramas de las acacias, entre las hojas de los palmitos. Y sin embargo, ellos se anclaban en el silencio, los hombres y las mujeres de rostros y cuerpos azulados por el índigo y el sudor; sin embargo, no habían abandonado el desierto.

No olvidaban. Ese gran silencio que pasaba sin descanso por las dunas estaba en el fondo de sus cuerpos, en sus vísceras. Éste era el verdadero secreto. Por momentos el hombre del fusil dejaba de hablar a Nur y miraba hacia atrás, hacia la cabeza de la vaguada, allí de donde venía el viento.

A veces un hombre de otra tribu se acercaba a la tienda y saludaba tendiendo las dos manos abiertas. Apenas intercambiaban unas palabras, unos nombres. Pero eran palabras y nombres que se borraban enseguida, simples huellas ligeras que el viento de arena iba a enterrar.

Cuando llegaba aquí la noche, al agua de los pozos, se imponía de nuevo el reino del cielo constelado del desierto. En la vaguada de Sagia el-Hamra las noches eran más suaves, y la luna nueva se elevaba en el cielo oscuro. Los murciélagos iniciaban su danza alrededor de las tiendas, revoloteaban a ras del agua de los pozos. La luz de los braseros vacilaba, exhalaba el tufo del aceite caliente y del humo. Algunos niños corrían entre las tiendas, lanzando gritos guturales igual que los perros. Los animales dormían ya, los dromedarios con las patas trabadas, los corderos y las cabras en los cercados de piedras secas.

Los hombres ya no se mostraban vigilantes. El guía había apoyado el fusil a la entrada de la tienda y fumaba con la mirada clavada al frente. Apenas escuchaba los suaves rumores de las voces y las risas de las mujeres sentadas al amor de los braseros. Puede que soñase con otros atardeceres, otras rutas, como si el ardor del sol sobre la piel, y el dolor de la sed en la garganta, fueran el inicio de otro deseo.

El sueño pasaba con lentitud por la ciudad de Smara. En otra parte, al sur, en la gran Hamada pedregosa, no había sueño en la noche. Sólo el embotamiento del frío cuando el viento soplaba en la arena y desnudaba el zócalo de las montañas. No se podía dormir en las rutas del desierto. Se vivía, se moría, siempre con la mirada fija y los ojos consumidos de fatiga y de luz. Algunas veces los hombres azules daban con uno de los suyos sentado en la arena, bien erguido, con las piernas extendidas y el cuerpo inmóvil, envuelto en jirones de ropa flotando al aire. En la cara gris, los ojos ennegrecidos se clavaban en el horizonte movedizo de las dunas, porque así era como lo había sorprendido la muerte.

El sueño es como el agua, nadie podía en verdad dormir lejos de los manantiales. El viento soplaba, semejante al viento de la estratosfera, eliminando todo el calor de la tierra.

Pero aquí, en la vaguada roja, los viajeros podían dormir.

El guía se despertaba antes que los demás, se mantenía inmóvil ante la tienda. Miraba la bruma que ascendía lentamente vaguada arriba, hacia la Hamada. La noche se desvanecía al paso de la bruma. Con los brazos cruzados sobre el pecho, el guía apenas respiraba, sus párpados permanecían inmutables. Aguardaba así la primera luz del alba, el *fizhar*, la mancha blanca que nace al este, por encima de las colinas. Cuando aparecía la luz, él se inclinaba sobre Nur y lo despertaba con suavidad poniéndole la mano en el hombro. Juntos se alejaban en silencio, se encaminaban por la pista de arena que iba hacia los pozos. Unos perros ladraban en la distancia. A la luz gris del alba, el hombre y Nur se lavaban según el orden ritual una parte tras otra, repitiéndolo hasta tres veces. El agua del pozo era fría y pura, el agua nacía de la arena y de la noche. El hombre y el niño seguían mojándose la cara en abundancia y lavándose las manos, y luego se tornaban hacia oriente para elevar la primera plegaria. El cielo comenzaba a aclarar el horizonte.

En los campamentos, los braseros enrojecían con la última sombra. Las mujeres iban a sacar el agua, las niñas pequeñas corrían en el agua del pozo lanzando algunos gritos, y luego regresaban, tambaleándose, con la tinaja en equilibrio sobre el delgado cuello.

El hervidero de la vida humana empezaba a subir desde los campamentos y las casas de barro: ruidos de metal, de piedra, de agua. Los perros cetrinos, reunidos en la plaza, daban vueltas gañendo. Los camellos y los animales pateaban, levantaban el polvo rojo.

Era entonces cuando resultaba hermosa la luz en Sagia el-Hamra. Venía a la vez del cielo y de la tierra, luz de oro y de cobre que vibraba en el cielo desnudo sin abrasar, sin aturdir. Las jóvenes, apartando una cubierta de la tienda, se peinaban las pesadas cabelleras, se despiojaban, se armaban el moño al que enganchaban el velo azul. La luz hermosa brillaba en el cobre de sus rostros y sus brazos.

Acurrucado en la arena, inmóvil, Nur miraba, también él, la claridad que henchía el cielo sobre los campamentos. Algunas perdices atravesaban con su vuelo lento el espacio, remontaban la vaguada roja. ¿Adónde iban? Puede que fueran hasta la cabeza de Sagia, hasta los estrechos valles de tierra roja, entre los montes del Agmar. Luego, cuando el sol declinase, volverían hacia el valle abierto, por encima de los campos, allá donde las casas de los hombres se parecen a las casas de las termitas.

¿Conocerían El Aaiún, la ciudad de barro y tablas donde los tejados son a veces de metal rojo, conocerían incluso el mar color esmeralda y bronce, el mar libre?

Los viajeros empezaban a llegar a Sagia el-Hamra, caravanas de hombres y animales que bajaban por las dunas levantando nubes de polvo rojo. Pasaban ante los campamentos sin volver siquiera la cabeza, solos y lejanos todavía como si estuvieran en medio del desierto.

Marchaban lentamente hacia el agua de los pozos para aliviar sus bocas sangrantes. El viento había comenzado a soplar arriba, en la

Hamada. En la vaguada se debilitaba al chocar con los palmitos, en los matorrales espinosos, en los dédalos de piedra seca. Pero, lejos de Sagia, el mundo resplandecía a los ojos de los viajeros; llanuras de rocas cortantes, montañas escarpadas, fallas, capas de arena que reverberaban al sol. El cielo sin límites era de un azul tan duro que abrasaba la cara. Cada vez más lejos, los hombres marchaban por el entramado de las dunas, en un mundo extranjero.

Pero era su verdadero mundo. Esa arena, esas piedras, ese cielo, ese sol, ese silencio, ese dolor, y no las ciudades de metal y cemento, donde se oía el ruido de las fuentes y de las voces humanas. Era en este orden vacío del desierto donde todo era posible, donde marchaban sin sombra al borde de la propia muerte. Los hombres azules avanzaban por la pista invisible hacia Smara, libres como ningún ser en el mundo podía serlo. Alrededor de ellos, hasta perderse de vista, estaban las crestas movedizas de las dunas, las olas del espacio que no era posible conocer. Los pies desnudos de las mujeres y los niños hollaban la arena, dejaban un leve rastro que el viento borraba de inmediato. A lo lejos flotaban los espejismos entre tierra y cielo, ciudades blancas, ferias, caravanas de camellos y asnos cargados de víveres, sueños agitados. Y los hombres mismos eran como espejismos que el hambre, la sed y la fatiga habían hecho nacer en la tierra desierta.

Las rutas eran circulares, conducían siempre al punto de partida trazando círculos cada vez más estrechos alrededor de Sagia el-Hamra. Pero era una ruta que no tenía fin, pues era más larga que la vida humana.

Los hombres venían del este, más allá de las montañas del Aadme Rieh, más allá del Yetti, de Tabelbala. Otros venían del sur, del oasis Haricha, de los pozos de Abd el Malek. Habían marchado hacia el oeste, hacia el norte, hasta las orillas del mar o a través de las grandes minas de sal de Teghaza. Habían vuelto cargados de víveres y municiones hasta la tierra santa, la gran vaguada de Sagia el-Hamra, sin saber hacia dónde iban a partir de nuevo. Habían viajado mirando los caminos de las estrellas, escapando de los vientos de arena cuando el cielo enrojece y las dunas empiezan a moverse.

Los hombres, las mujeres, vivían así, en permanente marcha, sin encontrar reposo. Un día morían, sorprendidos por la luz del sol, alcanzados por una bala enemiga o consumidos por la fiebre. Las mujeres daban a luz simplemente en cuclillas, al abrigo de la tienda, sostenidas por dos mujeres, ceñido el vientre con el cinturón grande de tela. Desde el primer minuto de su vida, los hombres pertenecían a la extensión sin límites, a la arena, a los cardos, a las serpientes, a las ratas, al viento sobre todo, pues tal era su verdadera familia. Las niñas de cabellos cobrizos crecían, aprendían los gestos sin fin de la vida. No tenían otro espejo que la extensión fascinante de las llanuras de yeso bajo el cielo liso. Los muchachos aprendían a marchar, hablar, cazar y combatir, y todo para aprender a morir en la arena.

De pie ante la tienda, en la parte de los hombres, el guía se había quedado inmóvil largo rato, mirando las caravanas desplazarse hacia las dunas, hacia los pozos. El sol le iluminaba el rostro moreno, la nariz aguileña, los largos cabellos rizados color cobre. Nur le había hablado, pero él no había escuchado. Luego, cuando el campamento quedó en calma, hizo un gesto a Nur y partieron juntos siguiendo la pista que remontaba hacia el norte, hacia el centro de Sagia el-Hamra. A veces, al cruzarse con alguien que marchaba hacia Smara, habían intercambiado algunas palabras:

«¿Quién eres?».

«Bu Sba. ¿Y tú?»

«Yuemaia.»

«¿De dónde vienes?»

«Aaín Rag.»

«Yo, del sur, de Igeti.»

Y se separaban sin decirse adiós. Más lejos, la pista casi invisible atravesaba rocallas, bosquecillos de finas acacias. Era difícil marchar por culpa de los guijarros afilados que salían de la tierra roja, y a Nur le costaba seguir a su padre. La luz brillaba con más fuerza, el viento del desierto levantaba el polvo bajo sus pasos. En este lugar la vaguada ya no era abierta; era una suerte de grieta gris y roja que centelleaba por rincones como el metal. Los guijarros se amontonaban en el lecho del torrente seco, piedras blancas, rojas, pedernales negros donde el sol arrancaba destellos.

El guía marchaba con el sol de cara, vencido hacia adelante, con la cabeza cubierta por el manto de lana. Los arañazos de los arbustos le desgarraban a Nur las vestiduras, le arañaban las piernas y los pies desnudos, pero él no se inmutaba. Tenía la mirada al frente, clavada en la silueta de su padre, que avanzaba deprisa. De repente se detuvieron juntos: el sepulcro blanco había aparecido entre las colinas pedregosas, centelleando a la luz del cielo. El hombre permanecía inmóvil, un tanto inclinado, como si saludase a la tumba. A continuación reanudaron la marcha por los guijarros, que caían rodando.

Lentamente, sin bajar la vista, el guía ascendía hacia la tumba. A medida que se aproximaban, el techo abovedado parecía surgir de entre las piedras rojas, crecer hacia el cielo. La luz bellísima y pura iluminaba el sepulcro, lo inflaba en aquel aire sobrecargado. No había sombra en el lugar, sólo las piedras afiladas de la colina y, encima, el lecho desecado del torrente.

Llegaron ante el sepulcro. Consistía tan sólo en cuatro paredes de barro encalado erigidas sobre un zócalo de piedras rojas. Había una sola puerta, similar a la entrada de un horno, obstruida por una ancha piedra roja. Por encima de las paredes, la cúpula blanca tenía la forma de una cáscara de huevo y estaba culminada por una punta de lanza. Nur ya sólo miraba la entrada de la tumba, y la puerta se agrandaba a sus ojos, se convertía en la puerta de un monumento inmenso de murallas semejantes a acantilados de tiza, de cúpula tan grande como una montaña. Aquí se aplacaban el viento y el calor del desierto, la soledad del día; aquí terminaban las pistas ligeras, incluso aquellas por donde marchan los extraviados, los locos, los derrotados. Es posible que el centro del desierto fuera el sitio donde todo hubiera comenzado en el pasado, cuando los hombres habían venido por primera vez. El sepulcro brillaba en la pendiente de la colina roja. La luz del sol reverberaba en la tierra batida abrasando la cúpula blanca, y hacía caer, de vez en cuando, chorritos de polvo rojo por las fisuras de las paredes. Nur y su padre estaban solos junto a la tumba. El silencio denso reinaba en la vaguada de Sagia el-Hamra.

Por la puerta redonda, una vez que hizo bascular la ancha piedra, el guía vio la oscuridad poderosa y fría, y le pareció sentir en el rostro como un aliento.

Alrededor de la tumba había un área de tierra roja batida por los pies de los visitantes. Allí se instalaron el guía y Nur en un principio, para orar. Aquí, en lo alto de la colina, junto a la tumba del hombre santo, con la vaguada de Sagia el-Hamra extendiendo hasta perderse de vista su lecho reseco, y ese horizonte inmenso en el que apuntaban otras colinas, otras peñas frente al cielo azul, el silencio era todavía más punzante. Era como si el mundo hubiera cesado de moverse y hablar, se hubiera transformado en piedra.

De cuando en cuando, no obstante, oía Nur los crujidos de las paredes de barro, el zumbido de un insecto, el gemido del viento.

«He venido», decía el hombre de rodillas en la tierra batida. «Ayúdame, espíritu de mi padre, espíritu de mi abuelo. He atravesado el desierto, he venido para solicitar tu bendición antes de morir. Ayúdame, dame tu bendición, puesto que soy tu propia carne. He venido.»

Así hablaba, y Nur escuchaba las expresiones de su padre sin comprender. Hablaba tan pronto a plena voz como murmurando y canturreando, balanceando la cabeza, repitiendo siempre estas simples palabras: «He venido, he venido».

Se doblaba hacia adelante, tomaba polvo rojo en el hueco de las manos y se lo derramaba por el rostro, la frente, los párpados, los labios.

Luego se levantaba y andaba hasta la puerta. Delante de la abertura se arrodillaba y oraba de nuevo, con la frente apoyada en la piedra del umbral. La sombra se disipaba lentamente en el interior del sepulcro como una niebla nocturna. Las paredes blancas del sepulcro estaban desnudas, como en el exterior, y el techo bajo mostraba su armazón de ramas amalgamadas con barro seco.

Nur entraba también ahora, a cuatro patas. Sentía bajo las palmas de sus manos la losa dura y fría de la tierra mezclada con la sangre de los corderos. Al fondo de la tumba, en la tierra batida, el guía se hallaba extendido boca abajo. Tocaba la tierra con las manos manteniendo los brazos estirados por delante, como fundiéndose con el suelo. En este momento ya no rezaba, ya no cantaba. Respiraba lentamente, con la boca en la tierra, escuchando el latido de su propia sangre en la garganta y los oídos. Era como si algo extraño entrara en él por la boca, la frente, las palmas de las manos y el vientre; algo que penetraba lejos en el fondo de sí mismo y lo transformaba imperceptiblemente. Puede que fuera el silencio venido del desierto, del mar de las dunas, de las montañas pedregosas bajo la claridad lunar, o de las grandes llanuras de arena rosa, donde danza y trastabilla la luz del sol como una cortina de lluvia; el silencio de los hoyos de agua verde que miran el cielo como unos ojos, el silencio del cielo sin nubes, sin aves, donde el viento es libre.

El hombre echado en el suelo sentía el entumecimiento de sus miembros. La oscuridad le llenaba los ojos como antes del sueño. Sin embargo, al mismo tiempo, una energía nueva le entraba por el vientre, las manos, irradiaba en cada uno de sus músculos. Todo en él se mudaba, se cumplía. Ya no había sufrimiento, deseo, venganza. Olvidaba todo ello como si el agua de la plegaria le hubiese lavado el espíritu. Ya no había tampoco palabras, la oscuridad fría de la tumba las volvía vanas. En su lugar se imponía esa corriente extraña que vibraba en la tierra mezclada con sangre, esa onda, ese calor. No era como nada de lo que hay en la tierra. Era un poder directo, sin pensamiento, que venía del fondo de la tierra y se iba hacia el fondo del espacio, como si un lazo invisible uniese el cuerpo del hombre tumbado y el resto del mundo.

Nur apenas respiraba mirando a su padre en la oscuridad de la tumba. Sus dedos separados tocaban la tierra fría, y ella lo arrastraba a través del espacio en una carrera vertiginosa.

Permanecieron así largo rato, el guía tumbado en la tierra y Nur en cuclillas, con los ojos abiertos, inmóvil. Luego, cuando todo hubo acabado, el hombre se incorporó con lentitud y mandó salir a su hijo. Fue a sentarse apoyado en la pared del sepulcro, cerca de la puerta, e hizo rodar otra vez la piedra para cerrar la entrada de la tumba. Parecía agotado, como si hubiese caminado durante horas sin beber ni comer. Pero en el fondo de él había una fuerza nueva, una felicidad que iluminaba su mirada. Ahora era como si supiera lo que debía hacer, como si conociese de antemano el camino que debía recorrer.

Se cubría la cara con el vuelo de su manto de lana; y daba gracias al hombre santo sin pronunciar palabras, moviendo simplemente un poco la cabeza y canturreando en el interior de su garganta. Sus largas manos azules acariciaban la tierra batida apuñando el polvo fino.

Frente a ellos el sol describía su curva en el cielo, lentamente, descendiendo al otro lado de Sagia el-Hamra. Las sombras de las colinas y los riscos se alargaban al fondo de la vaguada. Pero el guía no parecía darse cuenta de nada. Inmóvil, con la espalda apoyada contra la pared del sepulcro, no sentía el paso del día, ni del hambre y la sed. Estaba lleno de otra fuerza, de otro tiempo, que lo habían hecho ajeno al orden de los hombres. Puede que ya no esperara nada, no supiera nada y se hubiera vuelto semejante al desierto: silencio, inmovilidad, ausencia.

Cuando la noche empezó a caer, Nur sintió miedo y tocó el hombro de su padre. El hombre lo miró sin decir nada, sonriendo un poco. Juntos se encaminaron colina abajo hacia el lecho del torrente reseco. Pese a que se hacía de noche, les dolían los ojos, y el viento caluroso les abrasaba la cara y las manos. El hombre se tambaleaba un poco al andar por el camino y tuvo que apoyarse en el hombro de Nur.

Abajo, al fondo de la vaguada, el agua de los pozos estaba negra. Los mosquitos bailaban en el aire, pugnaban por picar a los niños en los párpados. Más allá, cerca de los muros rojos de Smara, los murciélagos volaban al ras de las tiendas, daban vueltas en torno a los braseros. Cuando llegaron a la altura del primer pozo, Nur y su padre se detuvieron de nuevo para lavarse con cuidado cada parte del cuerpo. Luego elevaron la última plegaria, vueltos hacia el lado por donde anochecía.

Vinieron cada vez en mayor número a la vaguada de Sagia el-Hamra. Llegaban del sur, algunos con sus camellos y caballos, pero sobre todo a pie, porque los animales se morían de sed y enfermedad por el camino. Cada día, alrededor de la muralla de barro de Smara, el joven veía nuevos campamentos. Las tiendas de lana parda añadían nuevos círculos alrededor de los muros de la ciudad. Cada atardecer, con la caída de la noche, Nur miraba a los viajeros que llegaban inmersos en nubes de polvo. Nunca había visto a tantos hombres. Era un guirigay continuo de voces de hombres y mujeres, de chillidos de niños, de llantos mezclados con las llamadas de las cabras y las ovejas, el estrépito de las yuntas, los gruñidos de los camellos. Un olor extraño, que Nur no conocía bien, subía de la arena y se expandía a intervalos en el viento del atardecer; era un olor poderoso, agrio y dulce a la vez, el de la piel humana, la respiración, el sudor. Las hogueras de carbón de madera, de ramas menudas y bosta se encendían en la penumbra. El humo de los braseros se elevaba por encima de las tiendas. Nur oía las dulces melopeas de las mujeres que arrullaban a sus retoños.

La mayoría de los que llegaban ahora eran viejos, mujeres y niños fatigados por las marchas forzadas a través del desierto, con las vestiduras desgarradas, los pies desnudos o vendados con trapos. Los rostros estaban negros, abrasados por la luz, con los ojos como trozos de carbón. Los niños pequeños iban desnudos, con las piernas señaladas de llagas, los vientres dilatados por el hambre y la sed.

Nur recorría el campamento, se colaba entre las tiendas, estaba extrañado de ver a tanta gente, y al mismo tiempo sentía una especie de angustia, porque pensaba, sin comprender bien por qué, que muchos de estos hombres, mujeres y niños iban a morir pronto.

Se topaba sin cesar con nuevos viajeros, que andaban con lentitud por las calles que formaban las tiendas. Algunos entre ellos venían de más al sur, negros como sudaneses, y hablaban una lengua que Nur no conocía. Los hombres en su mayor parte estaban embozados, envueltos en mantos de lana y prendas azules, con los pies calzados en sandalias de cuero de cabra. Portaban largos fusiles de chispa con cañón de bronce, lanzas, puñales. Nur se hacía a un lado para dejarlos pasar y los miraba marchar hacia la puerta de Smara. Iban a saludar al gran *cheij* Mulei Ahmed ben Mohammed el-Fadel, a quien llamaban Ma el-Ainin, el Agua de los Ojos.

Iban todos a sentarse en las banquetas de barro seco, en torno al patio de la casa del *cheij*. Elevarían su plegaria a la puesta del sol, al este del pozo, arrodillados en la arena, con el cuerpo orientado hacia el desierto.

Cuando la noche ya había caído, Nur se volvió hacia la tienda de su padre y se sentó junto a su hermano mayor. En la parte derecha de la tienda hablaban su madre y sus hermanas, tendidas en las alfombras entre los víveres y la albarda del camello. Poco a poco volvía el silencio a Smara y a la vaguada, el bullicio de las voces humanas y el estridor de los animales se apagaban de modo progresivo. La luna llena aparecía en el cielo negro, disco blanco magníficamente dilatado. La noche era fría, a pesar de todo el calor del día acumulado en la arena. Algunos murciélagos volaban ante la luna, se dejaban caer rápidos hacia el suelo. Nur, tumbado sobre el costado, con la cabeza apoyada en el brazo, los seguía con la mirada esperando el sueño. Se durmió de repente, sin darse cuenta, con los ojos abiertos.

Cuando despertó, tuvo la extraña impresión de que el tiempo no había pasado. Buscó con la vista el disco de la luna, y al ver que había iniciado su descenso hacia el oeste comprendió que había dormido largamente.

El silencio era opresivo en los campamentos. Sólo se oían aullidos lejanos de los perros salvajes en algún lugar al límite del desierto.

Nur se levantó y vio que su padre y su hermano ya no estaban en la tienda. Solas, en lo oscuro, a la izquierda de la tienda, se apreciaban vagamente las formas de las mujeres y los niños envueltos en las alfombras. Nur comenzó a andar por el camino de arena, entre los campamentos, en dirección a las murallas de Smara. La arena, aclarada por la luz de la luna, era muy blanca, con las sombras azules de los guijarros y los arbustos. No había ningún ruido, como si todos los hombres estuvieran dormidos, pero Nur sabía que los hombres no estaban en las tiendas, únicamente estaban los niños, que dormían, y las mujeres, que miraban afuera, sin moverse, envueltas en los mantos y las alfombras. El aire de la noche hacía tiritar al joven, y la arena era fría y dura bajo sus pies desnudos.

Cuando se acercó a los muros de la ciudad, Nur oyó el rumor de los hombres. Vio, un poco más lejos, la silueta inmóvil de un vigilante acurrucado ante la puerta de la ciudad, con su larga carabina apoyada en las rodillas. Pero Nur conocía un lugar donde la muralla de barro se había derrumbado, y pudo entrar en Smara sin pasar frente al centinela.

Al punto descubrió la asamblea de los hombres en el patio de la casa del *cheij*. Estaban sentados en el suelo, en grupos de cinco o seis alrededor de los braseros, donde las grandes pavas de cobre contenían el agua para el té verde. Nur se infiltró sin ruido en la asamblea. Nadie lo miraba. Todos los hombres se hallaban concentrados en un grupo de guerreros que estaban de pie ante la puerta de la casa. Había algunos soldados del desierto, vestidos de azul, que se mantenían inmóviles mirando a un hombre mayor, vestido con un simple manto de lana blanca que le cubría la cabeza, y a dos hombres jóvenes, armados, que hablaban por turno con vehemencia.

Desde donde estaba Nur, debido al murmullo de los hombres que repetían o comentaban lo que ya se había dicho, no era posible entender sus palabras. Cuando se le habituaron los ojos al contraste de la sombra y los fulgores rojos de los braseros, Nur reconoció la silueta del viejo. Era el gran *cheij* Ma el-Ainin, a quien ya había visto cuando su padre y su hermano mayor, a su llegada al pozo de Smara, habían venido a saludarlo.

Nur preguntó a su vecino quiénes eran los dos jóvenes que rodeaban al *cheij*. Le fueron dados sus nombres:

«Saad Bu y Lagdaf, los hermanos de Ahmed ed-Dehiba, a quien llaman Parcela de Oro, el que pronto será nuestro verdadero rey».

Nur no se esforzaba por oír las palabras de los dos jóvenes guerreros. Miraba con todas sus fuerzas el semblante lánguido del viejo, inmóvil entre ellos, y cuyo manto, iluminado por la luna, creaba una mancha blanquísima.

Todos los hombres lo miraban también, como con una sola mirada, como si fuera él quien en verdad hablara, como si fuera a hacer un solo gesto que transformase todo, puesto que él era quien establecía el orden mismo del desierto.

Ma el-Ainin no se movía. No parecía oír las palabras de sus hijos ni el rumor continuo que llegaba de los cientos de hombres sentados en el patio delante de él. A veces giraba un poco la cabeza y miraba a otra parte, más allá de los hombres y de los muros de barro de su ciudad, hacia el cielo sombrío, en dirección a las colinas pedregosas.

Nur pensaba que quizá deseaba nada más que los hombres retornasen al desierto, de donde habían partido, y se le encogía el corazón. No entendía las palabras de los hombres que lo rodeaban. Por encima de Smara, el cielo estaba sin fondo, yerto, con las estrellas ahogadas por el nimbo blanco de la luz lunar. Y era un poco como una señal de muerte o de abandono, como una señal de la terrible ausencia que abría un vacío en las tiendas inmóviles y en los muros de la ciudad. Nur sentía esto sobre todo cuando miraba la silueta frágil del gran *cheij*, como si entrase en el corazón mismo del anciano, como si entrase en su silencio.

Los otros *cheijs,* los jefes de tienda grande y los guerreros azules vinieron uno tras otro. Todos daban el mismo testimonio con la voz quebrada por la fatiga y la sequedad. Hablaban de los soldados de los cristianos, que entraban en los oasis del sur llevando la guerra a los nómadas; hablaban de las fortificaciones que los cristianos construían en el desierto y bloqueaban el acceso a los pozos hasta las orillas del mar. Hablaban de las batallas perdidas, de los hombres muertos, tan numerosos que ni siquiera recordaban ya sus nombres, de los tropeles de mujeres y niños que huían hacia el norte a través del desierto, de las osamentas de animales muertos que se encontraban por toda la ruta. Hablaban de las caravanas interrumpidas cuando los soldados de los cristianos liberaban a los esclavos y los devolvían hacia el sur, y cuando los guerreros tuareg recibían dinero de los cristianos por cada esclavo que habían robado en los convoyes. Hablaban de las mercancías y del ganado incautados, de las bandas de salteadores que habían entrado en el desierto al mismo tiempo que los cristianos. Hablaban también de las tropas de los cristianos, guiadas por los negros del sur, tan numerosas que cubrían las dunas de arena de un extremo al otro del horizonte. Y de los jinetes que cercaban los campamentos y asesinaban en el acto a quienes se les resistían, que se llevaban luego a los niños para meterlos en las escuelas de los cristianos, en las fortalezas a orillas del mar. Entonces, al oír esto, los demás hombres decían que era cierto, lo juraban por Dios, y el rumor de las voces se hinchaba y se movía por la plaza como el ruido del viento según llega.

Nur escuchaba el rumor de las voces, que crecía para caer de nuevo como el paso del viento del desierto por las dunas, y se le hacía un nudo en la garganta, porque una amenaza terrible se cernía sobre la ciudad y sobre todos los hombres, una amenaza que no acertaba a discernir.

Casi sin pestañear, miraba ahora la silueta blanca del viejo, inmóvil entre sus hijos pese a la fatiga y el frío de la noche. Nur pensaba que sólo él, Ma el-Ainin, podía cambiar el curso de esta noche, calmar la cólera de la muchedumbre con un gesto de la mano o, al contrario, desatarla con tan sólo algunas palabras, que se repetirían de boca en boca y harían crecer una ola de rabia y amargura. Como Nur, todos los hombres miraban hacia él, con los ojos inflamados por la fiebre y el cansancio, y el espíritu tenso por el sufrimiento. Todos sentían la piel endurecida por el ardor del sol, y tenían los labios resecos por el viento del desierto. Aguardaban casi sin moverse, con la vista fija, atentos a una señal. Pero Ma el-Ainin no parecía percatarse. Tenía la vista fija y la mirada lejana por encima de las cabezas de los hombres, más allá de los muros de barro seco de Smara. Puede que buscara la respuesta a la angustia de los hombres en lo más profundo del cielo nocturno, en el extraño nimbo de luz que nadaba en torno al disco lunar. Nur elevó la vista hacia el lugar donde solían verse las siete estrellas de la Osa Menor, pero no vio nada. Sólo aparecía el planeta Júpiter, paralizado en el cielo yerto. La luz de la luna había cubierto todo con su niebla. A Nur le gustaban las estrellas, ya que su padre le había enseñado sus nombres desde muy pequeño; pero aquella noche era como si no acertara a reconocer el cielo. Todo se veía inmenso y frío, anegado en la luz blanca de la luna, cegado. En la tierra, las lumbres de los braseros formaban agujeros rojos que iluminaban de modo extraño los rostros de los hombres. Era quizá el miedo lo que había cambiado todo, lo que había descarnado los rostros y las manos, y maculado de sombra negra las órbitas vacías; era la noche la que había helado la luz en la mirada de los hombres, la que había abierto ese agujero inmenso en el fondo del cielo.

Cuando los hombres hubieron terminado de hablar, cada uno en su turno, en pie, junto al *cheij* Ma el-Ainin –todos aquellos cuyos nombres había oído Nur pronunciados otrora por su padre, los jefes de tribus guerreras, los hombres de la leyenda, los Maqil, Arib, Ulad Yahia, Ulad Delim, Arosien, Ichergigin, los Ergeibat del velo negro, y los que hablaban los lenguajes de los bereberes, los Ida u Belal, Ida u Meribat, Ait ba Amran, y aquellos también cuyos nombres resultaban desconocidos, llegados de los confines de Mauritania, de Tombuctú, los que no habían querido sentarse al calor de los braseros, sino que habían permanecido cerca de la entrada de la plaza, de pie, embutidos en sus mantos, con aspecto a la vez temeroso y despreciativo, aquellos que no habían querido hablar–, a todos los miraba Nur, primero a unos, luego a otros, y sentía el vacío terrible que calaba en sus rostros, como si fueran a morir pronto.

Ma el-Ainin no los veía. No había mirado a nadie, salvo una vez quizá, cuando su mirada se había detenido un breve instante en el rostro de Nur, como si le sorprendiera descubrirlo en medio de tantos hombres. Justo a partir de ese instante, rápido como un reflejo, apenas perceptible, el corazón de Nur se había puesto a latir más deprisa y con mayor vigor, Nur había aguardado la señal que el viejo *cheij* debía dar a los hombres reunidos frente a él. El viejo seguía inmóvil, como si pensara en otras cosas, mientras sus dos hijos, inclinados hacia él, hablaban en voz baja. Al fin extrajo de sus ropas su rosario de ébano y se recogió en el polvo muy despacio, con la cabeza reclinada hacia adelante. Y comenzó a orar, recitando la fórmula que había escrito para él mismo, mientras sus hijos se sentaban uno a cada lado. Al poco, como si este simple gesto hubiera bastado, cesó el murmullo de las voces humanas y se hizo el silencio en la plaza, intenso y helado a la luz demasiado blanca de la luna llena. Los ruidos lejanos, apenas perceptibles, venidos del desierto, del viento, de las piedras secas de las estepas, y los aullidos entrecortados de los perros salvajes, volvieron a inundar el espacio. Sin saludarse, sin decir una palabra, sin hacer un ruido, los hombres se incorporaban, sucesivamente, y abandonaban la plaza. Marchaban por el camino polvoriento, uno a uno, porque ya no sentían deseos de hablarse. Cuando su padre le tocó en el hombro, Nur se incorporó y se fue también él. Antes de dejar la plaza se volvió para mirar la extraña y frágil silueta del viejo, solo ya al claror de la luna, que salmodiaba su plegaria meciendo el tronco, como quien va a caballo.

Los días siguientes continuó aumentando la inquietud en el campamento de Smara. Era incomprensible, pero todo el mundo lo sentía, como un sufrimiento en el corazón, como una amenaza. El sol castigaba con fuerza en la jornada, su luz violenta reverberaba en las aristas de los guijarros y en el lecho de los torrentes resecos. Las estribaciones de la Hamada rocosa vibraban a lo lejos, y se veían sin cesar espejismos por encima de la vaguada de Sagia. A cada hora del día llegaban nuevas cohortes de nómadas abrumados por la sed y el cansancio, venidos del sur a marchas forzadas, y sus siluetas se confundían en el horizonte con el bullir de los espejismos. Marchaban lentamente, con los pies vendados con tiras de piel de cabra, cargando a las espaldas sus pobres fardos. Algunas veces los seguían camellos famélicos y caballos cojos, cabras, corderos. Montaban aprisa las tiendas en la linde del campamento. Nadie iba a saludarlos ni a preguntarles de dónde venían. Algunos llevaban las marcas de las heridas recibidas en los combates contra los soldados de los cristianos o contra los salteadores del desierto; la mayoría estaba al borde del agotamiento, minados por las fiebres y las enfermedades de vientre. A veces llegaban los restos de un ejército diezmado, sin jefes, sin mujeres, hombres de piel negra casi desnudos en sus vestiduras andrajosas, con la mirada vacía y brillante de fiebre y de locura. Iban a aliviarse a la fuente, ante la puerta de Smara, y se acostaban luego en el suelo a la sombra de los muros de la ciudad, como para dormir, pero sus ojos se mantenían bien abiertos.

Tras la noche de la asamblea de las tribus, Nur no había vuelto a ver a Ma el-Ainin ni a sus hijos. Pero sentía con nitidez que el gran murmullo que se había serenado cuando el *cheij* había iniciado su plegaria no había cesado verdaderamente. El rumor ya no estaba ahora en las palabras. Su padre, su hermano mayor, su madre, no decían nada, y desviaban la cabeza como si no quisieran que se los interrogase. Pero la inquietud continuaba aumentando, en los ruidos del campamento, en el estridor de los animales que se impacientaban, en el ruido de los pasos de los nuevos viajeros que llegaban del sur, en las palabras duras que se cruzaban los hombres o dirigían a sus niños. La inquietud también se hallaba en los olores violentos, el sudor, la orina, el hambre, toda esa acritud que venía de la tierra y de los recovecos de los campamentos. Aumentaba con la escasez del alimento; algunos dátiles picantes, la leche cuajada y la papilla de cebada que comían deprisa, a primera hora del día, cuando el sol no había surgido todavía de las dunas. La inquietud estaba en el agua sucia del pozo que los pasos de los hombres y los animales habían enturbiado y el té verde no conseguía regenerar. Hacía tiempo que no quedaba azúcar ni miel, y los dátiles estaban secos como las piedras, y la carne era, desabrida y dura, la de los camellos muertos por agotamiento. La inquietud aumentaba en las bocas secas y en los dedos sangrantes, en el calor del día y en el frío de la noche, que hacía tiritar a los niños entre los pliegues de las viejas alfombras.

Cada día, al pasar delante de los campamentos, Nur oía las voces de las mujeres que lloraban porque alguien había muerto durante la noche. Cada día se habían internado un poco más en la senda de la desesperación y de la cólera, y el corazón se le encogía más a Nur. Pensaba en la mirada del *cheij,* que flotaba a lo lejos en las colinas invisibles de la noche, se posaba luego en él un breve instante, como un reflejo, y lo iluminaba por dentro.

Todos habían venido hacia Smara de tan lejos que era como si allí debiera hallarse el final de su viaje. Como si no pudiera faltar ya nada. Habían venido porque les faltaba la tierra bajo los pies, como si se hubiera hundido tras ellos y en adelante no fuera ya posible volver atrás, y ahora estaban allí; cientos, miles, en una tierra que no podía acogerlos, una tierra sin agua, sin árboles, sin alimento. Sus miradas se dirigían sin cesar a todos los puntos del círculo del horizonte, hacia las montañas escarpadas del sur, hacia el desierto del este, hacia los lechos resecos de los torrentes de Sagia, hacia las estepas altas del norte. Sus miradas se perdían también en el cielo vacío, sin una nube, donde cegaba el sol de fuego. Entonces la inquietud se transformaba en miedo, y el miedo en cólera, y Nur sentía una onda extraña que pasaba sobre el campamento, un olor quizá que subía de las telas de las tiendas y giraba alrededor de la ciudad de Smara. Era también una ebriedad, la ebriedad del vacío y el hambre que alteraba las formas y los colores de la tierra, cambiaba el azul del cielo, hacía nacer grandes lagos de agua pura en los fondos ardientes de las salinas, poblaba el azul de las nubes de pájaros y moscas.

Nur iba a sentarse a la sombra de la muralla de barro, cuando el sol declinaba, y miraba el lugar donde había aparecido Ma el-Ainin aquella noche en la plaza, el lugar invisible donde se había recogido para orar. Algunas veces venían otros hombres, como él, y permanecían inmóviles a la entrada de la plaza para mirar la muralla de tierra roja y ventanas angostas. No decían nada, tan sólo miraban. Y regresaban al campamento.

De pronto, después de todos esos días de cólera y miedo en la tierra y en el cielo, tras todas esas noches heladas en que dormían un poco o se despertaban de golpe, sin razón, con ojos febriles y el cuerpo a merced de un sudor dañino, después de un tiempo tan largo que extinguía poco a poco a los ancianos y a los niños pequeños, de repente, sin que nadie supiera cómo, tuvieron la certeza de que había llegado la hora de partir.

Nur lo había oído antes incluso de que su madre lo mencionara, antes incluso de que su hermano le dijera riendo, como si todo hubiera cambiado: «Vamos a partir, mañana o pasado mañana, óyeme bien, vamos a partir hacia el norte, lo ha dicho el *cheij* Ma el-Ainin, ¡vamos a irnos muy lejos de aquí!». Puede que la noticia hubiera llegado por el aire, o por el polvo, o puede que Nur la hubiera oído mirando la tierra batida en la plaza de Smara.

Se había extendido con gran rapidez por todo el campamento, y el aire resonaba como una música; las voces de los hombres, los chillidos de los niños, los sonidos de los cobres, los gruñidos de los camellos, los zapateos y las pedorreras de los caballos, y esto recordaba el ruido que hace la lluvia cuando llega, al bajar por el valle y arrastrar con ella las aguas rojas de los torrentes. Los hombres y las mujeres iban corriendo a lo largo de las calles que formaban las tiendas, los caballos zapateaban, los camellos atados mordían sus ligaduras, porque era grande la impaciencia. Pese al cielo abrasador, las mujeres permanecían en pie ante las tiendas, hablando y chillando. Nadie habría sabido decir de qué manera había llegado al principio la noticia, pero todos repetían la frase que los encandilaba: «Vamos a partir, vamos a partir hacia el norte».

Los ojos del padre de Nur brillaban con una especie de alegría febril.

«Vamos a partir pronto, nuestro *cheij* lo ha dicho, vamos a partir pronto.»

«¿Adónde?», había preguntado Nur.

«Hacia el norte, más allá de las montañas del Draa, hacia Sus, Tiznit. Allí nos aguardan agua y tierras para todos nosotros, Mulei Hiba, nuestro verdadero rey, el hijo de Ma el-Ainin, así lo ha dicho, y Ahmed ech-Chems también.»

Los grupos de hombres andaban por las calles hacia la ciudad de Smara, y Nur estaba sumido en las tolvaneras que provocaban. El polvo rojo se elevaba al paso de los hombres y con el zapateo de los animales, formaba una nube encima del campamento. Ya se dejaban oír las primeras descargas de los fusiles, y el olor acre de la pólvora desplazaba el olor del miedo que había reinado en el campamento. Nur avanzaba sin ver, zarandeado por los hombres, empujado contra los laterales de las tiendas. El polvo le secaba la garganta y le abrasaba los ojos. El calor del sol era terrible y lanzaba destellos de blancura a través del espesor del polvo. Nur anduvo un tiempo así, al azar, con los brazos estirados por delante. Cayó luego al suelo y reptó al abrigo de una tienda. En la penumbra pudo recuperar el sentido. Había allí una vieja sentada con la espalda apoyada en la banda lateral, embutida en su manto azul. Cuando vio a Nur lo tomó primero por un ladrón, y se puso a insultarlo y a tirarle piedras a la cara. Luego se acercó y vio que las lágrimas habían trazado unos surcos rojos en sus mejillas manchadas de polvo.

«¿Qué tienes? ¿Estás enfermo?», le preguntó con dulzura.

Nur meneó la cabeza. La vieja avanzó hacia él a cuatro patas.

«Debes de estar enfermo», le dijo. «Voy a darte un poco de té.»

Y sirvió el té en una vasija de cobre.

«Bebe.»

El té hirviendo y sin azúcar reconfortó a Nur.

«Pronto vamos a irnos de aquí», dijo el muchacho con voz un tanto indecisa.

La vieja lo miraba. Se encogió levemente de hombros.

«Sí, eso dicen.»

«Es un gran día para nosotros», añadió Nur.

Pero la vieja no daba muestras de creer que fuera tan importante, quizá simplemente porque era vieja.

«Tú quizá llegues allá, a donde dicen, al norte. Pero yo moriré antes.»

Se lo repitió:

«Yo moriré antes de llegar al norte».

Más tarde, Nur salió de la tienda. Las calles del campamento estaban de nuevo desiertas, como si todos los vivos hubiesen partido. Pero Nur vislumbró, al amparo de las tiendas, las formas humanas: los ancianos, los enfermos, que temblaban de fiebre pese a las hogueras encendidas, las jóvenes que sostenían a sus retoños en los brazos y miraban al frente con ojos vacíos y tristes. Una vez más sintió Nur que se le encogía el corazón, porque lo que se alojaba en las tiendas era la sombra de la muerte.

Al acercarse al recinto amurallado de la ciudad oyó crecer el ruido cadencioso de la música. Los hombres y las mujeres se hallaban reunidos ante la puerta de Smara formando un ancho semicírculo alrededor de los músicos. Nur oyó el sonido agudo de las flautas, que subía, bajaba, subía y luego se detenía, mientras los tambores y los rabeles reiteraban sin descanso la misma frase. Una voz de hombre, grave y monótona, entonaba una canción andaluza, pero Nur no podía reconocer lo que decía. Por encima de la ciudad roja el cielo estaba liso, muy azul, muy duro. Iba a iniciarse la fiesta de los viajeros; duraría hasta el día siguiente al alba, y tal vez hasta el otro. Las banderas iban a ondear al viento y los jinetes darían la vuelta a las murallas, descargando sus largos fusiles, mientras que las jóvenes gritarían haciendo temblar sus voces como cascabeles.

Nur sintió la ebriedad de la música y la danza y olvidó la sombra mortal que seguía alojada en las tiendas. Era como si ya estuviera en marcha hacia las elevadas escarpas del norte, allí donde empiezan las estepas, donde nacen los torrentes de agua clara, el agua que nadie ha contemplado jamás. Y sin embargo, la angustia que se había instalado en su interior, cuando había visto llegar los tropeles de los nómadas, permanecía en algún lugar en el fondo de él.

Quiso ver a Ma el-Ainin. Rodeó a la muchedumbre en su intento de verlo desde el lado de los hombres que cantaban. Pero el *cheij* no estaba con la muchedumbre. Nur se dirigió de nuevo hacia la puerta de las murallas. Penetró en la ciudad por la misma grieta que había utilizado la noche de la asamblea. La gran plaza de tierra batida estaba vacía por completo. Las paredes de la casa del *cheij* brillaban a la luz del sol. Alrededor de la puerta de la casa había extraños dibujos con arcilla en el muro blanco. Nur se quedó mirándolos un largo rato, y mirando las paredes carcomidas por el viento. Luego caminó hacia el centro de la plaza. Sentía bajo sus pies desnudos la tierra dura y caliente como las losas de piedra del desierto. El rumor de la música de las flautas se apagaba aquí, en este patio desierto, como si Nur estuviese en el otro extremo del mundo. Todo se volvía inmenso mientras el mozalbete andaba hacia el centro de la plaza. Percibía con nitidez las palpitaciones de su sangre en las arterias del cuello y de las sienes, y el ritmo de su corazón parecía resonar hasta en el suelo, bajo la planta de sus pies.

Cuando Nur llegó cerca de la pared de arcilla, al lugar donde el viejo se había recogido para elevar su plegaria, se echó al suelo, con la cara incrustada en la tierra, sin moverse, sin pensar ya en nada. Sus manos agarraban la tierra como si estuviera aferrado a la pared de una escarpa muy alta, y el sabor a ceniza del polvo le inundaba la boca y las fosas nasales.

Tras un largo rato, se atrevió a alzar el rostro, y vio el manto blanco del *cheij*.

«¿Qué haces ahí?», inquirió Ma el-Ainin. Su voz era dulcísima y lejana, como si se hallara en el otro extremo de la plaza.

Nur vaciló. Se incorporó sobre sus rodillas, pero mantuvo la cabeza inclinada hacia adelante, porque no tenía valor para mirar al *cheij*.

«¿Qué haces ahí?», insistió el anciano.

«Yo... rezaba», dijo Nur; y añadió: «Quería rezar».

El *cheij* sonrió.

«¿Y no has podido rezar?»

«No», contestó Nur simplemente. Tomó las manos del viejo.

«Por favor, dame tu bendición de Dios.»

Ma el-Ainin pasó las manos por la cabeza de Nur, le frotó ligeramente la nuca. Luego mandó al joven que se incorporara y lo besó.

«¿Cómo te llamas?», le preguntó. «¿No eres el que vi la noche de la Asamblea?»

Nur le dijo su nombre, el de su padre y el de su madre. Ante este último el rostro de Ma el-Ainin se iluminó.

«¿Así que tu madre es del linaje de Sidi Mohammed, al que llamaban Al-Azraq, el Hombre Azul?»

«Era el tío materno de mi abuela», dijo Nur.

«Luego eres de veras el hijo de una jerifa», concluyó Ma el-Ainin. Permaneció largo rato en silencio, con su mirada gris clavada en la de Nur como si buscase un recuerdo. Después habló del Hombre Azul, a quien había conocido en los oasis del sur, al otro lado de los riscos de la Hamada, en una época en que nada de lo que había aquí, ni siquiera la ciudad de Smara, existía todavía. El Hombre

Azul vivía en una choza de piedras y ramas en el lindero del desierto, sin temer nada de los hombres ni de las bestias salvajes. Cada día, por la mañana, encontraba ante la puerta de la choza dátiles y una escudilla de leche cuajada, y un cántaro de agua fresca, ya que Dios velaba por él y lo alimentaba. Cuando Ma el-Ainin había venido a verlo para solicitarle sus enseñanzas, el Hombre Azul se había negado a recibirlo. Durante un mes lo había forzado a dormir delante de su puerta, sin dirigirle la palabra ni mirarlo siquiera. Se limitaba a dejar afuera la mitad de los dátiles y de la leche, y Ma el-Ainin no había probado jamás manjares más suculentos; en cuanto al agua de la cántara, aliviaba enseguida y llenaba de gozo, pues era un agua virgen surgida del rocío más puro.

Al cabo de un mes, no obstante, el *cheij* estaba triste porque Al-Azraq no le había dirigido una mirada. Así que decidió regresar con su familia, porque pensaba que el Hombre Azul no lo había juzgado digno de servir a Dios. Andaba sin esperanzas por el camino de su aldea cuando vio a un hombre que estaba esperándolo. El hombre era Al-Azraq, quien le preguntó por qué lo había abandonado. Y lo invitó a quedarse con él en el lugar mismo donde se había detenido. Un buen día, cuando Ma el-Ainin llevaba numerosos meses más a su lado, el Hombre Azul le dijo que no tenía ya nada que enseñarle. «Pero si todavía no me has impartido tus enseñanzas», dijo Ma el-Ainin. Entonces Al-Azraq le mostró el plato de dátiles, la escudilla de cuajada y la cántara de agua: «¿Acaso no he compartido contigo todo esto cada día, desde que llegaste?». Acto seguido le mostró el horizonte en dirección al norte, hacia Sagia el-Hamra, y le instó a construir una ciudad santa para sus hijos, e incluso le predijo que uno de ellos llegaría a ser rey. Así fue como Ma el-Ainin dejó su aldea en compañía de los suyos y construyó la ciudad de Smara.

Cuando el *cheij* hubo terminado el relato de esta historia, besó de nuevo a Nur y retornó al cobijo de su casa.

Al día siguiente, con el ocaso, Ma el-Ainin salió de su casa para elevar la última plegaria. Los hombres y las mujeres del campamento no habían dormido apenas, pues no habían cesado de cantar y golpear el suelo con los pies. Pero era el gran viaje hacia el otro lado del desierto lo que acababa de iniciarse, y la ebriedad de la marcha a lo largo del camino de arena habitaba ya en sus cuerpos, los inundaba ya con su soplo ardiente, hacía brillar los espejismos ante sus ojos. Nadie había olvidado el sufrimiento, la sed, el ardor terrible del sol sobre las piedras y la arena sin fin, ni el horizonte que retrocede sin cesar. Nadie había olvidado el hambre que consume, no sólo el hambre de alimentos, sino toda hambre, el hambre de esperanza y de liberación, el hambre de todo lo que falta y abre el vértigo en el suelo, el hambre que empuja hacia adelante en medio de la nube de polvo que envuelve los rebaños alelados, el hambre que impulsa a remontar la dura pendiente de las colinas hasta ese punto en el que es preciso descender otra vez con decenas, centenares de nuevas e idénticas colinas a la vista.

Ma el-Ainin se había vuelto a reclinar en la tierra batida en medio de la plaza, delante de las casas encaladas. Pero esta vez los jefes de las tribus se hallaban sentados a sus flancos. Muy cerca de él había mandado sentar a Nur y a su padre, mientras el hermano mayor y la madre de Nur se habían quedado entre la multitud. Los hombres y las mujeres del campamento estaban apiñados en semicírculo en la plaza, algunos en cuclillas, embutidos en sus mantos de lana para protegerse del frío de la noche, otros en pie o andando a lo largo de los muros de la plaza. Los músicos hacían resonar la música triste, pellizcando las cuerdas de las guitarras y golpeando con la punta del índice en la piel de los tamborcillos de terracota.

El viento del desierto soplaba ahora de manera intermitente, lanzando al rostro de los hombres granos de arena que quemaban la piel. Por encima de la plaza el cielo era azul oscuro, ya casi negro. En torno a la ciudad de Smara, por todas partes, reinaba un silencio infinito, el silencio de las colinas de piedra roja, el silencio del azul profundo de la noche. Era como si jamás hubiera habido otros hombres distintos de éstos, prisioneros en su minúscula crátera de barro reseco, aferrados a la tierra roja alrededor de su charco de agua gris. Fuera, la piedra y el viento, las olas de las dunas, la sal, el mar por fin, o el desierto.

Cuando Ma el-Ainin empezó a recitar su *dikr,* su voz resonó de modo extraño en el silencio de la plaza, semejante a la llamada lejana de una cabra. Cantaba casi en voz baja, meciendo el tronco adelante y atrás, pero el silencio en la plaza, en la ciudad y en toda la vaguada de Sagia el-Hamra tenía su origen en el vacío del desierto, y la voz del viejo era clara y segura como la de un animal vivo.

Nur escuchó la larga llamada con un escalofrío. Cada hombre y cada mujer de la plaza estaba inmóvil, con la mirada como orientada hacia el interior del cuerpo.

Ya al oeste, sobre los riscos quebrados de la Hamada, el sol había formado una amplia mancha roja. Las sombras se habían alargado con desmesura sobre el suelo, hasta unirse unas con otras, como el agua cuando sube.

«Gloria a Dios, al Dios vivo, al Dios que nunca muere, gloria a Dios, que no tiene padre ni hijo, que no tiene sostén, que es solo y de sí mismo, gloria a Dios, que nos dirige, porque los enviados de Dios han venido a traernos la verdad...»

La voz de Ma el-Ainin temblaba al final de cada invocación, sin aliento, tenue como una llama, y sin embargo cada sílaba larga, recalcada y pura, se hacía eco en el centro del silencio.

«Gloria a Dios, que es el único dador, el

único señor, el que sabe y ve, el que comprende y ordena, gloria a quien da el bien y el mal, pues su palabra es el único refugio, su voluntad el único deseo, frente al mal que hacen los hombres, frente a la muerte, frente a la enfermedad, frente a la desgracia que han sido creadas con el mundo...»

La noche lo invadía todo lentamente; primero la tierra y las hondonadas de arena, al pie de las paredes de barro, delante de los hombres inmóviles, en el interior de las tiendas, en los huecos donde dormían los perros, en la profundidad glauca del agua de los pozos.

«Es el nombre del que protege, el nombre del que viene a mí y me da la fuerza, porque su nombre es el más grande, su nombre es tal que no tengo nada que temer de mis enemigos, y pronuncio su nombre en el interior de mí mismo cuando voy al combate, pues su nombre es el nombre que reina en la tierra y en el cielo...»

En el cielo, donde la luz del sol se fugaba hacia el oeste, mientras el frío surgía de las profundidades de la tierra, subía a través de la arena dura y calaba las piernas de los hombres.

«Gloria al Dios inmenso, no hay fuerza y poder fuera del alto Dios, Dios el inmenso, Dios el alto, Dios el inmenso, el que no es de la tierra ni del cielo, el que vive más allá de mi mirada, más allá de mi saber, el que me conoce pero al que yo no puedo conocer, Dios el alto, Dios el inmenso...»

La voz de Ma el-Ainin resonaba lejos en el desierto, como si fuera hasta los confines de la tierra desolada, mucho más allá de las dunas y de las fallas, más allá de las estepas desnudas y de los valles resecos, como si llegase ya hasta las tierras nuevas, al otro lado de las montañas del Draa, a los campos de trigo y de mijo donde los hombres encontrarían por fin su alimento.

«Dios el poderoso, Dios el perfecto, porque no hay otra divinidad más que Dios, el prudente pleno de poder, el alto pleno de bondad, el cercano pleno de sabiduría, el dador infinito, el único generoso, el favorable, el que manda los ejércitos del cielo y de la tierra, el perfecto, el tierno...»

Pero la voz débil y lejana tocaba a cada hombre, a cada mujer, como en el interior de su cuerpo, y era también como si saliese de cada garganta, como si se mezclase con sus pensamientos y sus palabras para crear su música.

«Gloria, alabado sea el eterno, gloria, alabado sea el que no se anonada, aquel cuya existencia es suprema, porque es el que oye y sabe...»

El aire entraba en el pecho de Ma el-Ainin, que expiraba con fuerza a continuación, casi sin mover los labios, con los ojos cerrados, mientras la parte superior de su cuerpo se mecía como el tronco de un árbol.

«Nuestro Dios, el señor, nuestro Dios, el mejor, luz de la luz, astro de la noche, sombra de la sombra, nuestro Dios, la única verdad, la única palabra, alabanza y gloria a quien combate en nuestro combate, alabanza y gloria a aquel cuyo nombre derriba a nuestros enemigos, el señor de la tierra de Dios...»

Entonces, sin siquiera darse cuenta, los hombres y las mujeres pronuncian las palabras del *dikr*, sus voces se elevan cada vez que la voz del viejo cesa temblando.

«Es grande, el poderoso, el perfecto, el que es nuestro señor y nuestro Dios, aquel cuyo nombre está escrito en nuestra carne, el venerado, el santificado, el revelado, el que no tiene señor, el que ha dicho: yo era un tesoro escondido, he querido ser conocido y por ello he creado a las criaturas...»

«Es grande, no tiene igual ni rival, el que es anterior a toda existencia, el que ha creado la existencia, el que dura, posee, el que ve, oye y sabe, el que es perfecto, el que es sin igual...»

«Es grande, es bello en el corazón de los hombres que le son fieles, es puro en el corazón de quien lo ha reconocido, es sin igual en el alma de quien lo ha alcanzado, es nuestro señor, el mejor de los señores...»

«No tiene igual ni rival, es el que vive en la cumbre de la montaña más alta, el que está en la arena del desierto, el que está en el mar, en el cielo, en el agua, el que es la vía, es el de la noche y las estrellas...»

Entonces, sin siquiera darse cuenta, los músicos se pusieron a tocar, y su música liviana hablaba con la voz de Ma el-Ainin, mascullando con las notas agudas y sordas de las mandolinas, con el rumor de los tamborcillos y, por fin, rompiendo de repente como el grito de los pájaros, con la melodía pura de las flautas de caña.

La voz del viejo y la música de los caramillos se respondían ahora, como si dijesen lo mismo, por encima de la voz de los hombres y de los ruidos sordos de los pasos en la tierra endurecida.

«No tiene igual ni rival, porque es el poderoso, el que no ha sido creado, la luz que ha dado vida a las candelas, el fuego que ha encendido los demás fuegos, el primer sol, la primera estrella de la noche, el que nace antes de todo nacimiento, el que da el día y da la muerte a toda la vida terrestre, el que hace y deshace la forma de las criaturas...»

Entonces la multitud bailaba y gritaba con un ruido de desgarramiento:

«¡Húa! ¡Él!»,
sacudiendo la cabeza y levantando las palmas de las manos hacia el cielo negro.

«Es el que ha llevado la verdad a todos los santos, el que ha bendecido al Señor Mohammed, el que ha dado el poder y la palabra a nuestro Señor el profeta, el enviado de Dios en la tierra...»

«¡Ah! ¡Él!»

«Gloria a Dios, alabado sea Dios, el inmenso, el perfecto, el corazón de lo secreto, el que está escrito en el corazón, el alto, el inmenso...»

«¡Húa! ¡Él!»

«Gloria a Dios, pues somos sus criaturas, somos pobres, somos ignorantes, somos ciegos, sordos, somos imperfectos...»

«¡Ah! ¡Húa!»

«¡Oh, el que sabe, danos la verdad! ¡Oh tú, el dulce, el tierno, el paciente, el generoso, tú que no has necesitado de nada ni de nadie para existir!»

«¡Ah! ¡Húa!»

«Gloria a Dios, que es el rey, el santo, el poderoso, el victorioso, el glorioso, el que existe antes que toda vida, el divino, el inmenso, el único, el victorioso de todos sus enemigos, el que sabe, ve y oye, el divino, el sabio, el inmenso, el testigo, el creador, único, inmenso, que ve y oye, el bello, el generoso, el fuerte, el perfecto, el alto, el inmenso...»

La voz de Ma el-Ainin gritaba ahora. Y bruscamente se interrumpió, como el canto de un cigarrón en plena noche. Entonces, el rumor de las voces y los tambores se acalló asimismo, cesó la música de las guitarras y las flautas, y de nuevo no quedó más que ese largo y terrible silencio que oprimía las sienes y hacía palpitar el corazón. Con los ojos inundados de lágrimas, Nur miraba al viejo que, volcado hacia la tierra, tenía el rostro cubierto con las manos, y sintió en el fondo de sí mismo, rápida como una cuchilla, la intensidad desconocida de la angustia. Entonces, Lagdaf, el tercer hijo de Ma el-Ainin, se puso a cantar. Su voz potente retumbó en la plaza con estrépito, no ya con la pura nitidez de la de Ma el-Ainin, mas igual que un sonido de cólera, y los músicos volvieron a tocar de inmediato.

«¡Oh Dios, Dios nuestro! ¡Recibe a los testigos de la fe y de la verdad, los condiscípulos de Mulei bu Azza, de Beqqaia, los condiscípulos de los Gudfiya, escucha las palabras del recuerdo tal como las ha dictado nuestro Señor, el *cheij* Ma el-Ainin!»

El murmullo de la multitud se transformó de repente en griterío:

«¡Gloria a nuestro *cheij* Ma el-Ainin, gloria al enviado de Dios!».

«¡Gloria a Ma el-Ainin! ¡Gloria a los condiscípulos de los Gudfiya!»

«¡Oh Dios, escucha el recuerdo de su hijo, el *cheij* Ahmed, al que llaman ech-Chems, el Sol, escucha el recuerdo de su hijo Ahmed ed-Dehiba, al que llaman Parcela de Oro, Mulei Liba, nuestro verdadero rey!»

«¡Gloria a ellos! ¡Gloria a Mulei Hiba, nuestro rey!»

De nuevo la ebriedad se había apoderado de los hombres, y la voz ronca del joven parecía despertar la cólera y ahuyentar la fatiga.

«¡Oh Dios, Dios nuestro, siéntete orgulloso de tus discípulos y condiscípulos! ¡Los hombres de la gloria y la grandeza, que Dios se sienta orgulloso de ellos! ¡Los hombres del amor y la verdad, que Dios se sienta orgulloso de ellos! ¡Los hombres de la fidelidad y la pureza, que Dios se sienta orgulloso de ellos! ¡Los señores, los nobles, los guerreros, que Dios se sienta orgulloso de ellos! ¡Los santos, los benditos, los servidores de la fe, que Dios se sienta orgulloso de ellos! ¡Los pobres, los errantes, los miserables, que Dios se sienta orgulloso de ellos! ¡Que Dios nos conceda su bendición suprema!»

Crecía el murmullo de la multitud y las paredes de las casas resonaban mientras las voces gritaban los nombres, los inscribían para siempre en la memoria, en la tierra fría y desnuda y en el cielo constelado.

«Que la bendición suprema del Señor Enviado de Dios caiga sobre nosotros, oh Dios, y la del Enviado Ilias, la bendición de El-Jadir, quien bebió en la fuente misma de la vida, oh Dios, y la bendición de Uweis Qarni, oh Dios, y la del gran Abd el-Qadir al-Zhilani, el santo de Bagdad, el Enviado de Dios en la tierra, oh Dios...»

Los nombres retumbaban en el silencio de la noche por encima de la música, que susurraba y se movía imperceptible como un soplo.

«Toda la gente de la tierra y la gente del mar, oh Dios, la gente del norte, la gente del sur, oh Dios. La gente del este, la gente del oeste, oh Dios. La gente del cielo, la gente de la tierra, oh Dios...»

Las palabras del recuerdo eran las más hermosas, las que venían de lo más lejano del desierto y hallaban por fin morada en el corazón de cada hombre, de cada mujer, como un antiguo sueño que aflora de nuevo.

«Danos, oh Dios, la bendición suprema de los señores, Abu Yaza, Yalanur, Abu Madian, Maaruf, Al-Zhunaid, Al-Hallazh, Al-

Chibli, los grandes señores santos de la ciudad de Bagdad...»

La luz de la luna aparecía lentamente sobre las colinas pedregosas, al este de Sagia, y Nur la miraba meciendo el cuerpo, con los ojos inmóviles ante la profundidad del cielo negro. En el centro de la plaza, el *cheij* Ma el-Ainin seguía ensimismado, blanquísimo, casi fantasmal. Sólo se movían sus dedos enjutos desgranando las cuentas de ébano.

«¡Danos, oh Dios, la bendición de los señores, Al-Halwi, el que bailaba para los niños, Ibn Hauari, Tsauri, Yunus ibn Obaid, Basri, Abu Yazrd, Mohammed as-Saghir as-Suhaili, que enseñó la palabra del gran Dios, Abdesalaam, Ghazali, Abu Chuhaib, Abu Mahdi, Malik, Abu Mohammed Abdelaziz ath-Thobba, el santo de la ciudad de Marraquech, oh Dios!»

Los nombres eran la ebriedad misma del recuerdo, como si fueran iguales que los ojos de las constelaciones, y que de su mirada perdida viniera aquí la fuerza, a la plaza yerta donde se habían reunido los hombres.

«¡Dios, oh Dios, danos la bendición de todos los señores, discípulos y condiscípulos, el ejército de tu victoria, Abu Ibrahim Tunsi, Sidi bel Abbas Sebti, Sidi Ahmed el-Haritsi, Sidi Zhakir, Abu Zakri Yahia an-Nawani, Sidi Mohammed ben Isa, Sidi Ahmed er-Rifai, Mohammed bel Sliman al-Zhazuli, el gran señor, el enviado de Dios en esta tierra, el santo de la ciudad de Marraquech, oh Dios!»

Los nombres iban y venían por todos los labios, nombres de hombres, nombres de estrellas, nombres de los granos de arena en el viento del desierto, nombres de los días y las noches sin fin, más allá de la muerte.

«Dios, oh Dios, danos la bendición de todos los señores de la tierra, los que han conocido el secreto, los que han conocido la vida y el perdón, los verdaderos señores de la tierra, del mar y del cielo, Sidi Abderrhamán, al que llamaban Sahabi, el condiscípulo del profeta, Sidi Abdelqader, Sidi Embarek, Sidi Beljeir, que extrajo leche de un macho cabrío, Lalla Mansura, Lalla Fatima, Sidi Ahmed al-Harusi, que recompuso una cántara rota, Sidi Mohammed, al que llamaban Al-Azraq, el Hombre Azul, que enseñó la buena vía al gran *cheij* Ma el-Ainin, Sidi Mohammed ech-Cheij el-Kaamel, el perfecto, y todos los señores de la tierra, el mar y el cielo...»

El silencio se hizo una vez más, pleno de ebriedad y de fulgores. Por momentos prorrumpía de nuevo la música de los caramillos, discurría suave y se extinguía. Los hombres se incorporaban y caminaban hacia las puertas de la ciudad. Sólo Ma el-Ainin permanecía quieto, reclinado contra el suelo, con la mirada fija en el mismo punto invisible de la tierra iluminada por la luz blanca de la luna.

Cuando dio comienzo la danza, Nur se levantó y se unió a la multitud. Los hombres golpeaban el duro suelo con los pies desnudos sin avanzar ni retroceder, apretados en amplia media luna que acordonaba la plaza.

El nombre de Dios se profería con fuerza, como si todos los hombres sufrieran y se desgarraran en el mismo instante. El tambor de tierra acentuaba cada grito:

«¡Húa! ¡Él!...»,

y las mujeres chillaban haciendo temblar sus glotis.

Era una música que se hundía en la tierra fría, iba hasta lo más profundo del cielo negro, se mezclaba con el halo de la luna. No existía ahora el tiempo. Ni la desgracia. Los hombres y las mujeres golpeaban el suelo con la punta del pie y con el talón, repitiendo el grito invencible:

«¡Húa! ¡Él...! ¡Hayy...! ¡Vivo...!»

mientras giraban la cabeza a derecha e izquierda, a derecha e izquierda, y la música que residía en el interior de sus cuerpos les atravesaba la garganta y se precipitaba hasta lo más remoto del horizonte. El hálito ronco y entrecortado los transportaba como un vuelo, los llevaba por encima del desierto inmenso a lo largo de la noche, hacia las manchas desvaídas de la aurora, al otro lado de las montañas, al territorio de Sus, a Tiznit, hacia la llanura de Fez.

«¡Húa! ¡Él...! ¡Dios...!», gritaban las voces roncas de los hombres, ebrios del ruido sordo de los tambores de tierra y de los acentos de las flautas de caña, mientras las mujeres, acurrucadas, mecían el torso golpeando con sus palmas los pesados collares de plata y de bronce. Sus voces temblaban por instantes como la de las flautas, al límite de la percepción humana, y se detenían de pronto. Entonces, los hombres reanudaban su martilleo, y el rugido desgarrador de su aliento resonaba en la plaza:

«¡Húa! ¡Él...! ¡Hayy! ¡Vivo...! ¡Húa! ¡Hayy! ¡Húa! ¡Hayy!»,

con los ojos entornados y la cabeza echada hacia atrás. Era un rugido que iba más allá de las fuerzas naturales, un rugido que desgarraba lo real y serenaba al mismo tiempo, el vaivén de una sierra inmensa devorando el tronco de un árbol. Cada expiración dolorosa y profunda agrandaba aún más la llaga del cielo, la que unía a los hombres al espacio y mezclaba sus sangres y sus linfas. Cada cantor gritaba el nombre de Dios cada vez más deprisa, con la cabeza tensa como un buey que muge y las arterias del cuello como cuerdas bajo el esfuerzo. La luz de los braseros y el fulgor blanco de la luna iluminaban sus cuerpos vacilantes, como si unos destellos saltaran sin cesar en medio de las nubes de polvo. La respiración jadeaba cada vez más deprisa lanzando sus llamadas casi mudas con labios inmóviles, garganta entreabierta, y en la plaza, en el vacío de la noche del desierto, no se oía ya más que el ruido de forja de las gargantas respirando:

«¡Hh! ¡Hh! ¡Hh! ¡Hh!».

No quedaban ahora palabras. Así era, directamente unido con el centro del cielo y de la tierra, armonizado por el viento violento de las respiraciones de los hombres, como si, acelerándose, el ritmo del aliento aboliese los días y las noches, los meses, las estaciones, aboliese incluso el espacio sin esperanza e hiciese aproximarse el final de todos los viajes, el final de todos los tiempos. El sufrimiento era muy grande y la ebriedad del hálito hacía vibrar los miembros, dilataba la garganta. En el centro del semicírculo de los hombres, las mujeres danzaban tan sólo con los pies desnudos: inmóvil el cuerpo, un poco separados los brazos del cuerpo y temblando apenas. El ritmo sordo de los talones entraba en la tierra y producía un fragor continuo, como al paso de un ejército. Cabe los músicos, los guerreros del sur, con el rostro cubierto por un velo negro, daban brincos en el sitio elevando mucho las rodillas, como grandes pájaros que pugnaran por volar. Y, poco a poco, en plena noche, cesaron de moverse. Unos tras otros, los hombres y las mujeres se acurrucaron en el suelo con los brazos extendidos por delante y la palma de las manos vuelta hacia el cielo; tan sólo seguían exhalando su hálito ronco, lanzando en el silencio las mismas sílabas incansables:

«¡Hh! ¡Hh! ¡Húa! ¡Ay...! ¡Hh! ¡Hh!».

El rugido del desgarramiento de los hálitos era tan grande, tan poderoso, que parecía como si todos hubieran partido ya muy lejos de Smara, a través del cielo, en el viento, confundidos con la luz de la luna y el fino polvo del desierto. El silencio no era posible, ni la soledad. El rugido de los hálitos había invadido toda la noche, cubierto todo el espacio.

Sentado en el centro de la plaza, en el polvo, Ma el-Ainin no miraba a nadie. Sus manos apretaban las cuentas del rosario de ébano, dejando caer una cuenta a cada expiración de la multitud. Él era el centro del aliento, quien había mostrado a los hombres la vía del desierto, quien había enseñado cada ritmo. Ahora ya no aguardaba nada. Ya no interrogaba a nadie. También él respiraba de acuerdo con el aliento de la plegaria, como si él y los demás hombres no hubiesen tenido sino una única garganta, un solo pecho. Y el aliento había abierto, por fin, la ruta hacia el norte, hacia las tierras nuevas. El viejo ya no sentía la vejez, ni la fatiga, ni la inquietud. El aliento circulaba en él venido de todas aquellas bocas, el aliento violento y suave a la vez que acrecentaba su existencia. Los hombres ya no miraban a Ma el-Ainin. Con los ojos cerrados, los brazos separados y el rostro vuelto hacia la noche, flotaban ausentes, se internaban por el camino del norte.

Con la llegada del día, por el este, por encima de las colinas pedregosas, los hombres y las mujeres empezaron a andar hacia las tiendas. Pese a todos esos días y esas noches de ebriedad, nadie experimentaba cansancio. Ensillaron los caballos, enrollaron las grandes telas de lana de las tiendas, cargaron los camellos. El sol no estaba muy alto en el cielo cuando Nur y su hermano iniciaron la marcha por la ruta de polvo hacia el norte. Llevaban al hombro un hato con ropa y víveres. Por delante, ya en ruta, marchaban también otros hombres y otros niños, y la nube de polvo gris y rojo empezaba a elevarse hacia el cielo azul. A las puertas de Smara, rodeado de guerreros azules a caballo, rodeado de sus hijos, Ma el-Ainin miraba la larga caravana que se estiraba por la llanura desértica. Se cerraba luego el manto blanco y presionaba con el pie el cuello de su camello. Lentamente, sin volverse, se alejaba de Smara, iba al encuentro de su fin.

La dicha

El sol se eleva sobre la tierra, las sombras se alargan en la arena gris, por el polvo de los caminos. Las dunas se hallan detenidas frente al mar. Las plantas carnosas se estremecen al viento. En el cielo azulísimo, frío, no hay ni un pájaro, ni una nube. Está el sol. Pero la luz de la mañana se mueve un poco, como si no estuviera del todo segura.

A lo largo del camino, al abrigo de la línea de las dunas grises, Lalla camina despacio. De vez en cuando se detiene, mira algo en el suelo. O recoge una hoja de planta carnosa, la aplasta entre los dedos para sentir el aroma suave y picante de la savia. Las plantas son de color verde oscuro, relucientes, parecen algas. A veces hay un grueso abejón dorado en alguna mata de cicuta, y Lalla lo persigue corriendo. Pero no se acerca demasiado porque no deja de darle un poco de aprensión. Cuando el insecto se echa a volar, ella corre tras él con las manos extendidas, como si quisiera atraparlo de veras. Pero es nada más por divertirse.

Aquí, alrededor, no hay más que esto: la luz del cielo, por lejos que se mire. Las dunas vibran al compás de la mar, que no se ve pero se oye. Las plantitas carnosas relucen de sal y sudor. Hay insectos por aquí y por allá, una mariquita descolorida, una especie de avispa de talle tan estrecho que uno la creería cortada en dos, una escolopendra que deja un rastro fino en el polvo; y unas moscas planas color metal que buscan las piernas y el rostro de la chiquilla para beberle la sal.

Lalla se conoce todos los caminos, todos los recovecos de

73

las dunas. Podría ir por todas partes con los ojos cerrados, y sabría enseguida dónde está con sólo poner en la tierra sus pies desnudos. El viento salta por momentos la barrera de las dunas, lanza puñados de agujas contra la piel de la niña, le alborota sus cabellos negros. A Lalla se le pega la ropa a la piel húmeda, tiene que tirar de la tela para soltarla.

Lalla se conoce todos los caminos, los que avanzan hasta perderse de vista a lo largo de las dunas grises, entre las brozas, los que dibujan una curva y vuelven hacia atrás, los que no llevan nunca a ninguna parte. Sin embargo, cada vez que anda por aquí hay algo nuevo. Hoy es el abejón dorado que la ha arrastrado muy lejos, más allá de las casas de los pescadores y de la laguna de agua muerta. Entre las brozas, un poco más tarde, ha surgido de repente esa armazón de metal oxidado que erigía sus garras y sus cuernos amenazantes. Luego, en la arena del camino, una latita de conserva de hojalata, sin etiqueta, con dos agujeros a cada lado de la tapa.

Lalla sigue andando, muy despacio, mirando la arena gris con tanta atención que le duelen un poco los ojos. Husmea las cosas en la tierra sin pensar en nada más, sin mirar el cielo. Luego se detiene bajo un pino real, fuera del alcance de la luz, y cierra un instante los ojos.

Reúne las manos en torno a las rodillas, se mece un poco adelante y atrás, luego hacia los lados, canturreando una canción en francés, una canción que dice tan sólo:

«Mediterrá-a-a-neo...».

Lalla no sabe lo que quiere decir. Es una canción que oyó un día en la radio y sólo retuvo esa palabra, pero es una palabra que le gusta mucho. Así que, de tarde en tarde, cuando se siente bien, no tiene nada que hacer, o cuando, por el contrario, está un poco triste sin saber por qué, entona la palabra, a veces en voz baja, para ella, tan bajito que apenas se oye ella misma, o muy fuerte, casi a voces, para despertar los ecos y echar fuera el miedo.

Ahora entona la palabra en voz baja porque es feliz. Las grandes hormigas rojas de cabeza negra ascienden por las agujas de pino, titubean, escalan las ramitas. Lalla las aparta con una rama seca. Aspira el aroma de los árboles, que llega con el viento, mezclado con el gusto acre de la mar. La arena surge por momentos en el cielo, forma trombas oscilantes, en equilibrio en la cima de las dunas, que se rompen enseguida de un plumazo, despidiendo miles de agujas contra las piernas y la cara de la niña.

Lalla permanece a la sombra del gran pino hasta que el sol está en lo alto del cielo. Entonces regresa a la ciudad sin darse prisa. Reconoce sus propias huellas en la arena. Las huellas parecen más pequeñas y estrechas que sus pies, pero, al volverse, Lalla comprueba que en efecto son las suyas. Se encoge de hombros y echa a correr. Las espinas de los cardos le pican en los dedos de los pies. Tiene que pararse de vez en cuando, tras cojear unos pasos, para quitarse las espinas del dedo gordo.

Se pare uno donde se pare, siempre hay hormigas. Parecen salir de entre los guijarros y correr por la arena gris, que se inflama de luz, como si fueran espías. Pero a Lalla le gustan de todas formas. También le gustan las escolopendras lentas, los abejorros doradillos, los escarabajos peloteros, los lucanos, las doríforas, las mariquitas, las langostas, que parecen palitos quemados. Las grandes mantis religiosas la asustan, y Lalla espera a que se vayan o da un rodeo sin perderlas de vista, mientras tales insectos giran sobre sí mismos exhibiendo sus pinzas.

Hay incluso lagartos verdigrises. Salen a escape hacia las dunas soltando grandes coletazos para correr más deprisa. A veces Lalla consigue atrapar uno y se divierte sosteniéndolo por la cola, hasta que la cola se parte. Y mira el apéndice, que se enrosca solo en el polvo. Un muchacho le dijo un día que, esperando, se vería rebrotar las patas y la cabeza de la cola del lagarto, pero Lalla no acaba de creérselo.

Sobre todo hay moscas. A Lalla le gustan mucho, pese a su zumbido y sus picaduras. Ya no sabe muy bien por qué le gustan, pero así es. Quizá sea por sus patas, tan finas, por sus alas transparentes o porque saben volar deprisa, hacia adelante, hacia atrás, en zigzag, y Lalla piensa que debe de ser estupendo saber volar así.

Se acuesta de espaldas en la arena de las dunas, y las moscas planas se le posan en la cara, en las manos, en las piernas desnudas, unas tras otras. No llegan todas de una sola vez, porque tienen algo de miedo de Lalla al principio. Pero les gusta venir a beber el sudor salado que le cubre la piel, y se enardecen con rapidez. Cuando se desplazan con sus patas ligeras Lalla se echa a reír, pero no demasiado alto, para no asustarlas. A veces una mosca plana le pica a Lalla en la mejilla y ella lanza un breve grito de cólera.

Lalla juega un buen rato con las moscas. Son las moscas planas que viven en el varec, en la playa. Pero también están las moscas negras, en las casas de la Cité, en los hules, en las paredes de cartón, en los cristales. Están los edificios de las Neveras, con grandes moscas azules que sobrevuelan los contenedores de basuras haciendo un ruido de bombardero.

De repente Lalla se levanta. Corre tan rápido como puede hacia las dunas. Escala la pendiente de arena, que se desmorona bajo sus pies desnudos. Los cardos le pican en los dedos, pero no se inmuta. Quiere subir a lo alto de las dunas para ver la mar lo antes posible.

En cuanto se llega a lo alto de las dunas, el viento sopla a la cara con violencia, y Lalla está a punto de caerse hacia atrás. El viento frío de la mar le bloquea las fosas nasales y le abrasa los ojos, la mar es inmensa, azul gris, salpicada de espuma, ruge con sordina mientras las ondas cortas caen en la llanura de arena, donde se refleja el azul casi negro del gran cielo.

Lalla está inclinada hacia adelante, contra el viento. Su vestido (en realidad es una camisa de chico de calicó a la que su tía ha cortado las mangas) se le pega al vientre y a los muslos como si saliera del agua. El rumor del viento y de la mar le zumba en los oídos, a derecha e izquierda, según, mezclado con las pequeñas detonaciones que producen las mechas de su pelo al chocar con las sienes. A veces el viento arranca un puñado de arena y se lo lanza a Lalla a la cara. Ella tiene que cerrar los ojos para no quedarse ciega. Pero el viento logra al menos que le lloren los ojos, y en la boca le deja granos de arena que rechinan entre los dientes.

Entonces, cuando está bien borracha de viento y mar, Lalla vuelve a bajar la muralla de dunas; se acuclilla un instante al pie de las dunas, lo justo para recobrar aliento. El viento no llega desde el otro lado de las dunas. Pasa por encima, va hacia el interior de las tierras, hasta las colinas azules donde se arrastra la bruma. El viento no espera; hace lo que quiere, y Lalla es feliz cuando él está, aunque abrase los ojos y las orejas, aunque tire puñados de arena a la cara. Ella piensa en él a menudo, y también en la mar, cuando está en la casa oscura, en la Cité, y el aire es tan pesado y huele tan fuerte; piensa en el viento, que es grande, transparente, que brinca sin cesar por encima de la mar, que franquea el desierto en un instante hasta los bosques de cedros, y danza allá, al pie de las montañas, en medio de los pájaros y de las flores. El viento no espera. Franquea las montañas, barre todo el polvo, la arena, las cenizas, voltea los cartones, llega a veces hasta la ciudad de tablas y cartón alquitranado, y se divierte arrancando algunos techos y muros. Pero no importa. Lalla piensa que es hermoso, transparente como el agua, rápido como el rayo y tan fuerte que podría destruir todas las ciudades del mundo si quisiera, hasta esas donde las casas son altas y blancas con grandes ventanales de cristal.

Lalla sabe decir su nombre, lo aprendió solita cuando era pequeña y lo oía llegar entre las tablas de la casa, por la noche. Se llama uooooooohhhhh, como suena, silbando.

Un poco más lejos, en medio de los zarzales, Lalla se lo encuentra otra vez; aparta las hierbas amarillas como una mano que pasa.

Un gavilán sobrevuela casi inmóvil la llanura de hierbas, con las alas color cobre desplegadas al viento. Lalla lo mira, lo admira porque sabe volar en el viento. El gavilán apenas desplaza la punta de las remeras, abre un poco la cola en abanico y planea sin esfuerzo, con su sombra en cruz que se estremece sobre las hierbas amarillas. De vez en cuando gime, dice sólo ¡caiiiic!, ¡caiiiic!, y Lalla le responde.

De improviso cae en picado, con las alas recogidas, y pasa rozando las hierbas un largo rato, como un pez que se deslizara por un fondo marino en el que bulleran las algas. Se pierde así a lo lejos, entre las hojas revueltas de la hierba. En vano Lalla gime y eleva su quejido, ¡caiiiic!, ¡caiiiic!, el pájaro no vuelve.

Pero ella lo retiene mucho tiempo en su retina, sombra en forma de flecha que se desliza a ras de las hierbas amarillas como una raya, sin hacer ruido, en su onda pavorosa.

Lalla permanece ahora inmóvil, con la cabeza hacia atrás y los ojos abiertos al cielo blanco de par en par, mirando los círculos que nadan allí mismo, que se cortan, como cuando tiramos cantos a un aljibe. No hay insectos, ni pájaros, ni nada de este género, y sin embargo se ven miles de puntos que bullen en el cielo, como si allá arriba hubiera pueblos de hormigas, gorgojos y moscas. No vuelan en el aire blanco, se mueven en todos los sentidos animados por una prisa febril, como si no supieran adónde escapar. Son quizá los rostros de todos esos hombres que viven en las ciudades, en esas ciudades tan grandes que no se pueden dejar nunca, en las que hay tantos autos, tantos hombres, y nunca se puede ver dos veces el mismo rostro. Esto lo cuenta el viejo Namán, al tiempo que va pronunciando esos nombres extraños: Algeciras, Madrid (dice: *Madrís)*, Marsella, Lyon, París, Ginebra.

Lalla no ve siempre estos rostros. Sólo ciertos días, cuando el viento sopla y expulsa las nubes hacia las montañas, y el aire está muy blanco y vibra con la luz del sol; entonces se los puede ver a ellos, a esos hombres-insectos que bullen, avanzan, corren y bailan, muy arriba, apenas visibles, como jovencísimas moscas pequeñas.

Al poco, la mar la llama de nuevo. Lalla corre por entre las brozas hasta las dunas grises. Las dunas son como vacas recostadas, con la frente baja y el lomo doblado. A Lalla le encanta montarlas a caballo, fabricando un camino sólo para ella con las manos y los pies, y rodar como una bola al otro lado, hacia la arena de la playa. El océano rompe contra la playa dura produciendo un gran rugido lastimero, y el agua se retira y la espuma se sume al sol. Hay tanta luz y tal estrépito aquí, que Lalla se ve obligada a cerrar la boca y los ojos. La sal de la mar le abrasa los párpados y los labios, y el viento que arremete a ráfagas le corta la respiración en la garganta. Pero Lalla adora estar junto a la mar. Entra en el agua, las olas se estrellan contra sus piernas y su vientre, la camisa azul se le pega a la piel. Siente que los pies se le hunden en la arena como dos postes. Pero no se aventura más allá, porque la mar se apodera de los niños de cuando en cuando, así, como el que no quiere la cosa, y los devuelve dos días después a la arena dura de la playa, con el vientre y la cara bien hinchados de agua, y la nariz, los labios, la punta de los dedos y el sexo comidos por los cangrejos.

Lalla anda por la arena siguiendo la franja de espuma. Su ropa mojada hasta el pecho se seca al viento. El viento le trenza el pelo, muy negro, por un solo lado, y su tez es de color cobre a la luz del sol.

De tarde en tarde hay medusas que la mar arroja a la arena con sus filamentos esparcidos alrededor, como una cabellera. Lalla mira los agujeros que se forman en la arena cada vez que se retira el oleaje. También corre detrás de los minúsculos cangrejos grises que se escabullen afanosos marcha atrás, ligeros, igual que arañas, esgrimiendo las pinzas, y le da mucha risa. Pero no intenta atraparlos, como hacen los demás niños; deja que se salven en la mar, que desaparezcan en la espuma deslumbrante.

Lalla sigue andando por la orilla, sin parar de canturrear esa canción de una palabra nada más:

«Mediterrá-a-a-neo...».

A continuación va a sentarse al pie de las dunas, frente a la playa, con los brazos en torno a las rodillas y la cara oculta entre los pliegues de la camisa azul, para no respirar la arena que le echa encima el viento.

Siempre va a sentarse en el mismo sitio, donde hay un madero podrido que sale del agua, en el seno de las olas, y una gran higuera que crece donde las piedras, entre las dunas. Espera a Namán el pescador.

Namán el pescador no es como todo el mundo. Es un hombre bastante alto, delgado, de anchos hombros y el rostro huesudo, con la piel color ladrillo. Siempre va con los pies desnudos, vestido con un pantalón de tela azul y una camisa blanca que le queda muy grande y flota al viento. Pero aun así, Lalla piensa que es muy guapo y elegante, y el corazón le late siempre un poco más deprisa cuando sabe que va a venir. Tiene un rostro de facciones nítidas, endurecidas por el viento de la mar; la piel de la frente y las mejillas la tiene tersa y ennegrecida por el sol de la mar. Tiene un pelo tupido, del mismo color que la piel. Pero son sus ojos sobre todo los que tienen un color extraordinario, un azul verde tocado de gris; clarísimos y transparentes en su cara morena, como si hubieran guardado la luz y la transparencia de la mar. Sólo por ver sus ojos, a Lalla le gusta esperar al pescador en la playa, cerca de la gran higuera, y también por ver su sonrisa cuando él repare en ella.

Lo espera mucho rato sentada en la arena ligera de las dunas, a la sombra de la gran higuera. Canturrea un poco, con la cabeza entre los brazos para no tragar demasiada arena. Entona el nombre que tanto le gusta, ese que es largo y hermoso y dice sólo:

«Mediterrá-a-a-neo...».

Espera mirando la mar, que se vuelve mala, azul gris como

el acero, y esa especie de nubarrón difuso que oculta la línea del horizonte. A veces cree ver un punto negro que baila en medio de los reflejos, entre las crestas de las olas, y se incorpora un poco, porque cree que es la barca de Namán que llega. Pero el punto negro desaparece. Es un espejismo en la mar o, a lo mejor, el lomo de un delfín.

Namán es quien le ha hablado de los delfines. Le ha relatado la existencia de grupos de ellos, de lomos negros, que van dando saltos entre las olas frente al estrave de los barcos, gozosamente, como para saludar a los pescadores, y de repente se marchan, se pierden en el horizonte. A Namán le encanta contarle a Lalla historias de delfines. Cuando habla, la luz de la mar brilla más fuerte en sus ojos, y es como si Lalla pudiese vislumbrar los animales negros a través del color de sus risas. Pero de poco le sirve mirar la mar con todas sus fuerzas; no alcanza a ver los delfines. Seguramente no les gusta acercarse a las orillas.

Namán cuenta la historia de un delfín que pilotó el barco de un pescador hasta la costa, un día que éste se perdió en la mar por culpa de una tempestad. Las nubes habían bajado hasta la mar y la cubrían como un velo, y el terrible viento había quebrado el mástil del barco. Por entonces la tempestad había arrastrado muy lejos el barco del pescador, tan lejos que el hombre ya no sabía dónde estaba la costa. El barco quedó a la deriva durante dos días en medio del oleaje, que amenazaba con hacerlo zozobrar. Cuando el pescador pensaba que estaba perdido y recitaba sus oraciones, apareció un delfín de gran tamaño en medio del oleaje. Daba saltos alrededor del barco, jugaba entre las olas como suelen hacerlo los delfines. Pero éste estaba solo. Y de repente se aplicó a pilotar el barco. Era difícil de entender, pero esto es lo que hizo: nadando por detrás del barco comenzó a empujarlo hacia adelante. A veces el delfín se iba, desaparecía entre las olas, y el pescador pensaba que lo había abandonado. Luego volvía y empezaba de nuevo a empujar el barco con la frente, batiendo la mar con su cola poderosa. Navegaron así un día entero, y en la noche, por el claro de una nube, el pescador pudo al fin vislumbrar la luz de la costa. Gritó y lloró de alegría, porque se sabía a salvo. Cuando el barco arribó a las inmediaciones del puerto, el delfín dio media vuelta y se dirigió de nuevo mar adentro, y el pescador contempló cómo se iba, con su espléndido lomo negro brillando a la luz del crepúsculo.

A Lalla le encanta esta historia. A menudo otea la mar en busca del gran delfín negro, pero Namán le dijo que todo esto había ocurrido hacía mucho tiempo, y que el delfín debía de ser ya muy viejo.

Lalla espera, como cada mañana, sentada a la sombra de la gran higuera. Mira la mar gris y azul por la que avanzan las crestas picudas de las olas. Las olas caen sobre la playa siguiendo una trayectoria un tanto oblicua; primero rompen al este, hacia el cabo rocoso, luego al oeste, por donde el río. Sólo al final rompen por el centro. El viento brinca, se apodera de algunos rebujos de espuma y los proyecta a lo lejos, hacia las dunas; la espuma se funde con la arena y el polvo.

Cuando el sol está en lo más alto del cielo sin nubes, Lalla regresa a la Cité, sin darse prisa, porque sabe que va a tener trabajo al llegar. Hay que ir por agua a la fuente, con un viejo cántaro oxidado en equilibrio sobre la cabeza; luego hay que ir al río a lavar la ropa –pero esto no está nada mal, porque se puede charlar con las otras chicas y oírles contar todo tipo de historias increíbles, sobre todo con esa que se llama Ikikr, que quiere decir garbanzo en bereber, debido a una verruga que tiene en una mejilla–. Pero hay dos cosas que no le gustan a Lalla nada en absoluto: ir por ramas menudas para el fuego y moler trigo para hacer harina.

Así que vuelve muy despacio, arrastrando un poco los pies por el sendero. Ya no canta en ese momento, porque es la hora de cruzarse con la gente en las dunas, chavales que van a levantar las trampas para pájaros u hombres que van a trabajar. A veces los muchachos se burlan de Lalla porque no sabe andar muy bien con los pies desnudos, y porque no conoce los tacos. Pero Lalla los oye llegar desde lejos y se esconde tras un zarzal, junto a una duna, y espera hasta que hayan pasado.

Está también esa mujer que la asusta. No es vieja, pero es muy sucia, con sus cabellos negros y rojos enmarañados y la ropa desgarrada por las espinas. Cuando llega por el camino de las dunas hay que tener mucho cuidado, porque es mala y no le gustan los niños. La gente la llama Aicha Kondicha, pero éste no es su nombre de verdad. Nadie sabe su nombre de verdad. Dicen que rapta a los niños para hacerles cosas malas. Cuando Lalla oye a Aicha Kondicha por el camino, se esconde tras un matorral y contiene la respiración. Aicha Kondicha pasa mascullando frases incomprensibles. Se detiene un momento, levanta la cabeza, porque ha sentido que hay alguien. Pero está casi ciega y no puede ver a Lalla. Así que se pone otra vez en marcha, cojeando levemente e increpando a gritos con su voz desagradable.

Algunas mañanas hay en el cielo algo que a Lalla le gusta mucho: una gran nube blanca, larga y deshilachada, que atraviesa el cielo por donde hay más azul. En la punta del hilo blanco se ve una crucecita de plata que avanza con lentitud, tan arriba que apenas se distingue. Lalla mira un buen rato la crucecita que avanza por el cielo, con la cabeza echada hacia atrás. Le gusta ver cómo avanza por el gran cielo azul, sin ruido, dejando tras de sí esa larga nube blanca formada por bolitas algodonosas que se mezclan y se ensanchan como una carretera; luego pasa el viento por la nube y lava el cielo. Lalla piensa que le gustaría mucho estar allí arriba, en la minúscula crucecita de plata, encima de la mar, encima de las islas, así hasta las más lejanas tierras. Se queda todavía un largo rato mirando el cielo una vez que el avión ha desaparecido.

La Cité aparece a la vuelta del camino en cuanto te alejas de la mar y andas una media hora en dirección al río. Lalla no sabe por qué se llama la Cité, porque al principio no había más que una decena de cabañas de tablas y papel alquitranado al otro lado del río y de los terrenos baldíos que la separan de la auténtica ciudad. Puede ser que le hayan dado ese nombre para hacer olvidar a la gente que vive con perros y ratas en medio del polvo.

Es donde Lalla vino a vivir tras la muerte de su madre, hace tanto tiempo que ya no se acuerda muy bien de cuándo llegó. Hacía mucho calor, porque era verano, y el viento levantaba nubes de polvo contra las chozas de tablas. Ella había andado con los ojos cerrados tras la silueta de su tía hasta esta cabaña sin ventanas donde vivían los hijos de su tía. Entonces le habían entrado ganas de irse corriendo, de emprender la ruta que lleva hacia las montañas altas para no volver nunca más.

Cada vez que Lalla vuelve de las dunas y ve los tejados de chapa ondulada y de papel alquitranado, el corazón se le encoge y se acuerda del día en que llegó a la Cité por primera vez. Pero queda tan lejos ahora; es como si todo lo que hubiera pasado antes no le hubiera ocurrido en realidad, como si fuera una historia que le hubieran contado.

Lo mismo ocurre con su nacimiento en las montañas del sur, donde empieza el desierto. A veces, en invierno, cuando afuera no hay nada que hacer y el viento sopla con fuerza sobre la llanura de polvo y sal, y entre las tablas mal unidas de la casa de Aamma, Lalla se instala en el suelo y escucha la historia de su nacimiento.

Es una historia muy larga y extraña, y Aamma no la cuenta siempre igual. Con su voz un tanto cantarina y sacudiendo la cabeza como si fuera a dormirse, dice Aamma:

«Cuando llegó el día en que debías nacer, era poco antes del verano, antes de la estación seca. Hawa sintió que estabas a punto de venir, y como todo el mundo dormía todavía, salió de la tienda sin hacer ruido. Se apretó simplemente el vientre con una tela y echó a andar como pudo al exterior, hasta un lugar donde había un árbol y un manantial. Así pues, anduvo hasta allí y se tendió junto al árbol, y aguardó el final de la noche. Nadie sabía que tu madre estaba fuera. Sabía andar sin hacer ruido, sin provocar el ladrido de los perros. Yo dormía cerca de ella y sin embargo no la había oído quejarse, ni incorporarse para salir de la tienda...».

«¿Y qué pasó luego, Aamma?»

«Luego vino el día; entonces se levantaron las mujeres, y vimos que tu madre no estaba, y comprendimos por qué había salido. Partí en su busca, hacia el manantial, y cuando llegué estaba de pie junto al árbol, con los brazos enganchados a una rama, y gemía bajito, para no despertar a los hombres y a los niños...»

«¿Qué ocurrió después, Aamma?»

«Que naciste enseguida, así, en la tierra, entre las raíces del árbol, y te lavamos en el agua del manantial y te envolvimos con un manto, porque todavía hacía frío de la noche. El sol salió y tu madre se volvió a dormir a la tienda. Me acuerdo de que no había mudas para arroparte y te quedaste dormida en el manto azul de tu madre. Tu madre estaba contenta porque habías venido muy deprisa, pero también estaba triste porque, con la muerte de tu padre, pensaba que no tendría dinero suficiente para criarte, y tenía miedo de verse obligada a darte a alguien.»

Algunas veces Aamma cuenta la historia de manera diferente, como si no se acordara ya muy bien. Por ejemplo, dice que Hawa no estaba agarrada a la rama del árbol, sino cogida a la cuerda de un pozo, y que tiraba con todas sus fuerzas para soportar los dolores. O se le ocurre decir que fue un pastor de paso el que asistió al parto de la criatura y la arropó con su manto de lana. Pero todo esto se halla en el fondo de una niebla incomprensible, como si hubiera pasado en otro mundo, del otro lado del desierto, allí donde hay otro cielo, otro sol.

«Al cabo de algunos días, tu madre pudo andar por primera vez hasta el pozo para lavarse y peinarse los cabellos. Te llevaba envuelta en el mismo manto azul, y lo anudaba alrededor de su talle. Andaba a pasos cortos porque todavía no se encontraba tan entera como antes, pero se sentía dichosa de que hubieras venido al mundo, y cuando le preguntaban tu nombre decía que te llamabas como ella, Lalla Hawa, porque eras hija de una jerifa.»

«Por favor, háblame de aquel a quien llamaban Al-Azraq, el Hombre Azul.»

Pero Aamma menea la cabeza.

«Ahora no. Otro día.»

«Anda, Aamma; háblame de él.»

Pero Aamma menea la cabeza sin responder. Se incorpora y se va a amasar el pan a la fuente grande de terracota, cerca de la puerta. Aamma es así; nunca quiere hablar mucho rato, y no es de muchas palabras cuando se trata del Hombre Azul o de Mulei Ahmed ben Mohammed el-Fadel, al que llamaban Ma el-Ainin, el Agua de los Ojos.

Lo que es raro aquí, en la Cité, es que todo el mundo es muy pobre, pero nadie se queja jamás. La Cité es más que nada ese amontonamiento de cabañas de tablas y de zinc con, a guisa de tejado, esas grandes hojas de papel alquitranado sujetas con piedras. Cuando el viento sopla demasiado fuerte sobre el valle, se oye el crujido de todas las tablas, el tintineo de los trozos de zinc y la crepitación de las hojas de papel alquitranado que se desgarran en una ráfaga. Esto produce una curiosa música que se bambolea y castañetea, como si se viajara en un gran autobús desvencijado por una carretera de tierra, o hubiera montones de animales y ratas galopando por los tejados y las callejas arriba.

A veces la tempestad es durísima, lo barre todo. Hay que reconstruir la ciudad al día siguiente. Pero la gente lo hace riendo, porque son tan pobres que no temen perder lo que tienen. Puede que también estén contentos porque, tras la tempestad, su cielo es todavía más grande, más azul, y la luz más hermosa si cabe. En todo caso, alrededor de la Cité no hay más que la tierra, tan llana, con el viento de polvo, y la mar, tan grande que no puede verse toda entera.

Lalla disfruta mirando el cielo. A menudo va por donde las dunas, donde el camino de arena sale derecho hacia adelante, y se deja caer de espaldas, de lleno encima de la arena y de los cardos, con los brazos en cruz. El cielo se abre entonces ante su rostro liso, luce como un espejo, apacible, ¡tan apacible!, sin nubes, sin aves, sin aviones.

Lalla abre los ojos del todo, deja que el cielo entre en ella. Esto crea un movimiento de balancín, como si estuviera en un barco o hubiese fumado demasiado y la cabeza le diera vueltas. Es por el sol. Castiga muchísimo a pesar del viento frío de la mar; castiga con tanta fuerza que su calor entra en el cuerpo de la pequeña, le llena el vientre, los pulmones, los brazos y las piernas. Esto también duele, hace daño a los ojos y a la cabeza, pero Lalla se queda quieta porque le encantan el sol y el cielo.

Cuando está allí, tumbada en la arena, lejos de los otros niños, lejos de la Cité repleta de ruidos y olores, y cuando el cielo es muy azul, como hoy, Lalla puede pensar en lo que le gusta. Piensa en el que ella llama Es-Ser, el Secreto, aquel cuya mirada es como la luz del sol, que envuelve y protege.

Nadie lo conoce aquí, en la Cité, pero a veces, cuando el sol es muy hermoso y la luz resplandece en la mar y en las dunas, es como si el nombre de Es-Ser apareciera por todas partes, resonase en todo, hasta en el fondo de ella misma. Lalla cree oír su voz, el leve sonido de sus pasos, siente en la piel de la cara el fuego de su mirada, que ve todo, que lo penetra todo. Es una mirada que viene del otro lado de las montañas, más allá del Draa, del fondo del desierto, y brilla como una luz que no puede desaparecer.

Nadie sabe nada de él. Cuando Lalla le habla de Es-Ser, Namán el pescador menea la cabeza, porque nunca ha oído su nombre y jamás habla de él en sus historias. Pero seguro que es su nombre de verdad, piensa Lalla, ya que es el que siempre ha oído. Aunque a lo mejor no era más que un sueño. Ni Aamma debe de saber nada de él. Y eso que es un nombre bien bonito el suyo, piensa Lalla, un nombre que da gusto oírlo.

Es por oír su nombre, por captar la luz de su mirada, por lo que Lalla se aleja siempre entre las dunas, allá donde no hay más que la mar, la arena y el cielo, ya que Es-Ser no puede hacer oír su nombre, ni regalar con el calor de su mirada, cuando Lalla está en la Cité de tablas y papel alquitranado. Es un hombre que no gusta del ruido y los olores. Precisa estar solo al viento, solo como un pájaro suspendido en el cielo.

La gente de aquí no sabe por qué se va Lalla. Puede que crean que se va para llegarse hasta las casas de los pastores, al otro lado de las colinas rocosas. No dicen nada.

La gente espera. Aquí, en la Cité, no hace otra cosa en realidad. Están arrumbados en sus cabañas de tablas y zinc, no muy lejos de la orilla de la mar, inmóviles, tumbados a la sombra densa. Cuando se alza el día sobre las piedras y el polvo, salen un instante, como si algo fuera a suceder. Hablan un poco; las muchachas van a la fuente, los muchachos al campo a trabajar o a haraganear por las calles de la ciudad de verdad, al otro lado del río, o a sentarse al borde de la carretera para ver pasar los camiones.

Lalla cruza la Cité cada mañana. Va a la fuente por cántaros de agua. Mientras camina escucha la música de todos los aparatos de radio, que se prolonga de una casa a otra, siempre la misma e interminable canción egipcia que va y viene por las callejas de la Cité. A Lalla le gusta oír esta música, que gime y carraspea acompasada al ritmo de los pasos de las muchachas y del agua de la fuente. Cuando llega a la fuente, espera su turno balanceando el recipiente en el extremo del brazo. Mira a las muchachas; algunas son de piel oscura como las negras, como Ikikr; otras son muy blancas, de ojos verdes, como Mariem. Hay viejas con velo que vienen por agua con una olla negra, y se van enseguida, en silencio.

La fuente es un grifo de latón, en lo alto de un largo tubo de plomo, que vibra y gruñe cada vez que lo abren o cierran. Las muchachas se lavan las piernas y la cara bajo el chorro helado. A veces se remojan con los cántaros pegando chillidos estridentes. Siempre hay avispas dando vueltas alrededor de sus cabezas que se les prenden en el pelo enmarañado.

Lalla acarrea a la vuelta el cántaro en la cabeza, andando bien derecha para que no se derrame ni una gota de agua. Por la mañana el cielo es hermoso y claro, como si todo fuera aún absolutamente nuevo. Pero cuando el sol se aproxima al cenit, la bruma se eleva cerca del horizonte como una polvareda, y el peso del cielo sobre la tierra se acusa más.

Hay un sitio al que a Lalla le encanta ir. Hay que tomar los senderos que se alejan de la mar y van hacia el este, y remontar después el lecho del torrente reseco. Cuando aparecen a la vista las colinas pedregosas, se continúa por las piedras rojas siguiendo la pista de las cabras. El sol brilla con fuerza en lo alto, pero el viento es frío, porque viene de las tierras donde no hay ni árboles ni agua; es el viento que viene del fondo del espacio. Ahí es donde vive el que Lalla llama Es-Ser, el Secreto, porque nadie sabe su nombre.

Así pues, llega ante la gran estepa de piedra blanca que se extiende hasta los límites del horizonte, hasta el cielo. La luz es deslumbrante, el viento frío corta los labios y hace que salten lágrimas de los ojos. Lalla mira con todas sus fuerzas hasta que el corazón le late con grandes palpitaciones sordas en la garganta y en las sienes, hasta que un velo rojo cubre el cielo y ella siente en los oídos unas voces desconocidas que hablan y mascullan al unísono.

Y avanza en medio de la estepa pedregosa, donde sólo viven escorpiones y serpientes. Ya no hay caminos en la estepa. No hay más que bloques resquebrajados, afilados como cuchillos, a los que arranca destellos la luz. No hay árboles, ni hierba; sólo el viento que viene del centro del espacio.

Allí es donde el hombre sale algunas veces a su encuentro. Ella no sabe quién es ni de dónde viene. Produce espanto en ocasiones, y otras es muy dulce y apacible, imbuido de una belleza celeste. Ella sólo le ve los ojos, porque tiene el rostro velado por una tela azul como la de los guerreros del desierto. Lleva un gran manto blanco que relumbra como la sal al sol. Los ojos se le encienden con un fuego extraño y oscuro a la sombra de su turbante azul, y Lalla siente el calor de su mirada, que le recorre la cara y el cuerpo como al acercarse a una hoguera.

Pero Es-Ser no siempre se presenta. El hombre del desierto viene nada más cuando Lalla tiene muchas ganas de verlo, cuando realmente tiene necesidad de él, cuando lo necesita con tanta fuerza como hablar o llorar. Pero hasta cuando no viene sigue habiendo algo de él en la estepa pedregosa, tal vez su mirada ardiente, que ilumina el paisaje y va de un extremo al otro del horizonte. Lalla puede así marchar en plena extensión de lascas, sin preocuparse de adónde va, sin buscar nada. En algunos riscos hay curiosos signos que no entiende, cruces, puntos, manchas con forma de sol y de luna, flechas grabadas en la piedra. A lo mejor son signos de magia, eso es lo que dicen los muchachos de la Cité, y por eso no les gusta venir a la estepa blanca. Pero a Lalla no la asustan ni los signos ni la soledad. Sabe que el hombre azul del desierto la protege con su mirada, y ya no teme el silencio ni el vacío del viento.

Es un lugar donde no hay nadie, nadie. Sólo el hombre azul del desierto que la mira sin cesar, sin hablarle. Lalla no sabe muy bien lo que quiere o le pide él. Cuando ella lo necesita, él viene en silencio, con su mirada plena de poder. Ella es feliz cuando se encuentra en la estepa pedregosa, a la luz de la mirada. Sabe que no debe hablarle a nadie de él, ni siquiera a Aamma, porque es un secreto, lo más importante que le ha ocurrido. Es un secreto también porque es la única que no tiene miedo de venir a menudo a la estepa pedregosa, pese al silencio y al vacío del viento. El único que a lo mejor se aventura también algunas veces por la estepa es el pastor bereber, el que llaman el Hartani, pero eso es cuando una de las cabras del rebaño se le ha extraviado corriendo por las torrenteras. A él tampoco lo asustan los signos de las piedras, pero Lalla no se ha atrevido nunca a hablarle de su secreto.

Es el nombre que ella da al hombre que aparece algunas veces en la estepa pedregosa. Es-Ser, el Secreto, porque nadie debe saber su nombre.

No habla. Es decir, no habla el mismo lenguaje que los hombres. Pero Lalla oye su voz en el interior de los oídos, y él dice en su lenguaje cosas muy hermosas que la turban en el interior del cuerpo, que le hacen sentir escalofríos. Puede que hable con el ruido leve del viento que viene del fondo del espacio, o con el silencio entre cada soplo del viento. Puede que hable con las palabras de la luz, con las palabras que explotan en haces de destellos en el filo de las piedras, las palabras de la arena, las palabras de los cantos que se deshacen en polvo duro, y las palabras también de los escorpiones y de las serpientes que dejan sus leves rastros en el polvo. Sabe hablar con todas esas palabras, y su mirada brinca de una piedra a otra, viva como un animal, va de un solo impulso hasta el horizonte, sube derecha al cielo, planea más arriba que las aves.

A Lalla le gusta venir aquí, a la estepa de piedra blanca, para oír esas voces secretas. No conoce al que llama Es-Ser, no sabe quién es ni de dónde viene, pero le encanta encontrarse con él en este lugar, porque lleva consigo, en su mirada y su lenguaje, el calor de los territorios de dunas y arena, del sur, de las tierras sin árboles y sin agua.

Hasta cuando Es-Ser no viene, es como si ella pudiera ver con su mirada. Es difícil de entender, porque es un poco como en un sueño, como si Lalla no fuera ella misma del todo, como si hubiera entrado en el mundo que queda al otro lado de la mirada del hombre azul.

Aparecen entonces las cosas bellas y misteriosas. Cosas que no ha visto nunca en otra parte, que la turban e inquietan. Ve la extensión de arena color oro y azufre, inmensa, semejante a la mar, con sus grandes olas inmóviles. No hay nadie en esta extensión de arena, ni un árbol, ni una hierba, nada que no sean las sombras de las dunas, que se alargan, se tocan, forman lagos al crepúsculo. Aquí todo se asemeja; es como si ella estuviera a la vez aquí y más lejos, allá donde su mirada se posa al azar; y también en otros sitios, muy cerquita del límite entre la tierra y el cielo. Las dunas se mueven ante su mirada con lentitud, separando sus dedos de arena. Hay arroyos de oro que fluyen allí mismo, por el fondo de los valles tórridos. Hay olitas duras, ahornadas por el calor terrible del sol, y grandes playas blancas de curva perfecta, inmóviles frente a la mar de arena roja. La luz rutila y espejea por todas partes, la luz que nace a la vez en todos los rincones, la luz de la tierra, del cielo y del sol. En el cielo no hay fin. Sólo la bruma seca que festonea en el borde del horizonte, rompiendo reflejos, bailando como hierbas de luz, y el polvo ocre y rosa que vibra al viento frío que asciende hacia el centro del cielo.

Todo esto es extraño y lejano, y sin embargo resulta familiar. Lalla ve ante sí, como con los ojos de otro, el gran desierto en el que resplandece la luz. Siente en la piel el soplo del viento del sur, que levanta cúmulos de arena, siente la arena ardiente de las dunas bajo sus pies desnudos. Siente sobre todo, encima de ella, la inmensidad del cielo vacío, del cielo sin sombra en el que brilla el sol puro.

Y durante un largo rato deja de ser ella misma, se convierte en alguien diferente, lejano, olvidado. Ve otras formas, siluetas de niños, hombres, mujeres, caballos, camellos, rebaños de cabras, ve la forma de una ciudad, un palacio de piedra y arcilla, unas murallas de barro de donde salen tropeles de guerreros. Ella lo ve todo, y es que no es un sueño, sino el recuerdo de otra memoria en la que ha entrado sin saberlo. Oye el ruido de las voces de los hombres, los cantos de las mujeres, la música, y a lo mejor hasta baila ella, dando vueltas sobre sí misma, batiendo la tierra con la punta de los pies desnudos y los talones, haciendo resonar los brazaletes de cobre y los pesados collares.

Y en un suspiro, como en un soplo de viento, todo se desvanece. Es simplemente que la mirada de Es-Ser la abandona, se aleja de la estepa de piedra blanca. Entonces Lalla recupera su propia mirada, vuelve a sentir su corazón, sus pulmones, su piel. Capta cada detalle, cada piedra, cada fractura, cada dibujo minúsculo en el polvo.

Vuelve sobre sus pasos. Inicia el descenso hacia el lecho reseco del torrente atenta a las piedras cortantes y a los zarzales. Cuando llega abajo está muy cansada; por toda esa luz, por el vacío del viento que no cesa nunca. Lentamente, avanza por los caminos de arena hasta la Cité, donde todavía bullen las sombras de los hombres y de las mujeres. Se llega hasta el agua de la fuente y se refresca la cara y las manos con las rodillas en tierra, como si regresara de un largo viaje.

Las que son estupendas también son las avispas. Están por toda la ciudad, con sus largos cuerpos amarillos a rayas negras y sus alas transparentes. Se mueven por todas partes con su vuelo pesado sin ocuparse de los hombres. Buscan su alimento, Lalla les tiene cariño, las mira a menudo: suspendidas en los rayos de sol, revoloteando sobre los montones de basuras o alrededor de los mostradores de la carnicería. Algunas veces se acercan a Lalla cuando come una naranja; tratan de posársele en la cara, en las manos. A veces también le pica alguna en el cuello o en el brazo, y esto provoca un ardor que dura varias horas. Pero no importa. A Lalla le gustan las avispas de todas maneras.

Las moscas no tanto. Primero porque no tienen ese largo cuerpo amarillo y negro, ni ese talle tan fino, cuando se posan en el borde de una mesa. Las moscas van deprisa, se posan de golpe, planas como son, con sus ojazos gris y rojo abiertos como platos en sus cabezas.

En la Cité hay siempre mucho humo, que deja su estela encima de las cabañas de tablas, por las callejas de tierra batida. Hay mujeres preparando la comida en los braseros de terracota, están las hogueras que queman las basuras, las hogueras que calientan el alquitrán para revestir los tejados.

Cuando tiene tiempo, a Lalla le gusta pararse a mirar las hogueras. O va hacia los torrentes resecos a recoger ramitas de acacia, las ata con una cuerda y se lleva la gavilla a casa de Aamma. Las llamas brincan alegres entre las ramitas, hacen saltar los tallos y las espinas, hacen hervir la savia. Las llamas bailan en el aire frío de la mañana creando una hermosa música. Si se mira en el interior de las llamas, se puede ver a los genios, bueno, eso es lo que dice Aamma. También pueden verse paisajes, ciudades, ríos, toda suerte de cosas extraordinarias que aparecen y se ocultan, un poco como las nubes.

A continuación llegan las avispas, porque han olfateado la carne de cordero que cuece en la olla de hierro. Los demás niños se asustan con las avispas, quieren espantarlas, se afanan por matarlas a pedradas. Pero Lalla les permite revolotear alrededor de su pelo, procura comprender qué murmuran al hacer zumbar sus alas.

Cuando llega la hora de la comida, el sol está en lo alto del cielo, pega con fuerza. El blanco es tan blanco que no se puede mirar de frente, las sombras tan negras que parecen hoyos en la tierra. Entonces vienen primero los hijos de Aamma. Son dos, uno de catorce años, de nombre Alí, otro de diecisiete al que llaman el Bareki, porque fue bendecido el día de su nacimiento. Aamma les sirve a ellos para empezar, y comen rápido, con avidez, sin hablar. Siempre espantan las avispas a manotazos mientras comen. Enseguida llega el marido de Aamma, que trabaja en las plantaciones de tomates, al sur. Se llama Selim, pero le llaman el Susi, porque procede de la región del río Sus. Es muy bajito y delgado, con preciosos ojos verdes, y Lalla le tiene mucho cariño aunque digan en casi todas partes que es un vago. Pero no mata las avispas, al contrario, a veces las coge entre el pulgar y el índice, y se divierte sacándoles el aguijón, luego las coloca en el suelo con delicadeza y deja que vuelvan a volar.

Siempre hay gente que viene de otros sitios, y Aamma aparta un pedazo de carne para ellos. En ocasiones es Namán el pescador el que viene a comer a casa de Aamma, Lalla se pone siempre contentísima cuando sabe que va a venir, porque Namán también le tiene cariño y le cuenta bonitas historias. Come despacio y, de cuando en cuando, dice algo curioso sólo por ella.

La llama pequeña Lalla, porque desciende de una verdadera jerifa. Cuando Lalla mira en sus ojos, tiene la impresión de ver
el color de la mar, de atravesar el océano, de estar al otro lado
del horizonte, en esas ciudades grandes donde hay casas blancas, jardines, fuentes. A Lalla le encanta oír los nombres de las
ciudades, y a menudo le pide a Namán que se los recite, sin más,
sólo los nombres, despacio, para tener tiempo de ver las cosas
que esconden:
  «Algeciras»
    «Granada»
      «Sevilla»
        «Madrid»
Los chavales de Aamma quieren saber más. Esperan a que el
viejo Namán haya terminado de comer y le plantean todo tipo
de preguntas sobre la vida de allí, al otro lado de la mar. Ellos
lo que quieren saber son cosas serias, no nombres para soñar.
Le preguntan a Namán por el dinero que se puede ganar, por
el trabajo, cuánto cuesta la ropa, la comida, cuánto cuesta un
auto, si hay muchos cines. El viejo Namán es demasiado viejo,
no sabe esas cosas, o las ha olvidado, y además, de todas formas, la vida ha debido de cambiar desde que él vivía allí, antes
de la guerra. Así que los muchachos se encogen de hombros,
pero no dicen nada, porque Namán tiene un hermano que se
quedó en Marsella y puede serles útil llegado el día.

Algunos días a Namán le entran ganas de hablar de lo que
ha visto, y se lo cuenta a Lalla porque ella es a quien prefiere y
no le hace preguntas.

Aunque no sea del todo cierto, a Lalla le gusta lo que le
cuenta. Lo escucha con atención cuando habla de las grandes
ciudades blancas a la orilla de la mar, con todos esos paseos de
palmeras, esos jardines que llegan hasta lo alto de las colinas, repletos de flores, de naranjos, de granados, y esas torres tan altas como las montañas, esas avenidas tan largas que no se les ve
el final. Lalla también disfruta con él cuando habla de los autos

negros que circulan despacio, sobre todo por la noche, con sus faros encendidos, y de las luces de todos los colores en los escaparates de los comercios, o incluso de los grandes barcos blancos que arriban a Algeciras al atardecer, que se desplazan lentamente a lo largo de los muelles mojados, mientras la multitud chilla y gesticula para dar la bienvenida a los que llegan. O del ferrocarril que va hacia el norte, de ciudad en ciudad, atraviesa las campiñas brumosas, los ríos, las montañas, se interna en largos túneles oscuros, así, con todos los pasajeros y sus equipajes, hasta la ciudad de París. Lalla escucha todo esto y se estremece un poco de inquietud, y al mismo tiempo piensa que le gustaría mucho estar en ese ferrocarril, de ciudad en ciudad, hacia lugares desconocidos, hacia esas regiones donde nada se sabe del polvo ni de los perros hambrientos, ni de las cabañas de tablas donde penetra el viento del desierto.

«Llévame allí cuando te vayas», dice Lalla.

El viejo Namán menea la cabeza:

«Ahora soy demasiado viejo, pequeña Lalla, ya no volveré más; moriría en el camino».

Para consolarla, añade:

«Tú sí irás. Verás todas esas ciudades y regresarás luego, como yo».

Ella se contenta con mirar en los ojos de Namán para ver lo que él ha visto, como cuando miramos en el fondo de la mar. Se detiene a pensar en los bellos nombres de las ciudades, los entona en su mente como si fueran el texto de una canción.

A veces es Aamma quien le pide que hable de esas tierras extranjeras. Entonces cuenta otra vez su viaje por España, la frontera, la carretera que bordea la mar, y la gran ciudad de Marsella. Cuenta todas las casas, las calles, las escaleras, los muelles sin fin, las grúas, los buques, tan grandes como casas, como ciudades, de los que descargan camiones, vagones, piedras, cemento, que después se alejan surcando el agua negra del puerto y haciendo resonar sus sirenas. Los dos muchachos no hacen mucho caso, porque no creen al viejo Namán. Cuando Namán se va, dicen que todo el mundo sabe que era cocinero en Marsella, y para burlarse de él lo llaman Tayyeb, que quiere decir: «Se ha dedicado a la cocina».

Pero Aamma escucha lo que dice. Le da igual que Namán haya sido cocinero allí y pescador aquí. Ella le hace nuevas preguntas cada vez para seguir oyendo la historia del viaje, la frontera y la vida en Marsella. Así Namán habla también de las batallas en las calles, cuando los hombres atacan a los árabes y a los judíos en las calles oscuras y hay que defenderse a cuchilladas, o tirar piedras y correr a toda prisa para huir de los camiones de la policía, que recogen a la gente y la conducen a prisión. Habla asimismo de los que franquean las fronteras de modo clandestino, por las montañas, andando por la noche y ocultándose por el día en grutas y malezas. Pero algunas veces los perros de los policías les siguen el rastro y los atacan cuando llegan abajo, al otro lado de la frontera.

Namán habla de todo ello con aire circunspecto, y Lalla siente el frío que pasa por los ojos del viejo. Es una impresión extraña, que no conoce bien, pero que asusta y presagia, como el paso de la muerte, la desgracia. Es posible que también esto lo haya traído de allí él, de esas ciudades del otro lado de la mar.

Cuando no habla de sus viajes, el viejo Namán cuenta las historias que ha oído antaño. Las cuenta sólo para Lalla y los niños más pequeños, porque son los únicos que escuchan sin hacer demasiadas preguntas.

Algunos días está sentado frente a la mar, a la sombra de la higuera, y repara sus redes. Entonces es cuando relata las historias más hermosas, las que tienen lugar en el océano, en los barcos, en medio de las tempestades, esas en que la gente naufraga y va a parar a islas desconocidas. Namán es capaz de contar historias sobre lo que sea, eso es lo bonito. Por ejemplo, Lalla está sentada a su lado, a la sombra de la higuera, y lo mira mientras él repara las redes. Sus grandes manos atezadas con las uñas rotas se mueven a toda velocidad, saben hacer nudos con ligereza. En un momento determinado aparece un gran desgarrón en las mallas de la red, y Lalla pregunta con naturalidad:

«¿Es un pez grande el que ha hecho eso?».

En lugar de contestar, Namán medita y dice:

«No te he contado el día en que pescamos un tiburón, ¿verdad?».

Lalla menea la cabeza y Namán emprende el relato de una historia. Como en casi todas sus historias, hay una tempestad con relámpagos que van de una punta a otra del cielo, olas altas como montañas, trombas de agua. La red pesa mucho, cuesta tanto recogerla que el barco se vence hacia ese lado y los hombres temen zozobrar. Cuando llega la red, ven que lleva dentro un tiburón azul gigantesco que se debate y abre una mandíbula repleta de dientes terribles. Los pescadores se ven obligados a batirse con el tiburón, que pugna por arrastrar la red. Le pegan bicherazos, hachazos. Pero el tiburón muerde la borda del barco y la resquebraja como si fuera madera de embalaje. Por fin el capitán consigue rematarlo con un botalón, e izan la bestia hasta el puente de la embarcación.

«Entonces le abrimos el vientre para ver lo que había dentro, y encontramos una sortija de oro macizo que llevaba engastada una piedra preciosa toda roja, tan bella que nadie podía apartar la vista de ella. Por supuesto, cada uno de nosotros quería la sortija para él, y muy pronto todo el mundo estaba dispuesto a matarse por la posesión de la maldita sortija. Propuse que nos la jugáramos a los dados, porque el capitán llevaba un par de dados de taba. Así pues, jugamos a los dados en el puente, por más que la terrible tempestad amenazara a cada instante con volcar el barco. Éramos seis y jugamos seis veces a ver quién sacaba la cifra más alta. Tras la primera mano quedamos solos el capitán y yo, porque habíamos sacado once cada uno, seis y cinco. Todos se agolparon a nuestro alrededor para ver quién ganaba. ¡Tiré e hice seis doble! Me tocó la sortija y por unos instantes fui feliz como nunca en mi vida. Pero miré con detenimiento la sortija, y la piedra roja brillaba como el fuego del infierno, con una luz malvada, roja como la sangre. Y vi que también los ojos de mis compañeros brillaban con el mismo furor malvado, y comprendí que era una sortija maldita, como el que la llevaba y había sido devorado por el tiburón, y comprendí que quien la guardase estaría maldito a su vez. Después de mirarla bien, me la quité del dedo y la arrojé a la mar. El capitán y mis compañeros enrojecieron de ira y quisieron tirarme a mí también a la mar. Entonces les dije: "¿Por qué montáis en cólera contra mí? Lo que vino de la mar a la mar ha regresado, y ahora es como si no hubiera pasado nada". En ese preciso momento la tempestad se calmó de golpe, y el sol se puso a brillar sobre la mar. Y los marineros se aplacaron también ellos, y hasta el capitán, que había deseado tanto la sortija, la olvidó de inmediato, y me dijo que había obrado bien devolviéndola a la mar. Hicimos lo mismo con el cuerpo del tiburón y regresamos a puerto para reparar la red.»

«¿Crees de verdad que esa sortija estaba maldita?», pregunta Lalla.

«No sé si estaba maldita», responde Namán, «pero lo que sé es que si no la hubiera devuelto a la mar, el mismo día uno de mis compañeros me habría matado para robarla, y todos habríamos perecido de esa forma, hasta el último.»

Son historias que le gusta oír a Lalla, así, sentada junto al viejo pescador, cara a la mar, a la sombra de la higuera, cuando el viento sopla y agita las hojas. Es un poco como si oyera la voz de la mar, y las palabras de Namán le pesan en los párpados y hacen que el sueño se adueñe de su cuerpo. Entonces se ovilla en la arena, con la cabeza apoyada en las raíces de la higuera, mientras el pescador sigue reparando la red de cuerda roja y las avispas zumban sobre unas gotas de sal.

«¡Eo! ¡Hartani!»

Lalla grita con fuerza al viento, mientras se acerca a las colinas de guijarros y espinos. Por aquí se ven siempre lagartos, en mayor o menor número, que se escurren entre las piedras, y a veces hasta serpientes, que se zafan rechinando. Hay hierbas altas que cortan como cuchillos, y muchos de esos palmitos con los que se hacen cestos y esteras. Se oye el silbido de los insectos por todas partes, porque hay manantiales minúsculos entre los riscos y grandes pozos ocultos en las simas, donde aguarda el agua fresca. Lalla, según pasa, tira piedras por las rendijas y escucha el ruido que resuena profundamente en lo oscuro.

«¡Harta-a-ani!»

Con frecuencia se esconde, para tomarle el pelo, tendido simplemente en el suelo al pie de un zarzal. Viste siempre su largo sayal deshilachado en las mangas y los bajos, y una larga tela blanca que se enrolla alrededor del cuello y la cabeza. Es alto y delgado como una liana, tiene hermosas manos atezadas con uñas color marfil, y pies perfectos para la carrera. Pero lo que más le gusta a Lalla es su cara, porque no recuerda a nadie de los que viven aquí, en la Cité. Es un rostro muy delgado y liso, una frente abombada y unas cejas muy rectas, y grandes ojos oscuros color metal. El pelo es corto, casi crespo, y no tiene ni bigote ni barba. Pero parece fuerte y seguro de sí, con una mirada directa que te escruta sin temor, y sabe reírse cuando quiere con una risa sonora que enseguida hace feliz.

Hoy Lalla lo encuentra con facilidad, porque no se ha escondido. Está sentado tan tranquilo en una piedra grande, y mira de frente en dirección al rebaño de cabras. No se mueve. El viento hace que le flote un poco la vestidura bruna encima del cuerpo, que se le agite la punta del turbante blanco. Lalla avanza hacia él sin llamarlo, porque sabe que la ha oído llegar. El Hartani tiene el oído fino, puede oír saltar una liebre en el otro extremo de la colina, y señala a Lalla los aviones en el cielo mucho antes de que ella haya oído el ruido de los motores.

Cuando ella está a su altura, el Hartani se levanta y se da la vuelta. El sol brilla en su rostro negro. Sonríe y los dientes le brillan también a la luz. Aunque es más joven que Lalla, es tan alto como ella. Sostiene un cuchillo pequeño sin mango en la mano izquierda.

«¿Qué haces con el cuchillo?», pregunta Lalla.

Como está cansada por todo el camino que ha hecho, se sienta en la roca. Él se queda de pie ante ella, en equilibrio sobre una pierna. Luego, de repente, brinca hacia atrás y empieza a correr por la colina pedregosa. Poco después trae un hacecillo de cañas que ha cortado en los pantanos. Se las enseña a Lalla sonriendo. Jadea un poco, como un perro que ha corrido demasiado deprisa.

«Qué bonito», dice Lalla. «¿Es para tocar música?»

No lo pregunta de manera real. Musita las palabras gesticulando con las manos. Cada vez que ella habla, el Hartani se queda quieto y la mira con una atención seria en su esfuerzo por entender.

Es posible que Lalla sea la única persona a la que entiende y la única en entenderlo. Cuando ella dice «música», el Hartani salta en el sitio separando sus largos brazos como si fuera a bailar. Silba entre los dedos tan fuerte que las cabras y el carnero se sobresaltan en la falda de la colina.

Luego toma algunas cañas cortadas, las junta en las manos. Sopla en su interior y esto produce una extraña música un tanto áspera, como el grito de las zumayas en la noche, una música un poco triste, como el canto de los pastores bereberes.

El Hartani toca un poco sin coger aire. A continuación tiende las cañas a Lalla, quien toca a su vez mientras el joven pastor, con una luz de gozo en su mirada sombría, deja de moverse. Se entretienen así soplando por turno en los tubos de caña de diferentes longitudes, y la música triste parece salir del paisaje blanco de luz, de los hoyos de las grutas subterráneas, del cielo mismo donde corre el viento lento.

De vez en cuando paran, sin aliento, y el joven prorrumpe en su risa sonora, y Lalla se pone a reír, también ella, sin saber por qué.

Después caminan por los pedregales, y el Hartani toma la mano de Lalla, porque todo está plagado de riscos afilados que no conoce, entre las matas de arbustos. Saltan por encima de los pequeños vallados de piedra seca, zigzaguean entre los espinos. El Hartani enseña a Lalla todo lo que hay en los pedregales y en las faldas de las colinas. Conoce los escondrijos mejor que nadie: los de los insectos dorados, los de las langostas, los de las mantis religiosas y los insectos hoja. Conoce también todas las plantas: las que huelen bien cuando se estrujan sus hojas entre los dedos, las que tienen raíces llenas de agua, las que tienen sabor a anís, pimienta, menta, miel. Conoce los granos que crujen al morderlos, las bayas minúsculas que tiznan los dedos y los labios de azul. Conoce incluso los escondrijos donde se encuentran caracolillos de piedra o minúsculos granos de arena con forma de estrella. Arrastra con él a Lalla lejos, más allá de las paredes de piedra seca, a lo largo de los senderos que ella no conoce, hasta llegar a las colinas desde las que se ve el comienzo del desierto. Sus ojos brillan con fuerza, la piel de su cara es oscura y reluciente cuando llega a lo alto de las colinas. Entonces señala a Lalla la dirección del sur, en donde nació.

El Hartani no es como los demás muchachos. Nadie sabe

de dónde viene en realidad. Sólo que, un día, hace ya mucho de esto, vino un hombre montado en un camello. Vestía como los guerreros del desierto, con un gran manto azul celeste y el rostro cubierto con el velo azul. Se detuvo en el pozo para abrevar su camello, y él mismo bebió en abundancia del agua del pozo. Yasmina, la mujer del cabrero, lo vio cuando iba por agua. Se detuvo para permitir al extranjero saciar su sed, y cuando éste reanudó su marcha a lomos del camello, vio que el hombre había dejado en el brocal del pozo a un niño pequeño arropado con un trozo de tela azul. Como nadie quería saber nada, Yasmina se quedó con el niño. Lo crió, y creció en su familia como si fuera su propio hijo. El niño era el Hartani, éste es el apodo que le pusieron, porque tenía la piel negra como los esclavos del sur.

El Hartani creció en el mismo sitio en el que lo abandonó el guerrero del desierto, cerca de las colinas, donde comienza el desierto. Él se quedó con las cabras de Yasmina y se volvió uno más de los niños que pastorean. Sabe cuidar los animales, sabe llevarlos donde quiere, sin hacerles daño, con sólo silbar entre los dedos, porque los animales no le tienen miedo. Sabe hablar también a los enjambres de abejas silbando simplemente entre los dientes, dirigiéndolas con las manos. La gente siente un tanto de aprensión hacia el Hartani, dicen que es *mezhnún,* que tiene poderes que le vienen de los demonios. Dicen que sabe dar órdenes a las serpientes y a los escorpiones, que puede mandarlos a dar muerte a los animales de los otros pastores. Pero Lalla no se lo cree, no tiene miedo de él. Puede que sea la única persona que lo conoce bien, porque ella le habla con algo más que las palabras. Lo mira y lee en la luz de sus ojos negros, y él la mira en el fondo de sus ojos de ámbar; él no se limita a mirarle la cara, sino que la mira de veras muy en el fondo de sus ojos, y así comprende lo que ella quiere decirle.

A Aamma no le hace gracia que Lalla vaya a ver con tanta frecuencia al pastor a sus pedregales y a sus colinas. Le dice que es un niño expósito, un extranjero, que no es un muchacho para ella. Pero en cuanto Lalla termina su trabajo en casa de Aamma, echa a correr por el camino que va hacia las colinas, y silba con los dedos como los pastores, y grita:

«¡Eo! ¡Hartani!».

A veces se queda allá arriba con él hasta la caída de la noche. Entonces el joven reúne sus animales para guiarlos al corral, abajo, cerca de la casa de Yasmina. A menudo, como no hablan, permanecen quietos, sentados en los riscos frente a las colinas pedregosas. Es difícil entender lo que hacen en ese momento. Puede que miren al frente, como si vieran a través de las colinas hasta detrás del horizonte. Ni Lalla entiende muy bien cuál es la explicación, pues el tiempo no parece ya existir cuando se sienta al lado del Hartani. Las palabras circulan libremente, van hacia el Hartani y le vuelven a ella cargadas de otro sentido, como en los sueños en que somos dos al mismo tiempo.

El Hartani es quien le ha enseñado a quedarse así, sin moverse, mirando el cielo, las piedras, los arbustos, viendo volar las avispas y las moscas, escuchando el canto de los insectos escondidos, sintiendo la sombra de las aves de presa y los sobresaltos de las liebres en los zarzales.

El Hartani no tiene familia de verdad, como Lalla, no sabe leer ni escribir, ni conoce siquiera los rezos, no sabe hablar, y sin embargo se sabe todas esas cosas. A Lalla le gustan su rostro liso, sus manos largas, sus ojos de metal oscuro, su sonrisa, le gusta su modo de andar, vivo y ligero como un galgo, y lo bien que sabe saltar de roca en roca y desaparecer en un abrir y cerrar de ojos en alguno de sus escondites.

Nunca va a la ciudad. Puede que lo asusten los otros muchachos, porque no es como ellos. Cuando parte lo hace hacia el sur, en dirección al desierto, por donde pasan las pistas de los nómadas a lomos de sus camellos. Se marcha varios días de esta manera, sin saber adónde. Luego regresa una mañana y recupera su sitio en el pedregal con las cabras y el carnero, como si no hubiera estado ausente más que unos instantes.

Cuando está sentada así, en un risco, al lado del Hartani, y miran juntos la extensión de las piedras a la luz del sol, con el viento que sopla de vez en cuando, con las avispas que zumban encima de unas plantitas grises y el ruido de las pezuñas de las cabras pisoteando las piedras que se desmoronan, no hay realmente necesidad de nada más. Lalla siente un calor en el fondo de sí misma, como si toda la luz del cielo y de las piedras afluyera al centro de su cuerpo, creciese. El Hartani toma la mano de Lalla en su larga mano atezada de dedos estilizados, la estrecha tan fuerte que casi le hace daño. Lalla siente que la corriente de calor pasa por la palma de la mano, como una curiosa vibración tenue. No tiene ganas de hablar ni de pensar. Está tan bien así que podría seguir todo el día, hasta que la noche colmara las torrenteras, sin moverse. Mira al frente, ve cada detalle del paisaje pedregoso, cada mata de hierba, oye cada crujido, cada chirrido de insecto. Siente el lento movimiento de la respiración del pastor, está tan cerca de él que ve con sus ojos, siente por su piel. Esto dura un breve instante, pero parece tan largo que, presa del vértigo, acaba olvidando todo lo demás.

Y de pronto, como si tuviera miedo de algo, el joven pastor pega un brinco y suelta la mano de Lalla. Sin mirarla siquiera, se pone a correr deprisa como un perro, salvando a brincos los riscos y las torrenteras desecadas. Franquea los vallados de piedra seca y Lalla ve su silueta clara que desaparece entre los espinos.

«¡Hartani! ¡Hartani! ¡Vuelve!»

Lalla grita de pie en el risco, y le tiembla la voz, porque sabe que de nada servirá. El Hartani ha desaparecido de repente, tragado por una de esas oscuras cavidades de la roca calcárea. Hoy ya no se mostrará más. Mañana, quizá, ¿o más adelante? Así que Lalla baja la colina por su cuenta, despacio, de roca en roca, con torpeza, y se vuelve de cuando en cuando por si ve al pastor. Deja atrás los pedregales y los cercados de piedra seca, retorna abajo, hacia la cuenca del valle, no muy lejos de la mar, a ese lugar donde los hombres viven en las casas de tablas, chapa y papel alquitranado.

Los días son todos los días los mismos, aquí, en la Cité, y a veces no se está muy seguro de en qué día se vive. Es un tiempo ya antiguo, y es como si no hubiera nada escrito, nada seguro. Por lo demás, nadie piensa de veras en ello; aquí nadie se pregunta de veras quién es. Pero Lalla sí lo hace a menudo, cuando va a la estepa pedregosa donde vive el hombre azul al que llama Es-Ser.

Tal vez sea también por culpa de las avispas. ¡Hay tal cantidad de avispas en la Cité!; muchas más que hombres y mujeres. Desde la aurora hasta el crepúsculo zumban en el aire en busca de su alimento, bailan inmersas en la luz del sol.

Sin embargo, en cierto modo, las horas no son nunca igualitas, como las palabras que pronuncia Aamma, como las caras de las niñas que se reúnen en torno a la fuente. Hay horas tórridas, cuando el sol abrasa la piel a través de los ropajes, cuando la luz clava agujas en los ojos y hace sangrar los labios. Entonces Lalla se envuelve por completo en las telas azules, se ata un gran pañuelo por detrás de la cabeza, que le cubre el rostro hasta los ojos, y se rodea la cabeza con otro velo de tela azul, que le baja hasta el pecho. El viento abrasador viene del desierto, empuja con su soplo los granos de polvo duro. Afuera, en las callejas de la Cité, no hay nadie. Hasta los perros se cobijan en hoyos de tierra, al pie de las casas, al abrigo de los bidones de gasolina vacíos.

Pero a Lalla le gusta salir esos días, quizá precisamente porque no hay nadie más. Es como si ya no hubiera nada sobre la tierra, nada perteneciente a los hombres. Se siente más lejos que nunca de sí misma, como si nada de lo que ha hecho pudiera ya contar, como si ya no hubiera memoria.

Entonces se va hacia la mar, a donde empiezan las dunas. Se sienta en la arena, embutida en sus velos azules, mira el polvo que se levanta en el aire. Sobre la tierra, en el cenit, el cielo es de un azul muy denso, casi color noche, y cuando ella mira hacia el horizonte, por encima de la línea de las dunas, ve ese color rosa, ceniciento, como al alba. Esos días se está libre de moscas y de avispas, porque el viento las ha empujado hacia los recovecos de los riscos, a sus nidos de barro seco o a los rincones oscuros de las casas. No hay hombres, ni mujeres, ni niños. No hay perros ni pájaros. Sólo el viento que silba entre las ramas de los arbustos, en las hojas de las acacias y las higueras silvestres. Sólo los miles de partículas de piedra que azotan la cara, que se dividen alrededor de Lalla, que forman largas cintas, serpientes, humaredas. Hay el rugido del viento, el rugido de la mar, el rugido chirriante de la arena, y Lalla se inclina hacia adelante para respirar, con el velo azul pegado a las fosas nasales y a los labios.

Resulta estupendo porque es como si uno hubiera zarpado en barco, como Namán el pescador y sus compañeros, y estuviera perdido en medio de la gran tempestad. El cielo está desnudo, extraordinario. La tierra ha desaparecido, o casi, apenas visible a través de las escotaduras de arena, desgarrada, ajada; meras manchas negras de arrecifes en medio de la mar.

Lalla no sabe por qué sale esos días. Es más fuerte que ella; no puede quedarse enclaustrada en la casa de Aamma, ni andar por las callejas de la Cité siquiera. El viento abrasador le reseca los labios y las fosas nasales; siente el fuego que baja a ella. Es quizá el fuego de la luz del cielo, el fuego que viene de oriente y que el viento le hunde en el cuerpo. Pero la luz no sólo abrasa: libera, y Lalla siente el cuerpo que se le hace ligero, rápido.

Ella resiste, aferrada con las dos manos a la arena de la duna, manteniendo el mentón contra las rodillas. Apenas respira, con leves inspiraciones, para no hacerse demasiado ligera.

Trata de pensar en aquellos a los que ama, porque eso impide que el viento se la lleve. Piensa en Aamma, en el Hartani, en Namán sobre todo. Pero esos días nada cuenta en realidad, ni ninguno de sus conocidos, y su pensamiento se esfuma enseguida, se escapa como si el viento lo arrancara y se lo llevara por las dunas.

Y de repente siente la mirada del hombre azul del desierto sobre ella. Es la misma mirada de arriba, de la estepa pedregosa, en la frontera del desierto. Es una mirada vacía e imperiosa que le pesa en los hombros con el lastre del viento y de la luz, una mirada de terrible sequedad que la hace sufrir, una mirada endurecida como las partículas de piedra que se estampan en su rostro y sus vestiduras. No comprende lo que quiere, lo que exige. Puede que no quiera nada de ella, que se limite a pasar por el paisaje de la mar, por el río, por la Cité, que vaya más lejos todavía para inflamar las ciudades y las casas blancas, los jardines, las fuentes, las grandes avenidas de los países que están al otro lado de la mar.

Lalla ahora está asustada. Querría detener esa mirada, detenerla sobre ella, para que no vaya más allá de este horizonte, para que reprima su venganza, su fuego, su violencia. No entiende por qué quiere destruir esas ciudades la tormenta del hombre del desierto. Cierra los ojos para no seguir viendo las serpientes de arena que se retuercen a su alrededor, esas humaredas peligrosas. Entonces oye en sus oídos la voz del guerrero del desierto, ese al que llama Es-Ser, el Secreto. Nunca la había oído con tanta nitidez, ni cuando él se mostró a sus ojos en la estepa pedregosa, vestido con su manto blanco y con el rostro cubierto por el velo azul. Es una voz curiosa la que oye en el interior de su cabeza, que se confunde con el rugido del viento y los crujidos de los granos de arena. Es una voz lejana que dice

111

palabras que ella no entiende bien, que repite sin fin las mismas palabras, las mismas admoniciones.

«¡Haz que el viento se detenga!», exclama Lalla sin abrir los ojos. «¡No destruyas las ciudades, haz que el viento se detenga, que el sol no abrase, que todo esté en paz!»

Y añade, a su pesar:

«¿Qué quieres? ¿Por qué vienes aquí? No soy nada para ti, ¿por qué me hablas sólo a mí?».

Pero la voz mantiene su murmullo, su escalofrío en el interior del cuerpo de Lalla. Es sólo la voz del viento, la voz de la mar, de la arena, la voz de la luz que deslumbra y obnubila la voluntad de los hombres. Viene al mismo tiempo que la mirada extraña. Rompe y arranca todo lo que se le resiste en la tierra. Y continúa más lejos, hacia el horizonte, se pierde en la mar de las olas poderosas, arrambla con las nubes y la arena hacia las costas rocosas, al otro lado de la mar, hacia los grandes deltas donde arden las chimeneas de las refinerías.

«Háblame del Hombre Azul», dice Lalla. Pero Aamma está sobando la masa para el pan en el ataifor grande de terracota. Menea la cabeza.

«Ahora no.»

«Que sí, ahora, Aamma, por favor.»

«Ya te he contado todo lo que sabía de él.»

«No importa, me gustaría que me hablaras otra vez de él, y de aquel al que llamaban Ma el-Ainin, el Agua de los Ojos.»

Entonces Aamma deja de amasar. Se sienta en el suelo y habla, porque en el fondo le agrada contar historias.

«Ya te he hablado de eso; fue hace mucho tiempo, en una época que ni tu madre ni yo conocimos, porque fue durante la infancia de la abuela de tu madre cuando murió el gran Al-Azraq, al que llamaban el Hombre Azul, y Ma el-Ainin era sólo un joven en aquel tiempo.»

Lalla conoce bien sus nombres, los ha oído a menudo desde su más tierna infancia, y sin embargo cada vez que los oye se estremece un poco, como si esto removiera algo en el fondo de ella.

«Al-Azraq era de la tribu de la abuela de tu madre, vivía al sur del todo, más allá del Draa, más allá incluso de Sagia el-Hamra, y en aquel tiempo no había un solo extranjero en este territorio, los cristianos no tenían derecho a entrar. En aquel tiempo los guerreros del desierto se mantenían invictos, y todas las tierras al sur del Draa eran suyas, muy lejos, hasta el corazón del desierto, hasta la ciudad santa de Chingeti.»

Cada vez que Aamma cuenta la historia de Al-Azraq, incorpora algún detalle nuevo, una frase nueva, o cambia algo, como si no quisiera que la historia quedara acabada nunca. Su voz es fuerte, un poco cantarina, resuena con eco extraño en la casa oscura, acompañada por el ruido de la chapa, que cruje al sol, y el zumbido de las avispas.

«Lo llamaban Al-Azraq porque, antes de ser un santo, había sido un guerrero del desierto, al sur del todo, en la región de Chingeti, ya que era noble e hijo de *cheij*. Pero un día Dios lo llamó, y él se convirtió en un santo, colgó sus ropajes azules del desierto y se enfundó un vestido de lana como los pobres, y anduvo a través del territorio, de ciudad en ciudad, con los pies desnudos y una cayada, como si fuera un mendigo. Pero Dios no quería que lo confundieran con los demás mendigos, y se había cuidado de que la piel del rostro y de las manos se le quedara azul, y este color no se le borraba nunca, ni con el agua con que se lavaba. El color azul permanecía en su rostro y en sus manos, y cuando la gente lo veía, comprendía, a pesar del vestido de lana ajada, que no se trataba de un mendigo, sino de un verdadero guerrero del desierto, un hombre azul al que Dios había llamado, y por ello le habían dado este nombre: Al-Azraq, el Hombre Azul...»

Cuando habla, Aamma se mece un poco adelante y atrás, como si llevara el ritmo de una música. O se calla durante un buen rato, inclinada sobre el ataifor de terracota, dedicada a abrir la masa del pan y a unirla de nuevo, y aplastarla con los puños cerrados.

Lalla espera a que continúe, sin decir nada.

«De aquel tiempo nadie sigue vivo», dice Aamma. «Lo que se dice de él es lo que se cuenta, su leyenda, su recuerdo. Pero hay gente ahora que no quiere creérselo; dice que son embustes.»

Aamma titubea, porque escoge con mimo lo que va a contar.

«Al-Azraq era un gran santo», dice. «Poseía el don de sanar a los enfermos, incluso a los que estaban enfermos por dentro, los que habían perdido la razón. Vivía en todas partes; en las cabañas de los pastores, en los abrigos de hojas construidos en torno a los árboles, o hasta en las grutas, en el corazón de la montaña. La gente venía de todas partes para verlo y pedirle ayuda. Un día, un viejo le llevó a su hijo, que estaba ciego, y le dijo: cura a mi hijo, tú que has recibido la bendición de Dios; cúralo y te daré lo que tengo. Y le mostró un saco repleto de oro que había traído consigo. Al-Azraq le dijo: ¿de qué puede servir tu oro aquí? Y le enseñaba el desierto, sin una gota de agua, sin un fruto. Tomó el oro del viejo y lo tiró por el suelo, y el oro se transformó en escorpiones y serpientes que huían para ponerse a salvo, y el viejo se puso a temblar de miedo. Entonces Al-Azraq le dijo al viejo: ¿aceptas quedarte ciego en lugar de tu hijo? El viejo respondió: soy muy viejo, ¿de qué me sirven los ojos? Haz que mi hijo vea y estaré contento. Al punto el joven recobró la vista, y se sentía deslumbrado por la luz del sol. Pero cuando se dio cuenta de que su padre estaba ciego, dejó de ser feliz. Devuelve la vista a mi padre, dijo, pues yo soy a quien Dios había condenado. Entonces Al-Azraq les concedió la vista a ambos, porque sabía que sus corazones eran bondadosos. Y continuó su ruta hacia el mar, y se detuvo para vivir en un lugar como éste, cerca de las dunas, al borde del mar.»

Aamma calla de nuevo un instante. Lalla piensa en las dunas, en donde vivía Al-Azraq, oye el rugido del viento y de la mar.

«Los pescadores le daban de comer todos los días, porque sabían que el Hombre Azul era un santo, y le pedían su bendición. Algunos venían de muy lejos, de las ciudades fortificadas del sur; venían a oír su mensaje. Pero Al-Azraq no enseñaba la Sunna con las palabras, y cuando alguien se acercaba a pedirle: muéstrame el Camino, se contentaba con recitar el rosario durante horas, sin añadir nada más. Luego decía al visitante: ve por leña para el fuego, ve por agua, como si fuera su sirviente. Le decía: abanícame, y hasta le hablaba con brusquedad, lo trataba de vago y mentiroso como si fuera su esclavo.»

Aamma habla despacio en la casa oscura, y Lalla cree oír la voz del Hombre Azul.

«Así enseñaba la Sunna, no con las palabras del habla, mas con gestos y oraciones para obligar a los visitantes a humillarse en sus corazones. Pero cuando era gente simple la que venía, o niños, Al-Azraq era muy manso con ellos, les decía palabras muy dulces, les contaba leyendas maravillosas, porque sabía que no tenían el corazón endurecido y estaban de verdad cerca de Dios. Por ellos hacía a veces milagros, por ayudarlos, porque no tenían otro recurso.»

Aamma titubea:

«¿Te he contado el milagro del venero que él hizo manar bajo una roca?».

«Sí, pero cuéntalo otra vez», dice Lalla.

Es la historia que más le gusta en el mundo. Cada vez que la oye siente algo extraño bullendo en su interior, como si fuera a llorar, como un escalofrío de fiebre. Piensa en cómo ocurrió todo hace mucho, en las puertas del desierto, en una aldea de barro y palmas con una gran plaza vacía donde zumban las avispas, y el agua de la fuente que brilla al sol, lisa como un espejo donde se reflejan las nubes y el cielo. En la plaza de la aldea no hay nadie, ya que el sol castiga con fuerza y todos los hombres se encuentran resguardados a la fresca de sus casas. Sobre el agua quieta de la fuente, abierta como un ojo que mira al cielo, pasa de vez en cuando el lento escalofrío del aire inflamado, que lanza un polvo fino y blanco a la superficie, como una película imperceptible que se disuelve enseguida. El agua es hermosa y profunda, azul verde, silenciosa, inmóvil en la hondonada de la tierra roja donde los pies desnudos de las mujeres han trazado huellas relucientes. Las avispas van y vienen solitarias por encima del agua, rozan su superficie, parten de nuevo hacia las casas, de las que se elevan las humaredas de los braseros.

«Era una mujer que iba a buscar a la fuente un cántaro de agua. Nadie recuerda ya su nombre, porque esto ocurrió hace tiempo. Pero era una mujer muy vieja, que no tenía ya fuerzas, y cuando llegó a la fuente lloraba y se lamentaba, porque tenía mucho camino que hacer para acarrear el agua a casa. Allí estaba, encogida en el suelo, llorando y gimiendo. Entonces, de pronto, sin que lo hubiera oído llegar, Al-Azraq se hallaba de pie junto a ella...»

Lalla lo ve ahora con claridad. Es alto y delgado, envuelto en su manto color arena. Lleva la faz velada, pero sus ojos brillan con una extraña luz que calma y fortifica, como la llama de una lámpara. Ella lo reconoce ahora. Él es el que aparece en la estepa pedregosa, donde empieza el desierto, y rodea a Lalla con su mirada, con tanta insistencia y fuerza que le produce vértigo. Llega así, en silencio, como una sombra; sabe estar cuando es preciso.

«La vieja seguía llorando; Al-Azraq le preguntó con dulzura por qué lloraba.»

Pero no es posible sentir miedo cuando llega en silencio, como surgido del desierto. Su mirada está llena de bondad, su voz es lenta y sosegada, su rostro incluso resplandece luminoso.

«La vieja le comentó su tristeza, su soledad, porque su casa estaba muy alejada del agua y ella no tenía fuerza para volver con la cántara a cuestas...»

Su voz y su mirada son una sola y misma cosa, como si él supiera ya lo que ha de venir en el futuro y conociese el secreto de los destinos humanos.

«No llores por esto, dijo Al-Azraq, voy a ayudarte a volver a tu casa. Y la guió por el brazo hasta su casa, y cuando llegaron ante la casa él se limitó a decirle: levanta esa piedra al borde del camino y nunca más carecerás de agua. Y la vieja hizo lo que él dijo, y bajo la piedra había un manantial muy claro que acababa de brotar, y el agua fluyó hasta formar una fuente más bella y más fresca que ninguna otra en la región. Entonces la vieja dio las gracias a Al-Azraq, y más tarde vino la gente de los alrededores para ver la fuente y probar el agua, y todos alababan a Al-Azraq, que había recibido semejante poder de Dios.»

Lalla piensa en la fuente surgida bajo la piedra, piensa en el agua muy clara y lisa que brillaba a la luz del sol. Piensa en ella largo rato, en la penumbra, mientras Aamma sigue formando la masa del pan. Y la sombra del Hombre Azul se retira, en silencio, como había venido, pero su mirada pletórica de fuerza se queda suspendida sobre ella, la envuelve como un aliento.

Aamma se calla ahora, no dice nada más. Sigue golpeando y formando la masa en el ataifor de terracota, que oscila. Puede que piense, también ella, en la hermosa fuente de agua profunda manada bajo la piedra del camino como la verdadera palabra de Al-Azraq, el verdadero camino.

La luz es hermosa aquí, en la Cité, todos los días. Lalla nunca se había fijado tanto en la luz hasta que el Hartani la enseñara a mirarla. Es una luz muy clara, sobre todo en la mañana, justo tras rayar el día. Clarea los riscos y la tierra rojos, los hace revivir. Hay lugares para ver la luz. El Hartani ha conducido a Lalla, una mañana, hasta uno de esos lugares. Es una fosa que se abre al fondo de un barranco de piedras, y el Hartani es el único que conoce el escondrijo. Hay que saberse bien el paso. El Hartani ha tomado la mano de Lalla y la ha guiado por el estrecho pasillo que baja hasta el interior de la tierra. Enseguida se siente el frescor húmedo de la sombra, y los ruidos cesan, como cuando sumergimos la cabeza en el agua. El pasillo se hunde muy abajo en la tierra. Lalla está un poco asustada, porque es la primera vez que baja al interior de la tierra. Pero el pastor le aprieta la mano con fuerza y ello le da valor.

De pronto se detienen; el largo pasillo está inundado de luz, porque desemboca de lleno en el cielo. Lalla no entiende cómo es posible, porque no han parado de bajar, y sin embargo es verdad; el cielo está ahí, frente a ella, inmenso y ligero. Se queda inmóvil, con la respiración suspendida y los ojos como platos. Aquí todo es cielo, tan claro como para creerse un pájaro en pleno vuelo.

El Hartani le indica a Lalla por señas que se acerque a la abertura. Se sienta en las piedras, despacio, para no provocar desprendimientos. Lalla se sienta ligeramente detrás de él, tiritando de vértigo. Abajo, abajo del todo de la escarpa, distingue entre la bruma la gran llanura desierta, los torrentes desecados. En el horizonte hay un vapor ocre que se expande; es el inicio del desierto. Allí es donde el Hartani se va algunas veces solo, sin llevarse nada más que un poco de pan envuelto en un pañuelo. Es al este, donde la luz del sol es más hermosa, tan hermosa que se querría hacer como el Hartani, correr con los pies desnudos en la arena, brincar por encima de las piedras cortantes y las torrenteras, ir cada vez más lejos en dirección al desierto.

«¡Qué bonito, Hartani!»

A veces Lalla olvida que el pastor no puede entenderla. Cuando le habla, él vuelve la cabeza hacia ella, y sus ojos brillan, sus labios se esfuerzan por imitar los movimientos del lenguaje. Luego hace una mueca y Lalla se echa a reír.

«¡Oh!»

Ella le muestra con el dedo un punto negro fijo en el centro del espacio. El Hartani mira un instante en dirección al punto, y hace con la mano el signo del pájaro, con el índice encogido y los tres últimos dedos separados como las plumas del pájaro. El punto se desplaza con lentitud por el centro del cielo, gira un poco sobre sí mismo, baja, se acerca. Ahora Lalla distingue bien su cuerpo, su cabeza, sus alas con las remeras despegadas. Es un gavilán en busca de su presa que se desliza por las corrientes del viento, con sigilo, como una sombra.

Lalla lo mira con detenimiento, con el corazón palpitante. Nunca ha visto algo tan hermoso como este pájaro que traza sus círculos lentos en el cielo, muy por encima de la tierra roja, lento y sigiloso al viento, a la luz del sol, y que bascula por momentos hacia el desierto, como si fuera a caer. El corazón de Lalla late con más fuerza, porque el silencio del pájaro leonado penetra en ella, provoca miedo. Tiene la mirada clavada en el gavilán, no puede apartarla de él. El terrible silencio del centro del cielo, el frío del aire libre, la luz abrasadora en especial, todo esto la aturde, desencadena un vértigo. Apoya la mano en el brazo del

Hartani para no caerse hacia adelante, al vacío. Él también mira el gavilán. Pero es como si el pájaro fuera su hermano y nada los separara. Tienen la misma mirada, el mismo coraje, comparten el silencio interminable del cielo, del viento y del desierto.

Cuando Lalla se da cuenta de que el Hartani y el gavilán se asemejan, se estremece, pero se le pasa el vértigo. El cielo es inmenso frente a ella, la tierra es un vaho gris y ocre que flota en el horizonte. Como el Hartani conoce todo esto, Lalla pierde por fin el miedo a entrar en el silencio. Cierra los ojos, se deja resbalar en el aire, en medio del cielo, aferrada al brazo del joven pastor. Juntos, lentamente, describen grandes círculos sobre la tierra, tan lejos que ya no les alcanza ningún ruido, si no es el leve roce del viento entre las remeras, tan alto que apenas se ven los riscos, los espinos, las casas de tablas y papel alquitranado.

Después, cuando han volado juntos largo rato y están borrachos de viento, luz y azul de cielo, vuelven hacia la boca de la gruta, en lo alto de la escarpa roja; se posan con suavidad, sin que ruede ni una piedra, sin mover ni un grano de arena. Éstas son las cosas que sabe hacer el Hartani, así, sin hablar, sin pensar, sólo con la mirada.

Se conoce toda clase de sitios desde donde se pueden ver las luces, porque no hay sólo una luz, sino muchas luces diferentes. Al principio, cuando conducía a Lalla por los riscos, las hoyas, hacia las viejas grietas desecadas o a lo alto de una peña roja, ella se creía que era para ir a cazar lagartos o saquear los nidos de los pájaros, como hacen los demás muchachos. Pero el Hartani le señalaba algo con la mano tendida y los ojos brillantes de gozo, y al cabo de su gesto no había nada más que el cielo, inmenso, rebosante de blancura, o la danza de los rayos de sol a lo largo de las brechas de piedra, o incluso esa especie de lunas que crea el sol a través del follaje de los arbustos. Algunas veces le enseñaba también las moscas pequeñas, suspendidas en el aire igual que burbujas entre dos matas de hierba, como si hubiera habido una inmensa tela de araña. Estas cosas eran más hermosas cuando él las miraba, más nuevas, como si nadie las hubiera mirado antes que él, como al comienzo del mundo.

A Lalla le gusta seguir al Hartani. Anda detrás de él por el sendero que va abriendo. No es exactamente un sendero, porque no hay huellas, y sin embargo, cuando el Hartani se adelanta, se ve que en efecto allí está el paso, y no por otra parte. Puede que sean senderos para las cabras y los zorros, no para los hombres. Pero él, el Hartani, es como uno de ellos, sabe cosas que los hombres no saben, las ve con todo el cuerpo, no sólo con los ojos.

Es como con los olores. Algunas veces el Hartani se adentra hasta muy lejos por la llanura pedregosa, en dirección al este. El sol abrasa los hombros y el rostro de Lalla, y a ella le cuesta seguir al pastor. Él no se preocupa de ella. Busca algo, casi sin detenerse, un poco inclinado hacia el suelo, brincando de roca en roca. Y de repente se para, apoya la cara contra el suelo, boca abajo como si estuviera bebiendo. Lalla se acerca con discreción mientras el Hartani se incorpora un poco. Sus ojos de metal brillan de gozo, como si hubiera encontrado lo más precioso del mundo. Entre los guijarros, en la tierra en polvo, hay una mata verde y gris, un arbusto muy pequeño de hojas magras como tantas por aquí, pero cuando a su vez Lalla acerca la cara, huele el perfume; débil primero, cada vez más profundo; el perfume de las flores más bonitas, el olor de la menta y de la hierba *chiba*, el olor también de los limones, el olor de la mar y del viento, de las praderas en verano. Hay todo eso y mucho más en esta planta minúscula, sucia y frágil que brota al abrigo de los guijarros en medio de la gran estepa árida; y sólo lo sabe el Hartani.

Él es quien enseña a Lalla todos los olores bonitos, porque se sabe sus escondites. Los olores son como los guijarros y los animales, cada uno tiene su escondite. Pero hay que saber buscarlos, como los perros, a través del viento, olfateando las pistas minúsculas para saltar, sin dudarlo, hasta el escondite.

El Hartani le ha enseñado a Lalla cómo hay que hacer. Antes ella no sabía. Antes podía pasar junto a un matorral o una raíz, o un panal de miel, sin notar nada. ¡El aire está tan lleno de aromas! Se mueven todo el tiempo, como soplos, suben, bajan, se cruzan, se mezclan, se separan. Sobre las huellas de una liebre flota el extraño olor del miedo, y un poco más lejos el Hartani indica a Lalla que se acerque. En la tierra roja, a primera vista, no hay nada, pero poco a poco la joven distingue algo acre, duro, el olor de la orina y el sudor, y de golpe reconoce el olor: es el de un perro salvaje, hambriento, de pelo erizado, que corría por la estepa a la caza de la liebre.

A Lalla le gusta pasar los días con el Hartani. Es la única a la que enseña todas estas cosas. De los demás no se fía, porque no tienen paciencia de esperar para husmear los olores o ver volar las aves del desierto. No lo asusta la gente. Es más bien él quien asustaría a la gente. Dicen que es *mezhnún*, poseído por los demonios, que es mago, que tiene mal de ojo. Él, el Hartani, es el que no tiene padre ni madre, el que ha venido de ninguna parte, aquel a quien un día abandonó un guerrero del desierto cerca del pozo, sin decir una palabra. Es el que no tiene nombre. Algunas veces Lalla querría saber quién es, preguntarle: «¿De dónde eres?».

Pero el Hartani no conoce el lenguaje de los hombres, no contesta a las preguntas. El hijo mayor de Aamma pretende que el Hartani no sabe hablar porque es sordo. Es al menos lo que le ha dicho un día el maestro de escuela; se llaman sordomudos. Pero Lalla sabe de sobra que no es verdad, porque el Hartani oye mejor que nadie. Sabe oír ruidos tan finos, tan ligeros, que no se oyen ni poniendo la oreja contra el suelo. Puede oír a una liebre que salte al otro lado de la estepa pedregosa, o cuando un hombre se acerca por el sendero, al otro lado del valle. Es capaz de descubrir el sitio en el que canta el cigarrón, o el nido de las perdices entre las hierbas altas. Pero el Hartani no quiere oír el lenguaje de los hombres, porque viene de una tierra donde no hay hombres, sólo la arena de las dunas y el cielo.

Algunas veces Lalla habla al pastor, le dice, por ejemplo, «¡Bi-luuu-la!», despacio, mirándolo al fondo de los ojos, y hay una curiosa luz que ilumina sus ojos de metal oscuro. Posa las manos en los labios de Lalla y sigue sus movimientos cuando ella habla así. Pero él nunca pronuncia una palabra.

Al cabo de un momento tiene más que suficiente, aparta la vista, va a sentarse más allá, en otra piedra. Pero en el fondo no tiene importancia, porque ahora Lalla sabe que las palabras en realidad no cuentan. Sólo lo que se quiere decir muy dentro, como un secreto, como una plegaria; ésta es la única palabra que cuenta. Y el Hartani no habla de otra forma, saber dar y recibir esta palabra. ¡Hay tantas cosas que pasan por el silencio! Esto tampoco lo sabía Lalla antes de conocer al Hartani. Los demás no esperan más que palabras o actos, pruebas, pero él, el Hartani, mira a Lalla con su hermosa mirada de metal, sin decir nada, y en la luz de su mirada se oye lo que dice, lo que pide.

Cuando está inquieto, o cuando por el contrario se siente muy feliz, se para, pone sus manos en las sienes de Lalla, es decir, las tiende a cada lado de la cabeza de la joven, sin tocarla, y se queda largo rato con el rostro pletórico de luz. Y Lalla siente el calor de las palmas junto a sus mejillas y sus sienes, como si un fuego la calentara. Es una impresión extraña que la colma de dicha, que penetra hasta el fondo de ella misma, que la libera de toda atadura, que la calma. A Lalla le gusta el Hartani, sobre todo por eso, porque tiene ese poder en las palmas de las manos.

Puede que sea un mago de verdad.

Mira las manos del pastor para entender. Son largas manos de dedos finos, uñas nacaradas, piel delicada y atezada, casi negra en el dorso y de un rosa un tanto dorado en la palma, como esas hojas de árbol que tienen dos colores.

A Lalla le encantan las manos del Hartani. No son manos como las de los demás hombres de la Cité, y está segura de que no hay otras comparables en todo el territorio. Son ágiles y ligeras, también llenas de fuerza, y Lalla piensa que son las manos de alguien noble, el hijo de un *cheij* tal vez, o a lo mejor hasta de un guerrero de oriente, venido de Bagdad.

El Hartani sabe hacer todo con las manos, no sólo coger piedras o cortar la madera, sino hacer nudos corredizos con las fibras de la palmera, trampas para atrapar pájaros, o incluso silbar, hacer música, imitar la voz de la perdiz, del gavilán, del zorro, e imitar el rugido del viento, de la tormenta, de la mar. Pero sobre todo sus manos saben hablar. Esto es lo que más le gusta a Lalla. A veces, para hablar, el Hartani se sienta en una gran piedra plana, al sol, con los pies asomando bajo su gran sayal. Sus ropas son muy claras, casi blancas, y entonces no se le ven más que la cara y las manos color sombra, y es así como empieza a hablar.

En realidad no son historias lo que le cuenta a Lalla. Son más bien imágenes que crea en el aire sólo con los gestos, con los labios, con la luz de los ojos, imágenes fugitivas que plasman destellos, que se encienden y se apagan, pero Lalla nunca ha oído nada tan hermoso, tan verdadero. Ni las historias que cuenta Namán el pescador, ni cuando Aamma habla de Al-Azraq, el Hombre Azul del desierto, y de la fuente de agua clara que manó bajo una piedra, son algo tan bonito. Lo que expresa el Hartani con sus manos es insensato como él, pero es como un sueño, porque cada imagen que hace aparecer surge en el instante en que menos cabría esperarla, aun siendo la que se esperaba. Así habla durante un rato largo, hace que aparezcan aves con las plumas separadas, riscos cerrados como puños, casas, perros, tormentas, aviones, flores gigantes, montañas, el viento que sopla sobre los rostros adormecidos. Todo esto no quiere decir nada, pero cuando Lalla mira su cara, el juego de sus manos negras, ve aparecer esas imágenes, tan bellas y nuevas, rebosantes de luz y de vida, como si le brotasen de verdad del hueco de las manos, como si salieran de sus labios, irradiaran de sus ojos.

Lo que resulta hermoso sobre todo cuando el Hartani habla así, es que no hay nada que turbe el silencio. El sol abrasa en la estepa pedregosa, en las rojas escarpas. El viento llega por instantes un poco frío, o apenas se oye el roce de la arena que se escurre por las rendijas de las rocas. Con sus largas manos de dedos flexibles, el Hartani hace aparecer una serpiente que se desliza por el fondo de un barranco y se detiene con la cabeza erguida. Entonces se escapa un gran ibis blanco haciendo restallar sus alas. En el cielo, de noche, la luna es redonda, y el Hartani enciende con su índice las estrellas una a una... Con el verano comienza a caer la lluvia, el agua corre por los arroyos, agranda una charca redonda donde revolotean mosquitos. El Hartani tira recta, hacia el centro del cielo azul, una piedra triangular que sube, sube y ¡hop!, de repente se abre y se transforma en un árbol de inmenso follaje repleto de pájaros.

Algunas veces el Hartani recurre a su cara para imitar a la gente o los animales. Sabe hacer muy bien la tortuga, pinzando los labios, con la cabeza encogida entre los hombros y la espalda encorvada. Esto siempre hace reír a Lalla como la primera vez. O hace el camello, con los labios estirados hacia afuera y los incisivos descubiertos. También imita de maravilla a los héroes que ha visto en el cine. Tarzán o Maciste, y los de las historietas.

Lalla le trae de vez en cuando pequeños periódicos ilustrados que le coge al hijo mayor de Aamma o se compra con sus ahorros. Están las historias de Akim, de Roch Rafal, las historias que tienen lugar en la luna o en otros planetas, y libritos de Mickey Mouse o Donald. Son los que ella prefiere; no sabe leer lo que está escrito, pero le pide al hijo de Aamma que le cuente la historia dos o tres veces y se los aprende de memoria. Pero de todas formas al Hartani no le apetece oír la historia. Toma los libritos y tiene una curiosa manera de mirarlos, poniéndolos al revés y ladeando un poco la cabeza. En cuanto se ha mirado bien los dibujos, salta rápido en el sitio e imita a Roch Rafal o a Akim a lomos de un elefante (una roca hace de elefante).

Pero Lalla no se queda nunca mucho tiempo con el Hartani, porque siempre llega un momento en que parece que se le cierra el rostro; ella no acaba de entender lo que ocurre cuando el rostro del joven pastor se vuelve duro e imperturbable, y su mirada se pierde tan lejos. Es como cuando una nube pasa por delante del sol, o cuando la noche cae muy deprisa sobre las colinas y el fondo de los valles. Es terrible porque a Lalla le gustaría retener el tiempo en que el Hartani tenía aspecto dichoso, su sonrisa, la luz que brillaba en sus ojos. Pero es imposible. De pronto el Hartani se va, como un animal; salta y desaparece en un visto y no visto, sin que Lalla pueda ver por dónde. Pero ella no se esfuerza ya por retenerlo. Hay días incluso, cuando ha habido tantísima luz sobre la estepa pedregosa, cuando el Hartani ha hablado con las manos y creado tantas cosas extraordinarias, en que Lalla prefiere irse la primera. Se levanta y se va sin correr, sin volverse, hasta el camino que conduce a la Cité de planchas y papel alquitranado. Puede que a fuerza de ver al Hartani, ahora se haya vuelto como él.

Por lo demás, a la gente no le hace ninguna gracia que vaya tan a menudo a ver al Hartani. Puede que teman que se convierta en *mezhnún* también ella, que se le peguen los espíritus malignos que habitan el cuerpo del pastor. El hijo mayor de Aamma dice que el Hartani es un ladrón, porque tiene oro en una bolsita de cuero que se cuelga al cuello. Pero Lalla sabe que no es verdad. El oro se lo encontró un día el Hartani en el lecho de un torrente seco. Tomó a Lalla de la mano y la guió hasta el fondo de la grieta, y allí, en la arena gris del torrente, Lalla vio que brillaba el polvo de oro.

«No es un chico para ti», dice Aamma cuando Lalla regresa de la estepa pedregosa.

La cara de Lalla se ha puesto tan negra como la del Hartani, debido a que el sol pega más fuerte arriba.

A veces Aamma añade:

«¿No se te ocurrirá casarte con el Hartani?».

«¿Por qué no?», contesta Lalla. Y se encoge de hombros. No tiene ganas de casarse, nunca piensa en ello. Ante la idea de casarse con el Hartani se echa a reír.

Sin embargo, en cuanto puede, cuando ha decidido que ha concluido su trabajo, Lalla sale de la Cité y se va hacia las colinas donde están los pastores. Es al este de la Cité, donde empiezan las tierras sin agua, las altas escarpas de piedra roja. Le gusta andar por el sendero blanquísimo que serpentea entre las colinas escuchando la música aguda de los cigarrones, mirando los rastros de las serpientes en la arena.

Algo más lejos percibe los silbidos de los pastores. La mayoría son chiquillos, niños y niñas, dispersos en las colinas un poco por todas partes con sus rebaños de corderos y cabras. Silban así para llamarse, para hablarse o para ahuyentar a los perros salvajes.

A Lalla le gusta mucho andar entre las colinas, con el ceño fruncido al máximo por culpa de la luz blanca, en compañía de todos esos silbidos que proliferan alrededor. Es algo que le produce escalofríos a pesar del calor, y el corazón le late más deprisa. A veces se entretiene respondiéndolos. El Hartani le ha enseñado cómo se hace; metiendo dos dedos en la boca.

Cuando los pequeños pastores vienen a verla por el camino, se quedan al principio a cierta distancia, porque son más bien desconfiados. Tienen la cara lisa, color cobre quemado, la frente abombada y el pelo de un color curioso, casi rojo. Es porque el sol y el viento del desierto les han quemado la piel y el pelo. Van en andrajos, visten sólo largas camisas de tela cruda o prendas confeccionadas con sacos de harina. No se acercan, porque hablan el bereber y no entienden la lengua que habla la gente del valle. Pero Lalla los aprecia, y no tienen miedo de ella. A veces les trae comida, lo que ha podido coger a escondidas en la casa de Aamma, un poco de pan, galletas, dátiles secos.

Sólo el Hartani puede estar con ellos, porque es pastor como ellos y no vive con la gente de la Cité. Cuando Lalla está con él, bien adentrados en la estepa pedregosa, surgen saltando de roca en roca, sin hacer ruido. Pero silban de vez en cuando para avisar. Cuando llegan rodean al Hartani, hablando muy deprisa en su lengua extraña, que hace un ruido de pájaros. Después se marchan muy deprisa, brincando por la estepa pedregosa, sin parar de silbar, y a veces el Hartani se pone a correr con ellos, hasta Lalla intenta seguirlos, pero no sabe brincar tan deprisa como ellos. Todos ríen con ganas mirándola, y continúan corriendo lanzando gozosas carcajadas.

Comparten la comida en los riscos blancos, en medio de la estepa. Bajo la camisa llevan un lienzo atado al pecho que atesora un poco de pan negro, dátiles, higos, queso duro. Le dan un bocado al Hartani, otro a Lalla, y a cambio ella les da un trozo de su pan blanco. A veces lleva una manzana roja que ha comprado en la cooperativa. El Hartani saca su cuchillito sin mango y corta la manzana en rodajas, para que a cada uno le toque un pedazo.

Se está bien por la tarde en la estepa pedregosa. La luz del sol no para de brincar en las aristas de los guijarros, uno está todo rodeado de destellos. El cielo es azul oscuro, muy oscuro, sin ese vapor blanco que viene de la mar y de los ríos. Cuando el viento sopla con fuerza, hay que introducirse en los recovecos de las rocas para protegerse del frío, y entonces no se oye más que el rugido del aire que silba sobre la tierra, entre los zarzales.

Es un rugido como el de la mar, pero más lento, más largo. Lalla escucha el rugido del viento, escucha las voces agudas de los niños pastores, así como los balidos lejanos de los rebaños. Son los ruidos que más le gustan en el mundo con los chillidos de las gaviotas y el fragor de las olas. Son ruidos como si nada malo pudiera pasar nunca en la tierra.

Un día de ésos, después de haber comido pan y dátiles, Lalla siguió al Hartani hasta el pie de las colinas rojas, donde están las grutas. Allí duerme el pastor en la estación seca, cuando el rebaño de cabras tiene que alejarse para encontrar nuevos pastos. En la escarpa roja hay negros entrantes medio tapados por los espinos. Algunas de estas cavidades son apenas del tamaño de las madrigueras, pero, al internarse, la caverna se agranda y se vuelve vasta como una casa, y tan fresca.

Lalla se metió así, a rastras, detrás del Hartani. Al principio no veía nada y estaba asustada. De pronto se puso a gritar: «¡Hartani! ¡Hartani!».

El pastor volvió sobre sus pasos, la tomó por el brazo y la izó en el interior de la gruta. Entonces, al recobrar la visibilidad, Lalla vislumbró la gran sala. Las paredes eran tan altas que no se veía dónde acababan, con manchas grises y azules y marcas ambarinas, cobrizas. El aire era gris debido a la luz rara que llegaba desde las aberturas de la escarpa. Lalla oyó un poderoso aleteo y se apretó contra el pastor. Pero no eran más que murciélagos perturbados en su sueño. Fueron a encaramarse un poco más lejos, rechinando y chirriando.

El Hartani se sentó en una piedra grande y plana, en el centro de la gruta, y Lalla se sentó a su lado. Juntos miraron la luz cegadora que entra por la abertura de la gruta frente a ellos. En la gruta habitan la oscuridad, la humedad de la noche perpetua, pero afuera, en la estepa pedregosa, la luz hace daño a los ojos. Es como estar en otro lugar, en otro mundo. Es como estar en el fondo del mar.

Lalla no habla ahora, no tiene ganas de hablar. Como para el Hartani, la noche es su elemento. Su mirada es sombría como la noche, su tez es color sombra.

Lalla siente el calor del cuerpo del pastor muy cerca, y la luz de su mirada entra en ella poco a poco. Desearía tanto llegar hasta él, hasta su reino, estar con él por completo, para que pudiese oírla al fin. Le acerca la boca al oído, percibe el olor de su pelo, de su piel, y pronuncia su nombre muy bajito, casi en silencio. La oscuridad de la gruta los rodea, los envuelve como un leve y sólido velo. Lalla oye con nitidez los ruidos del agua que fluye por las paredes de la gruta, y los chillidos que emiten los murciélagos en pleno sueño. Cuando su piel roza la del Hartani, siente crecer una onda de calor inusitado por todo su cuerpo, un vértigo. Es el calor del sol que ha entrado a lo largo del día en sus cuerpos, e irradia ahora en largas ondas febriles. También se rozan sus alientos, se confunden, y es que ya no son precisas las palabras, sino tan sólo lo que ellos sienten. Es una embriaguez que ella no conocía todavía, nacida de la oscuridad de la gruta, en unos instantes, como si los muros de piedra y la oscuridad húmeda esperaran su llegada desde hace mucho tiempo para liberar su poder. El vértigo se acelera cada vez más en el cuerpo de Lalla, que oye con claridad los latidos de su sangre mezclados con el rumor de las gotas de agua de las paredes y los chillidos de los murciélagos. Como si sus cuerpos formaran unidad con el interior de la gruta, o estuvieran en las entrañas de un gigante.

El olor a cabra y cordero del Hartani se mezcla con el olor de la joven. Ella siente el olor de sus manos, y el sudor le empapa la frente y le pega los cabellos.

De pronto Lalla no entiende lo que pasa. Tiene miedo, agita la cabeza y pugna por desasirse del abrazo del pastor, que le sujeta los brazos contra la piedra y enreda sus largas piernas duras con las suyas. Lalla querría gritar, pero, como en un sueño, no acierta a sacar ni un sonido de su garganta. La oscuridad húmeda la estrecha opresiva y le vela los ojos; el peso del cuerpo del pastor la impide respirar. Por fin, en un desgarramiento, consigue gritar, y su voz resuena como el trueno por las paredes de la gruta. Los murciélagos, sobresaltados bruscamente, empiezan a arremolinarse entre los muros, con su ruido de alas y sus chirridos.

Ya está el Hartani de pie en la piedra, se aparta un poco. Sus largos brazos gesticulan para apartar las nubes de murciélagos borrachos que oscilan a su alrededor. Lalla no le ve la cara porque la oscuridad de la gruta se ha hecho más espesa, pero adivina la angustia que lo domina. Una gran tristeza la invade, crece sin detenerse. Ya no la intimidan ni la oscuridad ni los murciélagos. Ahora es ella quien toma la mano del Hartani, y siente que él tiembla terriblemente, que lo sacuden movimientos convulsivos de pies a cabeza. No se mueve. Con el busto hacia atrás y un brazo ante los ojos para no ver los murciélagos, tiembla tan fuerte que le castañetean los dientes. Lalla lo guía hasta la puerta de la gruta y lo saca afuera, hasta que el sol les inunda la cabeza y los hombros.

A la luz del día, el Hartani muestra un semblante tan deshecho, tan lastimero, que Lalla no puede reprimir la risa. Limpia los restos de tierra mojada de su ropa, llena de rasgones, y de la camisa larga del Hartani. Luego bajan juntos de nuevo la pendiente que conduce a la estepa pedregosa. El sol brilla con fuerza sobre los cantos afilados, la tierra es blanca y roja bajo el cielo casi negro.

Es como meter en agua fría primero la cabeza, cuando se tiene mucho calor, y nadar a placer para lavarse todo el cuerpo. Después se ponen a correr por la estepa pedregosa, tan aprisa como pueden, brincando por encima de los riscos hasta que Lalla se detiene, sin aliento, doblada en dos por una punzada en el costado. El Hartani continúa brincando de risco en risco como un animal, se percata de que Lalla ya no lo sigue y describe un gran círculo para volver atrás. Permanecen juntos sentados al sol en una piedra, cogiéndose muy fuerte de la mano. El sol declina en el horizonte, el cielo amarillea. De tarde en tarde, en las colinas, en los vados de los valles, los silbidos agudos de los pastores se hablan, se contestan.

A Lalla le gusta el fuego. Hay toda clase de fuegos aquí, en la Cité. Están los fuegos de la mañana, cuando las mujeres y las niñas cuecen la comida en las grandes ollas negras y el humo corre por la tierra confundido con la bruma del alba, justo antes de que el sol aparezca sobre las colinas rojas. Están los fuegos de hierbas y ramas que duran solos mucho tiempo encendidos, casi ahogados, sin llamas. Están los fuegos de los braseros, hacia el final de la tarde, a la hermosa luz del sol, que declina entre reflejos de cobre. La baja humareda rampa como una larga serpiente indefinida, apoyándose de casa en casa, enviando anillos grises hacia la mar. Están los fuegos que se encienden bajo las viejas latas de conserva para calentar el alquitrán, que servirá para tapar los agujeros de los techos y los muros.

Aquí le gusta el fuego a todo el mundo, sobre todo a los niños y a los viejos. Cada vez que se enciende un fuego van a sentarse alrededor, en cuclillas sobre los talones, y miran las llamas que bailan con ojos vacíos. O arrojan de vez en cuando ramitas secas que se inflaman de golpe crepitando, y puñados de hierba que se consumen formando remolinos azulados.

Lalla va a sentarse en la arena, a la orilla de la mar, donde Namán el pescador ha encendido su gran fuego de ramas para calentar la pez con que calafatear su barco. Es al atardecer; el aire es muy suave, muy tranquilo. El cielo es azul claro, transparente, sin una nube.

En la orilla de la mar hay siempre de esos árboles un tanto

esmirriados, abrasados por la sal y por el sol, de follaje tejido por miles de agujitas azul gris. Cuando Lalla pasa junto a ellos coge un puñado de agujas para el fuego de Namán el pescador, y se mete también algunas en la boca para mascar con parsimonia mientras anda. Las agujas son saladas, acres, pero este sabor se mezcla con el olor del humo y está bien.

Namán prepara su fuego en cualquier sitio, donde encuentra leños grandes varados en la arena. Amontona la leña y rellena los huecos con ramitas secas, que recoge en la landa, al otro lado de las dunas. Pone también varec seco y cardos muertos. Esto es cuando el sol está aún en lo alto del cielo. El sudor le chorrea al viejo por la frente y las mejillas. La arena abrasa como el fuego.

Acto seguido enciende el fuego con su mechero de yesca, poniendo mucho cuidado de que la llama quede del lado por donde no sopla el viento. Namán sabe preparar muy bien un fuego, y Lalla mira todos sus gestos con atención, para aprender. Sabe elegir el sitio, ni demasiado expuesto ni demasiado abrigado, en el seno de las dunas.

El fuego se aviva y se apaga dos o tres veces, pero a Namán no parece importarle. Cada vez que la llama se extingue, hurga entre las ramas menudas con la mano, sin temor a quemarse. El fuego es así, ama a quienes no le tienen miedo. Entonces la llama resurge, no muy grande al principio, apenas se le ve la cabeza, que brilla entre las ramas, y de golpe inflama toda la base del hogar, creando una luz enorme y crepitando muchísimo.

Cuando el fuego es fuerte, Namán el pescador monta encima el trípode de hierro colado en el que posa la olla grande de pez. Luego se sienta en la arena y mira el fuego, echando de vez en cuando alguna ramita que las llamas devoran enseguida. Entonces los niños vienen a sentarse también. Han sentido el humo y han venido de lejos corriendo por la playa. Lanzan gritos, se llaman, ríen a carcajadas, porque el fuego es mágico, da a la gente ganas de correr y de gritar y de reír. En ese momento las llamas, bien altas y claras, bullen y crepitan, bailan, y se ve todo tipo de cosas en su cimbreo. Lo que sobre todo le gusta a Lalla son los tizones al rojo vivo que las llamas envuelven en la base del hogar, y ese color ardiente que no tiene nombre y recuerda al color del sol.

Lalla mira también las chispas que ascienden por la columna de humo gris, que brillan y se apagan, que desaparecen en el cielo azul. Por la noche las chispas son todavía más bonitas, como bandadas de estrellas fugitivas.

Las moscas de arena también se han presentado atraídas por el olor del varec que arde y el olor de la pez caliente, e irritadas por las volutas de humo. Namán no les hace caso; sólo mira el fuego. De vez en cuando se levanta, moja un palo en la olla de pez para comprobar si está lo bastante caliente, mueve el líquido espeso parpadeando por culpa del humo, que hace remolinos. Su barco está a algunos metros, en la playa, con la quilla al aire, listo para ser calafateado. El sol declina ahora con rapidez, se aproxima a las colinas resecas, al otro lado de las dunas. La oscuridad aumenta. Los niños están sentados en la playa, apretados unos contra otros, y sus risas disminuyen poco a poco. Lalla mira a Namán, trata de ver la luz clara, color agua, que apunta en su mirada. Namán la reconoce, le hace un breve gesto amistoso con la mano, y dice a continuación, como si fuera lo más natural del mundo:

«¿Te he hablado ya de Balaabilú?».

Lalla menea la cabeza. Es feliz: es ni más ni menos el momento de oír una historia, así, en la playa, mirando el fuego que alimenta el chapoteo de la pez en la olla, la mar muy azul, sintiendo el viento tibio que zarandea el humo, con las moscas y las avispas zumbando, y no muy lejos, el ruido de las olas de la mar, que vienen hasta la vieja barca volcada en la arena.

«Ah, ¿así que nunca te he contado la historia de Balaabilú?»

El viejo Namán se pone de pie para ver la pez, en pleno hervor. Mueve despacio el palo en la olla y da la sensación de encontrarlo todo en orden. Le pasa a Lalla una vieja cacerola con el asa quemada.

«Bueno; vas a llenar esto con pez y me lo llevas allí cuando esté junto a la barca.»

Sin esperar respuesta, va a instalarse en la playa al lado de la embarcación. Dispone todo tipo de pinceles hechos con trapos anudados a unos palos.

«¡Ven!»

Lalla llena la cacerola. La pez hirviendo hace estallar burbujitas que pican, y el humo le quema a Lalla los ojos. Pero ella corre aguantando por delante, con el brazo extendido, la cacerola repleta de pez. Los críos la siguen entre risas y se sientan en torno a la barca.

«Balaabilú, Balaabilú...»

El viejo Namán murmura el nombre del ruiseñor como si tratase de recordar con detalle todo lo que hay en la historia. Unta los palos en la pez caliente y empieza a pintar el casco de la barca por donde están los refuerzos de estopa, entre las junturas de las tablas.

«Fue hace mucho tiempo», dice Namán, «esto ocurrió en una época que no conocimos ni yo, ni mi padre, ni siquiera mi abuelo, pero no obstante queda buena memoria de lo que pasó. En aquel tiempo no había la misma gente que ahora, y no se sabía nada de los romanos ni de lo que es de otros países. Por eso todavía existían los *zhun*,* porque nadie los había expulsado. Bueno, pues en aquel tiempo había en una gran ciudad de oriente un emir poderoso que tenía una hija única llamada Leila, la Noche. El emir amaba a su hija más que a nada en el mundo, y era ella la más hermosa joven del reino, la más dulce, la más discreta, y le habían augurado toda la dicha del mundo...»

---

* Geniecillos de la tradición árabe. Pueden producir muchos daños a las personas. *(N. del T.)*

El atardecer cae despacio en el cielo y va oscureciendo más el azul de la mar, y la espuma de las olas parece todavía más blanca. El viejo Namán hunde los pinceles en la cacerola de pez con regularidad y los pasa, haciéndolos rodar un poco, por las rendijas reforzadas con estopa. El líquido ardiente penetra en los intersticios y chorrea sobre la arena de la playa. Todos los niños, y Lalla, miran las manos de Namán.

«Entonces ocurrió algo terrible en ese reino», continúa Namán, «sobrevino una gran sequía, un azote de Dios para todo el reino, y no quedaba agua en los ríos ni en las albercas, y todo el mundo se moría de sed, los árboles y las plantas primero, luego los rebaños de animales, los corderos, los caballos, los camellos, los pájaros, y al fin los hombres, que morían de sed en los campos, al borde de los caminos; era terrible de ver y por eso la gente se acuerda todavía...»

Las moscas planas vienen, se posan en los labios de los niños, les zumban en los oídos. Es el olor acre de la pez lo que las emborracha, y también el humo que, con sus pesadas volutas, se arremolina entre las dunas. Hay también avispas, pero nadie las espanta, porque cuando el viejo Namán cuenta una historia es como si se volvieran un tanto mágicas también ellas, como los *zhun*.

«El emir de este reino estaba triste y ordenó convocar a los sabios para pedirles consejo, pero nadie sabía cómo hacer para detener la sequía. Entonces vino un viajero extranjero, un egipcio, que sabía magia. El emir lo convocó también, y le pidió que pusiera fin a la maldición que pesaba sobre el reino. El egipcio escudriñó una mancha de tinta y hete aquí que de pronto se asustó, se puso a temblar y se negó a hablar. ¡Habla!, le decía el emir, habla y haré de ti el hombre más rico de este reino. Pero el extranjero se negaba a hablar, señor, decía arrodillándose, déjame partir, no me pidas que te revele este secreto.»

Cuando Namán deja de hablar para introducir los pinceles en la cacerola, los niños, y Lalla, no se atreven casi ni a respirar.

Escuchan las crepitaciones del fuego y el ruido de la pez que hierve en la olla.

«Entonces el emir montó en cólera y dijo al egipcio: habla o ha llegado tu hora. Y los verdugos ya se apoderaban de él y desenfundaban sus sables para cortarle la cabeza. El extranjero gritó: ¡alto! Voy a decirte el secreto de la maldición. ¡Pero has de saber que estás maldito!»

El viejo Namán tiene una forma muy particular de decir pausadamente: *mlaaún*, maldito de Dios, que hace estremecer a los niños. Se interrumpe un instante para pasar la pez que resta en la cacerola. Luego se la alarga a Lalla, sin decir una palabra, y ella tiene que correr hasta el fuego para rellenarla con pez hirviendo. Por suerte, él aguarda a que regrese para continuar con la historia.

«Entonces el egipcio preguntó al emir: ¿no mandaste castigar antaño a un hombre por haber robado oro a un comerciante? Sí, lo hice, contestó el emir, porque era un ladrón. Has de saber que ese hombre era inocente, le repuso el egipcio, y fue acusado sin fundamento, y lanzó sobre ti una maldición; él es quien ha enviado esta sequía, pues es un aliado de los espíritus y de los demonios.»

Cuando cae la tarde, así, en la playa, es un poco como si el tiempo ya no existiera, como si hubiera vuelto atrás, a otro tiempo muy largo y suave, y a Lalla le gustaría que la historia de Namán no acabase nunca, aunque tuviera que durar días y noches, y a ella y a los otros niños los ganara el sueño; cuando despertasen estarían todavía allí para escuchar la voz de Namán.

«¿Qué hay que hacer para contrarrestar esa maldición?, inquirió el emir, y el egipcio lo miró fijamente a los ojos: has de saber que hay un solo remedio, y voy a decírtelo, dado que me exiges que te lo revele. Es preciso que sacrifiques a tu hija única, a la que amas más que a nadie. Ve, conviértela en pasto de las bestias salvajes del bosque, y la sequía que castiga a tu nación tocará a su fin. El emir rompió a llorar y a lanzar alaridos de dolor y de cólera, pero como era hombre de bien dejó que el egipcio partiera en libertad. Cuando el pueblo se enteró de esto, también lloró, porque amaba a Leila, la hija de su rey. Pero era preciso consumar el sacrificio, y el emir decidió conducir a su hija al bosque para entregarla como pasto a las bestias salvajes. No obstante, había en el reino un joven que amaba a Leila más que los demás y estaba dispuesto a salvarla. Había heredado de un pariente mago un anillo que otorgaba a quien lo poseía el poder de transformarse en animal, pero nunca podría recuperar su forma primera, y sería inmortal. Llegó la noche del sacrificio; el emir partió hacia el interior del bosque en compañía de su hija...»

El aire es uniforme y puro, el horizonte una línea sin fin. Lalla mira hasta donde le alcanza la vista, como si se hubiera convertido en gaviota y volara de frente por encima de la mar.

«El emir llegó al centro del bosque, mandó a su hija desmontar del caballo y la ató a un árbol. Partió de inmediato, llorando de dolor, pues ya se oían los gritos de las bestias feroces, que se acercaban a su víctima...»

El rugido de las olas en la playa es más nítido por momentos, como si arribara la mar. Pero no es más que el viento, que sopla, y cuando se enrosca en el seno de las dunas, esparce trombas de arena que se mezclan con el humo.

«En el bosque, atada al árbol, la pobre Leila temblaba de miedo y pedía socorro a su padre, porque no tenía valor para morir así, devorada por las bestias salvajes... Ya un lobo de gran tamaño se acercaba a ella, que veía brillar sus ojos como llamas en la noche. De pronto se oyó una música en el bosque. Era una música tan bella y pura que Leila cesó de tener miedo, y todas las bestias feroces del bosque se detuvieron a escuchar...»

Las manos del viejo Namán toman los pinceles, uno tras otro, y los deslizan, haciéndolos rodar, contorneando el casco de la embarcación. También en ellas se fijan Lalla y los niños, como si contaran su propia historia.

«La música celestial resonaba en todo el bosque, y al escucharla, las bestias salvajes se tumbaban en el suelo y se volvían mansas como corderitos, porque el canto que llegaba del cielo las conmovía, les transportaba el alma. Leila también escuchaba la música con arrobo, y enseguida se desataron por sí solas sus ligaduras, y se puso a andar por el bosque, y allá donde iba, el músico invisible seguía sobre ella, oculto en la espesura de los árboles. Y las bestias salvajes se hallaban tendidas a su paso, y le lamían las manos a la princesa, sin hacerle el menor daño...»

El aire es tan transparente ahora, la luz tan suave, que cualquiera cree estar en otro mundo.

«Entonces Leila regresó en la mañana a la casa de su padre, después de caminar toda la noche, y la música la había acompañado hasta las puertas del palacio. Cuando la gente vio aquello, se sintió muy feliz, porque quería mucho a la princesa. Y nadie prestó atención a un pajarito que volaba discreto de rama en rama. Y esa misma mañana empezó a caer la lluvia sobre la tierra...»

Namán deja un instante de usar los pinceles; los niños y Lalla miran su cara cobriza en la que brillan sus ojos verdes. Pero nadie hace preguntas, nadie interviene para que acabe.

«Y bajo la lluvia seguía cantando el pájaro Balaabilú, porque él había salvado la vida a la princesa a la que amaba. Y como ya no podía recobrar su forma primigenia, vino a posarse cada noche en la rama de un árbol que daba a la ventana de Leila, para cantarle su bella música. Dicen incluso que, tras su muerte, la princesa se transformó también en pájaro, y pudo reunirse con Balaabilú, y cantar con él por toda la eternidad en los bosques y los jardines.»

Cuando concluye la historia, Namán no dice nada más. Sigue cuidando su barca con mimo, haciendo rodar los pinceles untados de pez a lo largo del casco. La luz declina, porque el sol se desliza al otro lado del horizonte. El cielo se vuelve muy amarillo, y un poco verde, las colinas parecen recortables de papel alquitranado. El humo del brasero es fino, ligero, apenas se distingue a contraluz, como el humo de un solo cigarrillo.

Los niños se marchan, un grupo tras otro. Lalla se queda a solas con el viejo Namán. Éste termina su trabajo sin decir nada. Y a su vez se marcha, andando con lentitud playa adelante, llevándose los pinceles y la cacerola de pez. Junto a Lalla, sólo la lumbre, que se extingue. La oscuridad gana deprisa la profundidad del cielo, todo el azul intenso del día, que se torna poco a poco negro de noche. La mar se calma en ese instante, no se sabe por qué. Las olas se arrellanan con molicie en la arena de la playa, diluyen sus capas de espuma malva. Los primeros murciélagos empiezan a zigzaguear sobre la mar a la caza de insectos. Hay algunos mosquitos, algunas mariposas grises despistadas. Lalla escucha a lo lejos el grito ahogado de la zumaya. En el brasero sólo algunas brasas rojas siguen encendidas, sin llama ni humo, como curiosos bichos palpitantes ocultos entre las cenizas. Cuando se apaga la última brasa, tras haber brillado con más fuerza durante algunos segundos, como una estrella que muere, Lalla se incorpora y se marcha.

Hay marcas un poco por todas partes en el polvo de los viejos caminos, y Lalla se entretiene siguiéndolas. Algunas veces, cuando se trata de marcas de pájaro o de insecto, no llevan a ninguna parte. Algunas veces te conducen a un hoyo en la tierra, o hasta la puerta de una casa. El Hartani le ha enseñado cómo seguir los rastros sin dejarse despistar por lo que hay alrededor, las hierbas, las flores o los guijarros que brillan. Cuando el Hartani sigue un rastro es igualito que un perro. Los ojos le relucen, se le dilatan las fosas nasales, el cuerpo se le tensa hacia adelante. De cuando en cuando, incluso, se echa al suelo para olfatear mejor la pista.

A Lalla le gustan mucho los senderos, cerca de las dunas. Se acuerda de los primeros días, tras su llegada a la Cité, después de la muerte entre fiebres de su madre. Se acuerda de su viaje en el camión cubierto con una lona; la hermana de su padre, la que llaman Aamma, estaba embutida en aquel manto grande de lana gris, con su velo en la cara por el polvo del desierto. El viaje duró varios días, y cada día Lalla se sentaba en la parte de atrás del camión, bajo la lona agobiante, entre sacos y fardos polvorientos. Un día, a través de la abertura de la lona, vio por fin la mar azulísima a lo largo de la playa ribeteada de espuma, y prorrumpió en sollozos, sin saber si de placer o de fatiga.

Cada vez que Lalla anda por el sendero, a la orilla de la mar, piensa en la mar tan azul, en medio de todo el polvo del camión, y en aquellas olas silenciosas que avanzaban de través, muy lejos, a lo largo de la playa. Piensa en todo lo que vio de golpe, así, por la raja de la lona del camión, y siente las lágrimas en los ojos, porque es un poco la mirada de su madre lo que le llega, la envuelve, la hace estremecer.

Esto es lo que busca por el camino de las dunas, con el corazón palpitante y todo el cuerpo tenso hacia adelante, como el Hartani cuando sigue un rastro. Busca los lugares a los que fue después de aquellos días, hace tanto tiempo que ya ni se acuerda de sí misma.

A veces dice: «Ummi», así, con mucha suavidad, como un murmullo. A veces le habla sola, muy bajito, en un suspiro, mirando la mar azulísima entre las dunas. De hecho no sabe lo que debe decirle, porque ha pasado tanto tiempo que ha olvidado hasta cómo era su madre. ¿Es posible que haya olvidado hasta el sonido de su voz, hasta las palabras que le gustaba oír entonces?

«¿Dónde te has ido, Ummi? Me gustaría tanto que vinieras aquí a verme, me gustaría tanto...»

Lalla se sienta en la arena, frente a la mar, y mira los movimientos lentos de las olas. Pero no es igual que el día en que vio la mar por primera vez, tras soportar el polvo agobiante del camión por las rutas rojas que vienen del desierto.

«Ummi, ¿no quieres volver para verme? ¿Ves?, yo no te he olvidado.»

Lalla busca en su memoria el rastro de las palabras que decía su madre en el pasado, las palabras que cantaba. Pero es difícil rescatarlas. Hay que cerrar los ojos y dejarse caer hacia atrás, lo más lejos posible, como quien se desploma en un pozo sin fondo. Lalla abre los ojos de nuevo porque ya no hay nada en su memoria.

Se incorpora, camina por la playa mirando el agua, que extiende su espuma en la arena. El sol le abrasa los hombros y la nuca, la luz la ciega. A Lalla le gusta. También le gusta la sal que el viento deposita en sus labios. Mira las conchas abandonadas en la arena, los nácares rosa y amarillo pajizo, los viejos caracoles ajados y vacíos, y las largas tiras de algas verdinegras, grises, púrpuras. Se cuida de no pisar una medusa o una raya. De vez en cuando hay un curioso batiburrillo en la arena cuando el agua se retira, allí donde había un pez aplanado. Lalla se aleja por la costa, empujada por el rugido de las olas. De cuando en cuando se para, se queda quieta mirando su sombra negra derramada a sus pies, o el deslumbramiento de la espuma.

«Ummi», insiste Lalla. «¿No puedes volver un momentito? Deseo verte, porque estoy sola. Cuando te moriste y Aamma vino a buscarme, no quería venir con ella, porque sabía que no podría volver a verte más. ¡Vuelve, aunque sea un momento, vuelve!»

Entornando los ojos y mirando la luz que reverbera en la arena blanca, Lalla puede ver los grandes arenales que se extendían por doquier, allá en la tierra de Ummi, alrededor de la casa. Incluso se estremece, de repente, porque por un instante ha creído ver el árbol seco.

Se le acelera el pulso y echa a correr hacia las dunas, donde cesa el viento de la mar. Se tumba boca abajo en la arena caliente, los cardillos le arañan un poco la ropa y le clavan sus agujas minúsculas en el vientre y en los muslos, pero ella no se inmuta. Tiene un dolor fulgurante en medio del cuerpo, un golpe tan fuerte que tiene la impresión de que va a desmayarse. Sus manos se hunden en la arena, deja de respirar. Se pone rígida como una tabla de madera. Por fin acierta a abrir los ojos de nuevo, muy despacio, como si fuera a ver en serio la silueta del árbol seco esperándola. Pero no hay nada, el cielo es muy grande, muy azul, y oye el largo rugido de las olas detrás de las dunas.

«Ummi, oh, Ummi», repite Lalla entre gemidos.

Pero ahora lo ve con claridad: hay un gran pedregal rojo, y el polvo; ahí, ante el árbol seco: un campo tan vasto que parece extenderse hasta los confines de la tierra. El campo está vacío y la chiquilla corre hacia el árbol seco hundido en el polvo, y es tan pequeña que de repente se pierde en medio del campo, cerca del árbol negro, sin ver adónde ir. Entonces grita con todas sus fuerzas, pero la voz rebota en las piedras rojas, se dispersa a la luz del sol. Grita, y el silencio que la rodea es terrible, un silencio que oprime, que hace daño. Entonces la chiquilla perdida avanza de frente, cae, se incorpora, se desuella los pies con el filo de las piedras, y la voz le sale entrecortada por los sollozos, y no es capaz de respirar más.

«¡Ummi! ¡Ummi!» Eso es lo que grita; ahora oye su voz con claridad, su voz desgarrada que no puede salir del pedregal polvoriento, que regresa a ella y se apaga. Pero oye esas palabras al otro extremo del tiempo y le duelen, porque significan que Ummi no va a volver.

De repente, delante de la chiquilla perdida, en pleno centro del pedregal polvoriento, aparece este árbol, el árbol seco. Es un árbol que ha muerto de sed, o de viejo, o fulminado por el rayo. No es muy alto, pero es extraordinario, porque se retuerce en todos los sentidos, con algunas ramas viejas erizadas como aristas, y un tronco negro hecho de tallos entorchados con largas raíces negras anudadas a los riscos. La chiquilla anda hacia el árbol, despacio, sin saber por qué, se acerca al tronco calcinado, lo toca con las manos. Y de pronto el miedo la paraliza por completo: desde lo alto del árbol seco, larguísima, se desenrosca una serpiente, y desciende. Deslizándose por las ramas con movimiento interminable, sus escamas rechinan al contacto con la madera muerta, levantando un ruido metálico. La serpiente desciende sin prisa, aproxima su cuerpo azul gris al rostro de la niña. Ella la mira sin pestañear, sin moverse, casi sin respirar, y no hay ya grito que pueda salir de su garganta. De repente la serpiente se detiene, la mira. Lalla pega un brinco hacia atrás, se pone a correr con todas sus fuerzas, sola por el pedregal, corre como si fuera a cruzar toda la tierra, con la boca seca, los ojos cegados por la luz, un silbido por aliento; corre hacia una casa, hacia la sombra de Ummi que la estrecha con fuerza y le acaricia la cabeza; aspira el dulce aroma del pelo de Ummi, y oye su voz suave.

Pero hoy no hay nadie, nadie, al otro extremo de la inmensidad de arena blanca, y el cielo es todavía mayor, más vacío. Lalla está sentada en el seno de la duna, con el cuerpo doblado en dos y la cabeza agazapada entre las rodillas. Siente el ardor del sol en la nuca, allí donde el pelo se divide, y en los hombros, a través del áspero tejido de su ropa.

Piensa en Es-Ser, al que llama el Secreto y ha encontrado en la estepa pedregosa, en dirección al desierto. Puede que él quisiera decirle algo, decirle que no está sola, mostrarle el camino que lleva a Ummi. Puede que hasta sea su mirada lo que la abrasa ahora en los hombros y la nuca.

Pero cuando vuelve a abrir los ojos no hay nadie en la orilla. Su miedo se ha desvanecido. El árbol seco, la serpiente, el gran pedregal rojo y polvoriento se han desvanecido, como si nunca hubieran existido. Lalla se torna hacia la mar. Está casi tan bella como el día en que Lalla la vio por vez primera, por la abertura de la lona del camión, y se puso a llorar. El sol ha limpiado el aire que sobrevuela la mar. Hay destellos que bailan sobre las olas, y grandes rulos de espuma. El viento es tibio, va cargado con aromas de las profundidades, algas, conchas, sal, espuma.

Lalla reanuda su paseo lento a lo largo de la orilla, y siente una especie de borrachera en el fondo de ella, como si en efecto viniera una mirada de la mar, de la luz del cielo, de la playa blanca. No acaba de entender qué es, pero sabe que hay alguien que la mira, la ilumina con su mirada dondequiera que vaya. Esto la inquieta un poco, y al mismo tiempo le da un calor, una onda que se expande en su interior, que va del centro de su vientre hasta los confines de sus miembros.

Se detiene, mira alrededor: no hay nadie, ninguna forma humana. Sólo las grandes dunas detenidas, sembradas de cardos, y las olas que vienen una a una hacia la orilla. ¿Es posible que sea la mar quien mira así, sin descanso, mirada profunda de las olas del agua, mirada deslumbrante de las olas de las dunas de arena y sal? Namán el pescador dice que la mar es como una mujer, pero nunca lo explica. La mirada viene de todos los lados a la vez.

En ese momento hay una gran bandada de gaviotas y de charranes que pasa recorriendo el litoral, cubriendo la playa de sombra. Lalla se detiene con las piernas sumergidas en la arena mezclada con agua, con la cabeza echada hacia atrás: mira pasar las aves marinas.

Pasan despacio, remontando la corriente del viento tibio, con sus largas alas afiladas batiendo el aire. Sus cabezas están un poco tendidas de lado, y sus picos entreabiertos dejan escapar gemidos curiosos, curiosos chirridos.

En medio de la bandada hay una gaviota que Lalla conoce bien, porque es muy blanca, sin una sola mancha negra. Pasa muy despacio sobre Lalla, remando lentamente contra el viento, con las plumas de sus alas un poco separadas y el pico entreabierto; y cuando pasa así, mira a Lalla con la cabecita inclinada hacia la orilla y el ojo redondo brillando como una gota.

«¿Quién eres? ¿Adónde vas?», pregunta Lalla. La gaviota blanca la mira y no responde. Va a reunirse con las demás, sigue volando largo rato, costeando en busca de algo para comer. Lalla piensa que la gaviota blanca la conoce, pero que no se atreve a acercarse porque las gaviotas no están hechas para vivir con los hombres.

El viejo Namán dice algunas veces que las aves marinas son los espíritus de los hombres que han muerto en la mar durante una tempestad, y Lalla piensa que la gaviota blanca es el espíritu de un pescador muy alto y delgado, de tez clara y cabellos color luz, y cuyos ojos brillaban como una llama. Quizá era un príncipe de la mar.

Entonces se sienta en la playa, entre las dunas, y mira la

bandada de gaviotas que vuela costeando. Vuelan con suficiencia, sin hacer muchos esfuerzos, con sus largas alas curvas apoyadas en el viento y la cabeza un poco ladeada. Buscan alimento, porque no lejos de allí está el gran vertedero de la ciudad, donde llegan los camiones. No dejan de chillar, lanzando su curioso gemido ininterrumpido en el que estallan de repente, sin razón, chillidos agudos, gañidos, risas.

Y de cuando en cuando, la gaviota blanca, la que es como un príncipe de la mar, va a volar cerca de Lalla, describe grandes círculos sobre las dunas, como si la hubiera reconocido. Lalla le hace señas con el brazo, intenta llamarla, prueba todo tipo de nombres con la esperanza de dar con el bueno, el que quizá le devuelva su forma primigenia y haga aparecer, en medio de la espuma, al príncipe de la mar de cabellos luminosos y ojos brillantes como el fuego.

«¡Suleimán!»

«¡Mumin!»

«¡Daniel!»

Pero la gran gaviota blanca sigue vagando en el cielo, hacia la mar, rozando las olas con la punta de su ala, clavando su ojo duro en la silueta de Lalla, sin responder. Algunas veces, y es que está un tanto contrariada, Lalla corre detrás de las gaviotas agitando los brazos, y grita nombres al azar para sacar de quicio al príncipe de la mar.

«¡Pollos! ¡Gorriones! ¡Pichones!»

E incluso:

«¡Gavilanes! ¡Buitres!». Porque son aves que no les gustan a las gaviotas. Pero ella, el ave blanca que no tiene nombre, prosigue su vuelo lentísimo, indiferente, se aleja costeando, planea al viento del este, y Lalla corre en vano por la arena dura de la playa: no logra alcanzarla.

El pájaro se va, se pierde en medio de las otras aves por encima de la espuma, se va; pronto son sólo imperceptibles puntos que se funden en el azul del cielo y de la mar.

El agua sí que es bonita, también. Cuando empieza a llover en pleno verano, el agua chorrea por los tejados de chapa y papel alquitranado, interpreta su dulce canción en los grandes bidones, bajo los canalones. La lluvia viene por la noche y Lalla escucha el fragor del trueno, que ruge y crece en el valle, o sobre la mar. Por los intersticios de las tablas mira la bonita luz blanca que se enciende y se apaga sin cesar, que hace que las cosas se tambaleen en el interior de la casa. Aamma no se mueve en su yacija, sigue durmiendo con la cabeza debajo del tejido de lana, sin oír el rugido de la tormenta. Pero al otro extremo de la pieza se han despertado los dos muchachos, y Lalla los oye hablar en voz baja, reír sin hacer ruido. Están sentados en el jergón y también ellos tratan de ver fuera por los intersticios de las tablas.

Lalla se levanta, se dirige a la puerta sin hacer ruido para ver los dibujos de los relámpagos. Pero el viento empieza a soplar y las gruesas gotas frías caen sobre la tierra y crepitan en el tejado; Lalla vuelve a acostarse entre las mantas, porque así es como le gusta oír el ruido de la lluvia: con los ojos bien abiertos en la oscuridad, viendo por momentos iluminarse el techo y escuchando todas las gotas que golpean la tierra y las placas de chapa con violencia, como si fueran chinitas que cayeran del cielo.

Al cabo de un instante, Lalla oye el chorro de agua que brota de los canalones y golpea el fondo de los toneles de queroseno vacíos, es feliz como si fuera ella la que bebiera el agua. Al comienzo, esto produce un escándalo de metal, y luego, poco a poco, los toneles se inundan y el ruido se hace más profundo. El agua fluye por todas partes a la vez, saltando al suelo, a los charcos, a las viejas ollas abandonadas en el exterior. El polvo seco del invierno asciende en el aire cuando la lluvia azota el suelo, y se produce así un curioso olor a tierra mojada, paja y humo que agrada respirar. Hay niños que corren en la noche. Se han quitado toda la ropa y corren por las calles desnudos del todo, bajo la lluvia, lanzando gritos y risas. Lalla haría con gusto lo mismo que ellos, pero ya es demasiado mayor y las niñas de su edad no pueden salir desnudas por ahí. Así que vuelve a dormirse, sin dejar de escuchar la crepitación del agua sobre las placas de chapa, sin dejar de pensar en las dos bonitas fuentes que manan a cada lado del tejado y hacen rebosar de agua clara los toneles de queroseno.

Lo que es estupendo, cuando el agua ha caído del cielo de esta forma durante días y noches, es que se puede ir a tomar baños de agua caliente al balneario de la ciudad, al otro lado del río. Aamma ha decidido llevar a Lalla a los baños, hacia el final de la tarde, cuando el calor del sol ha remitido un poco y los nubarrones blancos empiezan a acumularse en el cielo.

Es el día de los baños de las mujeres, y todo el mundo se dirige al balneario siguiendo el sendero estrecho que remonta la orilla del río. A tres o cuatro kilómetros río arriba, está el puente, con la ruta de los camiones; pero antes de abordarlo, está el vado, que es por donde cruzan el río las mujeres.

Aamma camina delante con Zubida y su prima, que se llama Zora, y con otras mujeres que Lalla conoce de vista, pero de las que no recuerda el nombre. Se recogen los vestidos para franquear el vado, ríen y hablan muy alto. Lalla camina un poco por detrás y está muy contenta, porque esas tardes no hay faenas que hacer en la casa, ni leña que ir a buscar para el fuego. Y además le encantan los nubarrones blancos, muy bajos en el cielo, y el color verde de las hierbas a la orilla del río. El agua del río está helada, con su color tierra, vibra entre las piernas cuando Lalla atraviesa el vado. Cuando llega al canal, al centro del río, hay un peldaño, y Lalla se hunde en el agua hasta el vientre; se apresura a salir con la ropa pegada al vientre y a los muslos. Hay muchachos en la otra ribera que miran a las mujeres levantarse los faldones para atravesar el río, y que se ganan un bombardeo de piedras.

La casa de los baños es un gran cobertizo de ladrillo, construido justo al lado del río. Es donde Aamma llevó a Lalla cuando llegó aquí, a la Cité, por primera vez, y Lalla jamás había visto nada semejante. Sólo hay una sala con bañeras de agua caliente y hornos donde calientan las piedras. Toca un día a las mujeres y otro a los hombres. A Lalla le encanta esta sala, porque entra mucha luz por las ventanas, en la parte más alta de las paredes, bajo el tejado de chapa ondulada. La casa de los baños sólo funciona durante el verano, porque el agua es rara aquí. El agua viene de un gran aljibe construido en lugar alto, y discurre por una canalización a cielo abierto hasta el balneario, donde cae en cascada en una piscina grande de cemento que recuerda un lavadero. Aamma y Lalla van allí a bañarse inmediatamente después del baño de agua caliente, echándose agua fría por el cuerpo con grandes cuencos, y chillando un poco, porque el contraste las hace tiritar.

Hay otra cosa aquí que le gusta mucho a Lalla. Es el vapor que llena toda la sala como una niebla blanca y sube en capas hasta el techo, que se fuga por las ventanas haciendo que la luz vacile. Cuando se entra en la sala, el ambiente es sofocante por un instante debido al vapor. Luego hay que despojarse de la ropa y colocarla doblada en una silla al fondo del cobertizo. Las primeras veces, a Lalla le daba vergüenza, no quería desnudarse toda delante de las demás mujeres, porque no estaba habituada a los baños. Creía que la miraban y se burlaban de ella porque no tenía senos y sí muy blanca la piel. Pero Aamma la reñía y la obligaba a desprenderse de toda la ropa, a hacerse un moño con sus largos cabellos, recogiéndoselos con un cordón de tela. Ahora no le preocupa desvestirse. Ni siquiera se fija en las demás. Al principio lo encontraba horrible, porque había mujeres feísimas, y muy viejas, con la piel arrugada como un árbol muerto, o gordas, adiposas, con unos senos que les bailaban como pellejos, u otras que estaban enfermas, que tenían las piernas estragadas por úlceras y varices. Pero ahora Lalla ya no las mira de la misma manera. Las mujeres feas o enfermas le dan pena, ya no le dan miedo. Y además, el agua es tan bella, tan pura, el agua caída directamente del cielo en el gran aljibe, el agua es tan nueva, que ha de sanar por fuerza a quienes lo necesitan.

Así es todo cuando Lalla entra en el agua de la bañera por primera vez tras los largos meses de sequía: el agua le envuelve el cuerpo de golpe, le estrecha la piel tan fuerte, las piernas, el vientre, el pecho, que Lalla deja de respirar un instante.

El agua es muy caliente, muy dura, hace afluir la sangre a flor de piel, dilata los poros, envía las ondas de su calor hasta el interior del cuerpo como si tuviera la fuerza del cielo y del sol. Lalla se escurre al fondo de la bañera, hasta que el agua ardiendo le tapa el mentón y le toca los labios, y se detiene justo bajo las fosas nasales. Así se queda un buen rato, sin moverse, mirando el techo de chapa ondulada que parece avanzar tras la nube de vapor.

Luego llega Aamma con el manojo de jabonera y el polvo de lava, y le frota el cuerpo a Lalla, para quitarle el sudor y el polvo, por la espalda, los hombros, las piernas. Lalla se deja hacer, porque Aamma sabe enjabonar y apomazar muy bien; a continuación pasa al lavadero y se sumerge en el agua fresca, casi fría, y el agua le cierra los poros, le alisa la piel, le tensa los nervios y los músculos. Es el baño que toma con las otras mujeres, escuchando el ruido de la cascada del agua que viene del aljibe. Ésta es el agua que prefiere Lalla. Es clara como el agua de las fuentes de la montaña, es ligera, resbala por la piel, limpia como una piedra desgastada, rebota a la luz, salta en miles de gotas. Bajo la fuente de agua se lavan las mujeres los largos y apesgados cabellos negros. Hasta los cuerpos más feos embellecen a través del cristal del agua pura, y el frío despierta las voces, hace resonar las risas agudas. Aamma le lanza a la cara grandes brazados a Lalla, y sus blanquísimos dientes brillan sobre su rostro cobrizo. Las gotas relucientes le resbalan lentamente por los oscuros senos, el vientre, los muslos. El agua aja y bruñe la piel, ablanda la palma de la mano. Hace frío, pese al vapor que llena el cobertizo.

Aamma envuelve a Lalla con una toalla grande y se rodea ella misma con una especie de sábana que se anuda al pecho. Juntas caminan hacia el fondo del cobertizo, en donde se quedaron sus prendas dobladas en unas sillas. Se sientan y Aamma empieza a peinar con paciencia los cabellos de Lalla, mecha a mecha, alisándolos bien entre los dedos de la mano izquierda para expurgarlos de liendres.

Esto también es estupendo, como un sueño, porque Lalla clava la mirada al frente, sin pensar en nada, cansada por toda el agua, adormecida por el denso vapor que se eleva con dificultad hasta las ventanas donde tiembla la luz del sol, aturdida por el ruido de las voces y las risas de las mujeres, por los reflejos del agua, por el ronroneo de los hornos donde cuecen las piedras. Está sentada en la silla de metal, con los pies desnudos apoyados en el cemento fresco del suelo, tiritando en su gran toalla empapada, y las diestras manos de Aamma peinan con tenacidad sus cabellos, los estiran, los alisan, mientras las últimas gotas de agua resbalan por sus mejillas y le recorren la espalda.

Cuando todo ha terminado y se han puesto de nuevo la ropa, van juntas a sentarse afuera, al calor del crepúsculo, y beben menta en vasitos decorados con trazos dorados, casi sin hablarse, como si hubieran hecho un largo viaje y estuvieran saciadas de maravillas. La ruta es larga para regresar a la Cité de tablas y papel alquitranado, al otro lado del río. La noche ya es azul oscura y las estrellas brillan entre las nubes cuando llegan a la casa.

Hay unos días que no son como los demás, los días de fiesta, y es un poco por esos días por lo que se vive, se está a la espera, se abriga ilusión. Cuando el día se acerca, la gente no hace más que hablar de ello; en las calles de la Cité, en las casas, junto a la fuente. Todos están impacientes y desearían que el día de fiesta llegara antes. Algunas veces Lalla se despierta por la mañana con el corazón palpitante y un curioso hormigueo en los brazos y en las piernas, porque cree que ya es el día. Se levanta a toda velocidad, sin perder tiempo siquiera en pasarse las manos por el pelo, y sale a la calle a correr al aire frío de la mañana, cuando el sol no ha aparecido todavía y todo está gris y silencioso, salvo algunos pájaros. Pero como nadie se mueve en la Cité, se da cuenta de que el día aún no ha llegado, y no le resta más que volverse a sus mantas, a menos que decida aprovechar para ir a sentarse a las dunas y ver los primeros rayos de sol reflejados en las crestas de las olas.

Lo que resulta largo y lento, lo que hace vibrar de impaciencia el cuerpo de los hombres y las mujeres, es el ayuno. Porque todos los días que preceden a la fiesta se come poco, sólo antes y después del sol, y además no se bebe. A medida que pasa el tiempo, hay como un vacío que crece en el interior del cuerpo, que abrasa, que hace zumbar los oídos. Pese a todo, a Lalla le gusta ayunar, porque cuando no se come ni se bebe durante horas y días, es como si laváramos el interior del cuerpo. Las horas parecen más largas y plenas, porque se es sensible a lo más nimio. Los niños dejan de ir a la escuela, las mujeres dejan de trabajar en los campos, los muchachos dejan de ir a la ciudad. Todo el mundo permanece sentado a la sombra de las chozas y los árboles, hablando un poco y mirando el desplazamiento de las sombras con el sol.

Cuando no has comido durante días, el cielo también parece más limpio, más azul y liso sobre la tierra blanca. Los ruidos resuenan más, duran, como si se estuviera en el interior de una gruta, y la luz parece más pura y hermosa.

Hasta los días son más largos; es difícil de explicar, pero desde el amanecer hasta el crepúsculo resulta a veces como si hubiera discurrido un mes entero.

A Lalla le gusta mucho este ayuno, cuando el sol abrasa y la sequedad lo invade todo. El polvo gris deja un sabor a piedra en la boca, y hay que chupar de cuando en cuando las hierbecitas con aroma de limón o las hojas ásperas de la *chiba,* pero teniendo mucho cuidado de escupir la saliva.

Durante el tiempo del ayuno, Lalla va a ver al Hartani todos los días a las colinas pedregosas. También él se queda sin comer y sin beber todo el día, pero esto no afecta a su manera de ser, y su cara conserva el mismo color quemado. El fuerte brillo de sus ojos destaca sobre la oscuridad de su rostro, los dientes relucen en su sonrisa. La única diferencia es que se emboza por completo en su sayal para no perder el agua de su cuerpo. Así se queda; inmóvil al sol, de pie sobre una pierna, apoyando el otro pie en la pantorrilla, bajo la rodilla, y mira a lo lejos, hacia los reflejos del aire que baila, hacia el rebaño de corderos y cabras.

Lalla se sienta junto a él en una piedra plana, escucha los ruidos que vienen de todas las caras de la montaña, los gritos de los insectos, los silbidos de los pastores, así como los ruidos de crujidos por el calor que dilata las piedras, y el paso del viento. Dispone de todo el tiempo, porque durante el período del ayuno no hace falta ir por agua o leña para cocinar.

Es estupendo estar en medio de toda esta sequedad mientras se ayuna, porque es como un sufrimiento agudo que tensaran desde todos los extremos, como una mirada que no cesa. Por la noche aparece la luna en la línea de las colinas pedregosas; bien redonda, dilatada. Aamma sirve la sopa de garbanzos y el pan, y todo el mundo come con rapidez; hasta Selim, el marido de Aamma, al que llaman el Susi, se da prisa en comer, sin poner aceite de oliva en el pan como de costumbre. Nadie dice nada, ni hay historias. Lalla querría hablar, tendría montones de cosas que decir, un tanto febrilmente, pero sabe que no es posible, pues no hay que turbar el silencio del ayuno. Cuando se ayuna de esta manera, se ayuna también con las palabras y con toda la cabeza. Y se anda despacio, arrastrando un poco los pies, y no se señalan las cosas o a la gente con el dedo, ni se silba con la boca.

Los niños se olvidan por momentos de que toca ayunar, porque es difícil contenerse todo el tiempo. Estallan en carcajadas o se van corriendo por las calles, levantando nubes de polvo y haciendo ladrar a todos los perros. Pero las viejas salen detrás chillando y les tiran piedras, y ellos paran de correr al poco, a lo mejor también porque les fallan las fuerzas por culpa del ayuno.

Dura tanto tiempo que Lalla acaba por no recordar cómo era todo antes del inicio del ayuno. Y un día Aamma parte hacia las colinas para comprar un cordero, y todo el mundo sabe que el día está próximo. Aamma parte sola, porque dice que Selim el Susi no es capaz de comprar nada que merezca la pena. Se marcha por el estrecho sendero hacia las colinas pedregosas, donde viven los pastores. Lalla y los niños la siguen de lejos. Cuando llega a las colinas, Lalla mira si el Hartani está por allí, pero sabe de sobra que es inútil: al pastor no le gusta la gente y se va cuando los de la Cité vienen a comprar los corderos. Son los padres adoptivos del Hartani los que esquilan los corderos. Se han fabricado un corral con estacas plantadas en la tierra, y aguardan sentados a la sombra.

Hay otros vendedores de corderos, también pastores. Hay un curioso olor a sebo y a orina que planea sobre la tierra seca, y se oyen los agudos berridos de los animales presos en los cercados de estacas. Hay mucha gente que viene de la Cité, algunas veces hasta de la ciudad; han dejado el auto a la entrada de la Cité, donde se acaba la carretera, y se han llegado a pie por el sendero. Es gente del norte, de tez cetrina, señores trajeados o campesinos del sur, susis, fasis, gente de Mogador. Saben que hay muchos pastores por aquí, conocen a veces a parientes, amigos, y esperan encontrar un animal hermoso a buen precio, cerrar un buen trato. Están de pie frente a los cercados y discuten, gesticulan, se asoman para ver mejor los corderos.

Aamma cruza el mercado sin prisa. No se para, va dando la vuelta a los cercados, mira rápido, pero enseguida ve lo que valen los animales. Una vez que ha mirado en todos los cercados no hay duda de que ya ha escogido el cordero que precisa. Se dirige al vendedor y le pide precio. Como ella quiere ese cordero, y no otro, apenas regatea, y le da enseguida el dinero al propietario. Ha tenido la precaución de traer una cuerda, y un pastor se la pasa al cordero alrededor del cuello. Ya está, no resta sino llevar el cordero a la casa. El hijo mayor de Aamma, al que llaman Bareki, tiene el honor de llevarse el cordero. Es un cordero grande y fuerte, con un vellón amarillo sucio que huele a orina que trasciende, pero a Lalla le da un poco de pena cuando pasa con la frente gacha y los ojos despavoridos, porque el muchacho tira con todas sus fuerzas de la cuerda, que lo estrangula. Atan luego el cordero detrás de la casa de Aamma, en un cuchitril de tablas viejas que han dispuesto especialmente para él, y se le da de comer y beber todo lo que quiere los días que le quedan por vivir.

Una buena mañana, cuando Lalla se despierta, sabe enseguida que es el día de la fiesta. Lo sabe sin que nadie haya tenido que decírselo, con sólo abrir los ojos y ver el fulgor del día. En un segundo está de pie, en la calle con los demás niños, y ya el rumor de la fiesta empieza a correr en el aire, a subir por encima de las casas de tablas y papel alquitranado como el ruido de los pájaros.

Lalla corre por la tierra aún fría tan deprisa como puede, va a campo traviesa, siguiendo el sendero estrecho que conduce a la mar. Cuando llega a lo alto de las dunas, el viento de la mar la sacude de golpe, con tanta violencia que se le taponan las fosas nasales y se tambalea hacia atrás. La mar está oscura y brutal, pero el cielo está aún de un gris tan suave, tan ligero, que Lalla ya no tiene miedo. Se desviste deprisa y sin pensarlo dos veces se tira de cabeza al agua. La ola que rompe en ese momento la cubre por completo, le estalla en los párpados y los tímpanos, le entra en las narices. El agua salada le llena la boca, le corre por la garganta. Pero a Lalla no la asusta la mar ese día, bebe el agua salada a grandes bocanadas, y sale de la ola vacilando, como borracha, cegada por la sal. Se sumerge de nuevo en las olas y nada largo rato en paralelo a la orilla, rastrillando la arena con las rodillas cuando la mar se retira, para ser luego empinada a lo alto de la ola que se hincha alrededor.

La gaviota blanquísima, que tanto gusta a Lalla, pasa despacio por encima de su cabeza lanzando algunos chillidos. Lalla le hace señas, y como otras veces grita nombres al azar para atraerla:

«¡Eh! ¡Kalla! ¡Illa! ¡Zemzar! ¡Horriya! ¡Habib! ¡Cherara! ¡Haim...!».

Cuando grita el último nombre, la gaviota inclina la cabeza y la mira, y se pone a describir círculos encima de la joven.

«¡Haim! ¡Haim!», grita Lalla otra vez, y ahora está convencida de que es el nombre del marinero que se perdió un día en la mar, porque es un nombre que significa el Errante.

«¡Haim! ¡Haim! ¡Ven, por favor!»

Pero la gaviota blanca traza un nuevo círculo y se va al viento, siguiendo la playa hacia donde se reúnen las demás gaviotas cada mañana, antes de iniciar juntas el vuelo hacia el vertedero de la ciudad.

Lalla tirita un poco porque acaba de sentir el frío de la mar y del viento. El sol no queda lejos ahora. El fulgor rosa y amarillo está naciendo tras las colinas pedregosas donde vive el Hartani. La luz hace brillar en la piel de Lalla las gotas de agua marina, porque la niña tiene la carne de gallina. El viento sopla con fuerza y la arena ha cubierto casi por completo el vestido azul de Lalla. Sin esperar a secarse, se vuelve a vestir y se marcha, medio corriendo, medio andando, hacia la Cité.

En cuclillas ante la puerta de su casa, Aamma está friendo los buñuelos de harina en la olla grande, que está llena de aceite hirviendo. El brasero de tierra produce un fulgor rojo en la oscuridad que remolonea todavía entre las casas.

Éste es quizá el momento de la fiesta que prefiere Lalla. Temblorosa todavía por el frescor de la mar, se sienta ante el brasero encendido y come los buñuelos, que crepitan, paladeando el sabor de la masa suave y el regusto acre del agua de mar, que se le ha quedado en el fondo de la garganta. Aamma le ve el pelo mojado y la riñe un poco, pero no mucho, porque es un día de fiesta. Los hijos de Aamma vienen a sentarse también junto al brasero, con los ojos aún cargados de sueño, y Selim el Susi. Toman los buñuelos sin decir nada, sacándolos de la fuente grande de terracota llena de buñuelos color ámbar. El marido de Aamma come despacio, moviendo las mandíbulas como un rumiante, y de vez en cuando deja de masticar para lamerse las gotas de aceite que le chorrean por las manos. Habla un poco de todos modos, para decir cosas sin importancia que nadie escucha.

Ese día hay como un sabor a sangre, porque es el día del sacrificio del cordero. Esto provoca una impresión anómala, como si hubiera algo duro y tenso, el recuerdo de un mal sueño que acelerase los latidos del corazón. Los hombres y las mujeres están alegres, todo el mundo está alegre, porque es el fin del ayuno y se podrá comer sin parar hasta quedar harto. Pero Lalla no termina de estar contenta del todo debido al cordero.

Es difícil de decir, es como una prisa en el interior de su cuerpo, unas ganas de escapar. Piensa en ello sobre todo los días de fiesta. Puede que le pase como al Hartani, y que las fiestas no sean para ella.

Viene el carnicero a matar el cordero. Algunas veces se encarga Namán el pescador, porque es judío y puede matar el cordero sin deshonor. O un hombre venido de otro sitio, un esauz mal encarado que tiene brazos grandes y musculosos. Lalla lo detesta. En el caso de Namán, no es lo mismo, sólo hace lo que le piden, como un favor, y no acepta otra paga que no sea un pedazo de carne asada. Pero el carnicero, ése sí que es malo, y sólo mata el cordero si le dan dinero. El hombre trae el animal tirando de la cuerda, y Lalla se fuga hasta la mar para no oír los chillidos desgarradores del cordero, al que sacan hasta la plaza de tierra batida, no lejos de la fuente, y para no ver la sangre, que sale a borbotones entrecortados cuando el carnicero degüella el animal con su cuchillo grande y afilado; la sangre negra que llena humeando las jofainas esmaltadas. Pero Lalla no tarda en volver, porque hay en el fondo de ella ese deseo que vibra, esa hambre. Según se acerca a la casa de Aamma, oye el ruido claro del fuego que crepita, aspira el olor exquisito de la carne que se tuesta en la parrilla. Para asar las mejores partes del cordero, Aamma no quiere que la ayuden. Prefiere quedarse en cuclillas frente al fuego y dar vueltas ella misma a los espetones, las agujas de alambre con que se ensartan los trozos de carne. Cuando las piernas y las chuletas del cordero están bien hechas, las retira del fuego y las pone en una fuente grande de terracota asentada encima mismo de las brasas. Luego llama a Lalla porque ha llegado el momento de acecinar. Es éste también uno de los momentos de la fiesta que prefiere Lalla. Se sienta junto al fuego, no muy lejos de Aamma. Lalla le mira la cara entre las llamas y la humareda. De vez en cuando hay volutas de humo negro, cuando Aamma echa al fuego un manojo de hierbas húmedas o madera verde.

Aamma habla un poco, a ratos, mientras prepara la carne, y Lalla la escucha al tiempo que las crepitaciones del fuego, los gritos de los niños que juegan alrededor y las voces de los hombres; aspira el olor cálido y fuerte que le impregna el rostro, el pelo, las vestiduras. Con un cuchillito, Lalla corta la carne en tiras finas y las dispone en zarzos de madera verde suspendidos sobre el fuego, en ese punto donde el humo se separa de las llamas. Es el momento en el que Aamma habla de los viejos tiempos, de la vida en las tierras del sur, al otro lado de las montañas, donde empieza la arena del desierto y los manantiales son azules como el cielo.

«Háblame de Hawa, por favor, Aamma», ruega de nuevo Lalla.

Y como la jornada es larga, y todo lo que hay que hacer es mirar las tiras de carne que se secan entre remolinos de humo, moviéndolas un poco de vez en cuando con una ramita, chupándose los dedos para no quemarse, Aamma empieza a hablar. Su voz es lenta y dubitativa al principio, como si hiciera esfuerzos para acordarse, lo que se aviene muy bien con el calor del sol que avanza con gran lentitud en el cielo azul, con los chasquidos de las llamas, con el olor de la carne y del humo.

«Lalla Hawa (es así como la llama Aamma) era mayor que yo, pero recuerdo bien la primera vez que entró en casa, cuando tu padre vino con ella. Era del sur, del gran desierto, y allí la había conocido, porque su tribu era del sur, de Sagia el-Hamra, cerca de la ciudad santa de Smara, y su tribu era de la familia del gran Ma el-Ainin, al que llamaban el Agua de los Ojos. Pero su tribu había tenido que abandonar sus tierras, porque los soldados de los cristianos los habían expulsado de ellas, a hombres, mujeres y niños, y habían marchado durante días y meses a través del desierto. Es lo que tu madre nos contó más tarde. Éramos pobres en aquel tiempo en el Sus, pero juntos éramos dichosos, porque tu padre quería mucho a Lalla Hawa. Sabía reír

161

y cantar, tocaba incluso la guitarra, se sentaba al sol delante de la puerta de nuestra casa y cantaba canciones...»

«¿Qué cantaba, Aamma?»

«Eran cantos del sur, algunos en la lengua de los bereberes, cantos de Asaka, de Gulimín, de Tantan, pero yo no podría cantarlos como ella.»

«No importa, Aamma, canta sólo para que los oiga.»

Aamma canta entonces en voz baja, a través del ruido de la llama, que crepita. Lalla contiene la respiración para oír mejor la canción de su madre.

«Un día, oh, un día, el cuervo se volverá blanco, el mar se secará, hallaremos la miel en la flor del cactus, prepararemos un lecho con las ramas de la acacia, oh, un día, no habrá ya veneno en la boca de la serpiente, y las balas de los fusiles no llevarán la muerte, pero será el día en que dejaré a mi amor...»

Lalla escucha el murmullo de la voz en el fuego, sin verle la cara a Aamma, como si fuera la voz de su madre que llegase hasta ella.

«Un día, oh, un día, el viento no soplará más en el desierto, los granos de arena se volverán dulces como el azúcar, bajo cada piedra blanca manará una fuente esperándome, un día, las abejas cantarán una canción para mí, porque ese día habré perdido a mi amor...»

Pero la voz de Aamma acaba de transformarse, es más fuerte y ligera, sube como la voz de la flauta, resuena como las campanillas de cobre; ya no es su voz ahora, es una voz del todo nueva, la voz de una joven desconocida que canta a través de la cortina de llamas y humo para Lalla, para ella nada más.

«Un día, oh, un día, reinará el sol en la noche, y el agua de la luna dejará sus charcos en el desierto, cuando el cielo esté tan bajo que yo pueda tocar las estrellas, un día, oh, un día, veré mi sombra bailar ante mí, y será el día en que perderé a mi amor...»

La voz lejana se filtra en Lalla como un escalofrío, la envuelve, y la mirada se le nubla mientras mira el baile de las llamas a la luz del sol. El silencio que sigue a lo que dice la canción es muy largo, y Lalla puede oír a lo lejos el ruido de la música y los ritmos de los tambores de la fiesta. Ahora está sola, como si Aamma hubiese partido, dejándola con la voz desconocida que canta la canción.

«Un día, oh, un día, miraré en el espejo y veré tu rostro, y oiré el sonido de tu voz en el fondo del pozo, y reconoceré la huella de tus pasos en la arena, un día, oh, un día, reconoceré el día de mi muerte, porque será el día en que perderé a mi amor...»

La voz se hace más grave y sorda, como un suspiro, tiembla un poco en la llama que vacila, se pierde entre las volutas de humo azul.

«Un día, oh, un día, el sol será oscuro, la tierra se abrirá hasta el centro, el mar cubrirá todo el desierto, un día, oh, un día, mis ojos no verán más la luz, mi boca no podrá ya pronunciar tu nombre, mi corazón cesará de sufrir, porque será el día en que dejaré a mi amor...»

La voz desconocida se apaga entre murmullos, desaparece en el fuego y el humo azul, y Lalla tiene que esperar largo rato, sin moverse, antes de comprender que la voz no volverá. Tiene los ojos llenos de lágrimas y le duele el corazón, pero no dice nada, mientras Aamma se pone a trocear tiras de carne y a colocarlas en el entramado de madera, en pleno humo.

«Sigue hablándome de ella, Aamma.»

«Se sabía muchas canciones, Lalla Hawa, tenía una bonita voz, como tú, y sabía tocar la guitarra y la flauta, y bailar. Pero cuando tu padre tuvo ese accidente, cambió de golpe, y no volvió a cantar ni a tocar la guitarra, ni cuando naciste; no quiso volver a cantar, salvo para ti, cuando llorabas, por la noche, para acunarte, para dormirte...»

Ya han venido las avispas. El olor a carne asada las ha atraído y han venido a centenares. Zumban dando vueltas al hogar, tratando de posarse en las tiras de carne. Pero el humo las espanta, las asfixia, y cruzan el fuego borrachas. Algunas caen en las brasas y arden en una breve llama amarilla, otras caen al suelo, reventadas, medio quemadas. ¡Pobres avispas! Han venido a participar de la carne, pero no saben cómo arreglárselas. El humo acre las emborracha y enfurece, porque no pueden posarse en el entramado de madera. Avanzan derechas, cegadas, estúpidas como mariposas de noche, y mueren. Lalla les tira un trozo de carne para aplacar su apetito, para alejarlas del fuego. Pero una ataca a Lalla, le pica en el cuello. «¡Ay!», chilla Lalla, que se la arranca y la tira lejos tan dolorida como compasiva, porque en el fondo tiene cariño a las avispas.

Aamma, por su parte, no hace caso a las avispas. Las espanta con un trapo y sigue dando vueltas a las tiras de carne en la parrilla, y hablando:

«No le gustaba mucho quedarse en casa...», dice; la voz le sale un tanto apagada, como si contase un sueño muy viejo. «Se marchaba a menudo contigo colgada a la espalda en un chal, y se iba lejos, lejos... Nadie sabía adónde iba. Tomaba el autobús y se iba hasta el mar, o a las aldeas vecinas. Iba a los mercados, junto a las fuentes, donde había gente que no conocía, y se sentaba en una piedra y la miraba. Puede que creyeran que era una mendiga... Pero no quería trabajar en la casa, porque mi familia era dura con ella, aunque yo la quería mucho, como si fuera mi hermana».

«Háblame también de su muerte, Aamma.»

«No está bien hablar de ello un día de fiesta», replica Aamma.

«No importa, Aamma, aun así háblame del día de su muerte.»

Separadas por las llamas, Aamma y Lalla no se ven bien. Pero es como si hubiera otra mirada que tocara el interior de sus cuerpos, en el lugar exacto donde duele.

Las volutas grises y azules del humo bailan, se abren y vuelven a cerrarse como las nubes, y en el entramado de madera verde las tiras de carne están ya muy embazadas, como cuero viejo. Aparte están el sol, que declina con suavidad, la marea, que sube con el viento, el canto de los cigarrones, los gritos de los niños que corren por las calles de la Cité, las voces de los hombres, la música. Pero Lalla apenas lo oye. Está inmersa en el susurro de la voz que cuenta la muerte, ya hace tiempo, de su madre.

«No se sabía lo que iba a suceder, nadie lo sabía. Un día Lalla Hawa se acostó, porque se sentía muy cansada y un gran frío le recorría el cuerpo. Se quedó postrada varios días sin comer, sin moverse, pero no se quejaba. Cuando le preguntábamos qué tenía, se limitaba a contestar: nada, nada, estoy cansada, eso es todo. Yo me ocupaba de ti, te daba de comer, porque Lalla Hawa ni siquiera podía ya levantarse de su lecho... Pero no había médico en la aldea, y el dispensario quedaba muy lejos, y nadie sabía qué hacer. Y así, un día, era el sexto día, creo, Lalla Hawa me llamó, y su voz era muy débil, y me hizo señas para que me acercara, y me dijo nada más: voy a morir, se acabó. Su voz era extraña y tenía la cara toda gris, y sus ojos ardían. Entonces me asusté y salí de la casa corriendo, y te llevé lo más lejos que pude por el campo, hasta una colina, y allí me quedé todo el día, sentada junto a un árbol mientras jugabas a mi lado. Y cuando volví a la casa tú estabas dormida, pero oí las voces de mi madre y mis hermanos que lloraban, y me encontré a mi padre ante la casa, y me dijo que Lalla Hawa había muerto...»

Lalla escucha con todo su ser, con la mirada clavada en las llamas, que bailan y crepitan, frente a los remolinos de humo, que suben hacia el cielo azul. Las avispas prosiguen su vuelo borracho, atraviesan las llamas como proyectiles, caen al suelo con las alas chamuscadas. Lalla escucha también su música, la única verdadera de la Cité de las tablas y el papel alquitranado.

«Nadie sabía que esto debía suceder», dice Aamma. «Pero cuando sucedió todo el mundo lloró, y yo sentí el frío como si fuera también a morir, y todo el mundo estaba triste por ti, porque eras demasiado pequeña para saber. Más tarde te traje a la Cité, cuando mi padre murió y tuve que venir aquí, a vivir con el Susi.»

Falta mucho todavía para que los trozos de carne hayan terminado de ahumarse, así que Aamma sigue hablando, pero no dice nada más de Lalla Hawa. Habla de Al-Azraq, al que llamaban el Hombre Azul, que podía dar órdenes al viento y a la lluvia, a quien obedecían todas las cosas, incluso las piedras y los matorrales. Habla de la choza de ramas y palmas que era su casa, sola en medio del gran desierto. Dice que, por encima del Hombre Azul, el cielo se poblaba de pájaros de todas clases, que cantaban canciones celestiales para unirse a su plegaria. Pero sólo los hombres de corazón puro eran capaces de encontrar la casa del Hombre Azul. Los demás se extraviaban en el desierto.

«¿Sabía también hablar a las avispas?», pregunta Lalla.

«A las avispas y a las abejas salvajes, puesto que era su señor; conocía las palabras que las amansan. Pero conocía también el canto que envía oleadas de avispas, abejas y moscas contra los enemigos, y habría podido destruir una ciudad entera si hubiera querido. Aunque era justo, y no se servía de su poder sino para hacer el bien.»

Habla también del desierto, del gran desierto que nace al sur de Gulimín, al este de Tarudant, más allá del valle del Draa. Allí nació Lalla, en el desierto, al pie de un árbol, como cuenta Aamma. Allí, en la región del gran desierto, el cielo es inmenso, el horizonte no tiene fin, ya que nada se interpone a la mirada. El desierto es como la mar, con las olas del viento sobre la arena dura, con la espuma de la maleza que rueda, con las piedras planas, las manchas de liquen y las placas de sal, y la sombra negra que cava sus hoyos cuando el sol se aproxima a la tierra. Aamma habla largo rato del desierto, y mientras habla bajan las llamas poco a poco, el humo se aligera, se transparenta, y una especie de polvo plateado que se estremece va cubriendo despacito las brasas.

«... Allá, en el gran desierto, los hombres pueden marchar durante días sin encontrar una sola casa, sin ver un pozo, porque el desierto es tan grande que nadie puede conocerlo por entero. Los hombres van al desierto y son como barcos en el mar, nadie sabe cuándo volverán. Algunas veces hay tempestades, pero no como aquí: tempestades terribles; el viento arranca la arena y la arroja hasta el cielo, y los hombres están perdidos. Mueren ahogados en la arena, mueren perdidos como los barcos en la tempestad, y la arena se queda con sus cuerpos. Todo es tan diferente en ese territorio: el sol no es el mismo que aquí, abrasa más, y hay hombres que regresan cegados, con la cara abrasada. Por la noche el frío hace gritar de dolor a los hombres perdidos, el frío les quebranta los huesos. Ni siquiera los hombres son como aquí... Son crueles, acechan a sus presas como el zorro, se aproximan con sigilo. Son negros como el Hartani, vestidos de azul, con el rostro cubierto con un velo. No son hombres, sino *zhun*, hijos del demonio, y tienen comercio con el demonio, son como brujos...»

Lalla piensa de nuevo en Al-Azraq, en el Hombre Azul, el señor del desierto, el que podía hacer manar el agua bajo las piedras del desierto. Aamma también piensa en él, y dice:

«El Hombre Azul era como los hombres del desierto, hasta que recibió la bendición de Dios y renunció a su tribu, a su familia, para vivir solo... Pero sabía las cosas que sabe la gente del desierto. Había recibido el poder de curar con las manos, y Lalla Hawa también tenía ese poder, y sabía interpretar los sueños y adivinar el porvenir, y recuperar los objetos perdidos. Cuando la gente se enteraba de que pertenecía al linaje de Al-Azraq, venía a pedirle consejo, y a veces ella les decía lo que le preguntaban, a veces no quería responder...».

Lalla se mira las manos y trata de entender qué hay en ellas. Sus manos son grandes y fuertes, como las de los chicos, pero la piel es suave y los dedos finos.

«¿También yo tengo ese poder, Aamma?»

Aamma se echa a reír. Se levanta y se estira.

«No pienses en ello», dice. «La carne ya está lista, hay que ponerla en la fuente.»

Cuando Aamma se va, Lalla retira la parrilla y extiende las tiras de carne en la fuente grande de terracota, mordisqueando un trozo por aquí, un trozo por allá. Una vez que el fuego se ha calmado, las avispas han vuelto en gran número, su zumbido es muy fuerte, bailan en torno a las manos de Lalla, se le pegan al pelo. Lalla no se asusta. Las espanta con suavidad y les tira incluso un trozo de cecina, pues también para ellas es un día especial.

A continuación se dirige a la mar, sigue el estrecho camino que conduce a las dunas. Pero no llega hasta el agua. Permanece a este lado de las dunas, abrigada contra el viento, y busca un hueco en la arena donde echarse. Cuando ha encontrado un rincón sin demasiados cardos ni hormigas, se tiende de espaldas, con los brazos a lo largo del cuerpo, y se queda con los ojos abiertos al cielo. Hay nubarrones blancos circulando. Hay el rugido cansino de la mar que rasa la arena de la playa, y da gusto oírla sin verla. Hay los chillidos de las gaviotas, que se expanden en el viento, que provocan el parpadeo de la luz del sol. Hay los ruidos de los arbustos secos, de las hojitas de las acacias, el rozamiento de las agujas de los *filaos,* que recuerda el agua. Hay incluso algunas avispas que zumban alrededor de las manos de Lalla, porque perciben el olor de la carne.

Entonces Lalla trata de nuevo de oír la voz desconocida que canta, muy lejos, como desde otro lugar, la voz que sube y baja con soltura, clara, igual al sonido de las fuentes, igual a la luz del sol. El cielo, enfrente, se oculta poco a poco, pero la noche se toma su tiempo antes de caer, porque es el final del invierno y el comienzo de la estación de la luz. El crepúsculo es gris en principio, luego rojo, con grandes nubes como crines llameantes. Lalla sigue echada en su recoveco de arena, entre las dunas, sin perder de vista el cielo y las nubes. Oye de veras, en el interior del rugido de la mar y del viento, en los chillidos agudos de las gaviotas que buscan su playa nocturna, oye la dulce voz que repite su lamento, la voz clara aunque un poco trémula, como si supiera ya que la muerte va a venir a apagarla, la voz pura como el agua que bebemos sin saciarnos tras los largos días de fuego. Es una música que nace del cielo y de las nubes, que resuena en la arena de las dunas, que se propaga por todas partes y vibra hasta en las hojas secas de los cardos. Canta para Lalla, sólo para ella, la envuelve y la baña con su agua delicada, le pasa la mano por el pelo, por la frente, por los labios, le expresa su amor, baja a ella y le da su bendición. Lalla se gira y esconde la cara en la arena, porque algo se deshace en ella, se quiebra, y las lágrimas le afloran en silencio. Nadie viene a ponerle la mano en el hombro y a decirle: «¿Por qué lloras, pequeña Lalla?». Pero la voz desconocida desata sus lágrimas tibias, remueve en el fondo de ella antiguas imágenes latentes, hasta ahora inmóviles. Las lágrimas caen en la arena y hacen una manchita bajo su mentón, le pegan la arena a las mejillas, a los labios. Y de repente todo acaba. La voz del fondo del cielo se ha callado. La noche ha caído ya, una hermosa noche de terciopelo azul oscuro cuyas estrellas brillan entre las nubes fosforescentes. Lalla siente escalofríos como al paso de la fiebre. Anda al azar por las dunas, en medio del parpadeo de las luciérnagas. Como tiene miedo de las serpientes, se reincorpora al estrecho camino que aún conserva la huella de sus pasos, y se dirige despacio a la Cité, donde continúa la fiesta.

Lalla está a la espera de algo. No sabe muy bien de qué, pero espera. Los días son largos en la Cité, los días de lluvia, los días de viento, los días del verano. Algunas veces Lalla cree que sólo espera a que lleguen los días, pero cuando aparecen, se da cuenta de que no eran ellos. Espera, eso es todo. La gente tiene mucha paciencia: puede que espere toda la vida algo y que nunca llegue nada.

Los hombres permanecen a menudo sentados en una piedra, al sol, con la cabeza protegida por un faldón del manto o una toalla de felpa. Miran al frente. ¿Qué miran? El horizonte polvoriento, los caminos por donde circulan los camiones, que parecen escarabajos gordos de todos los colores, y las siluetas de las colinas pedregosas, las nubes blancas que avanzan por el cielo. Eso es lo que miran. No desean otra cosa. Las mujeres esperan también, ante la fuente, sin hablar, con sus velos negros y los pies descalzos apoyados en el suelo bien de plano.

Hasta los niños saben esperar. Se sientan frente a la casa del tendero y esperan sin jugar, sin chillar, sin más. De vez en cuando uno de ellos se levanta y troca sus monedas por una botella de Fanta o un puñado de caramelos de menta. Los demás lo miran, sin decir nada.

Hay días en que no se sabe adónde se va, en que no se sabe qué va a pasar. Todo el mundo está alerta por la calle y al borde de la carretera, los niños andrajosos esperan la llegada del autocar azul, o el paso de los camiones imponentes que transportan el gasóleo, la madera, el cemento. Lalla distingue bien el ruido de los camiones. En ocasiones va a sentarse con los demás niños en el talud de piedras nuevas, a la entrada de la Cité. Cuando llega un camión, todos los niños se vuelven hacia el fondo de la carretera, muy lejos, allá donde el aire baila sobre el alquitrán y hace ondular las colinas. Es un estruendo agudo, casi un pitido, salpicado de bocinazos que resuenan y crean ecos en las paredes de las casas. Por fin se ve una nube de polvo, una nube amarilla con la que se mezcla el humo azul del motor. El camión rojo llega a toda velocidad por la carretera de alquitrán. Por encima de la cabina del conductor hay una chimenea que escupe el vapor azul, y el sol brilla con fuerza en el parabrisas y en los parachoques. Los neumáticos devoran la carretera de alquitrán, el camión va bamboleándose un poco por culpa del viento, y cada vez que las ruedas del semirremolque muerden los arcenes de la carretera, se eleva una nube de polvo que salta hacia el cielo. Pasa ante los niños, haciendo sonar con ganas la bocina, y la tierra tiembla bajo sus catorce neumáticos negros, y el viento polvoriento y el olor acre de la gasolina quemada los cubren como un aliento cálido.

Mucho más tarde, los niños siguen hablando del camión rojo, y cuentan historias de camiones, de camiones rojos, de camiones cisterna blancos y de camiones grúa amarillos.

Así es como se espera. Viendo a menudo las carreteras, los puentes y la mar, viendo pasar a los que no se quedan, a los que se van.

Hay días que son más largos que los demás, porque hay hambre. Lalla conoce de sobra esos días, cuando no queda ni un céntimo en la casa y Aamma no ha encontrado trabajo en la ciudad. Ni siquiera Selim el Susi, el marido de Aamma, sabe adónde ir en busca de dinero, y todo el mundo se vuelve sombrío, triste, casi malvado. Lalla se queda afuera toda la jornada, se va lo más lejos posible, a la estepa pedregosa, donde viven los pastores, y busca al Hartani.

Siempre es igual; cuando tiene muchas ganas de verlo, aparece en un recoveco, sentado en una piedra, con la cabeza envuelta en una tela blanca. Vigila sus corderos y sus cabras. Su rostro es negro, sus manos delgadas y poderosas, como las manos de un viejo. Comparte su pan negro y sus dátiles con Lalla; hasta les da algunos bocados a los pastores que se han acercado. Pero lo hace sin orgullo, como si lo que diera no tuviera importancia.

Lalla lo mira de vez en cuando. Le gusta su rostro impasible, su perfil aguileño y la luz que brilla en el fondo de sus ojos oscuros. También el Hartani espera algo, pero es quizá el único que sabe lo que espera. No lo dice, dado que no habla el lenguaje de los hombres. Pero en su mirada puede adivinarse lo que espera, lo que busca. Es como si una parte de sí mismo se hubiera quedado en su lugar natal, más allá de las colinas pedregosas y las montañas nevadas, en la inmensidad del desierto, y tuviera que recuperar un día esa parte de sí mismo para ser uno por entero.

Lalla se queda con el pastor todo el día; sólo que no se le acerca demasiado. Se sienta en una piedra, no muy lejos de él, y mira de frente, mira el aire que baila y se alborota sobre el valle reseco, la luz blanca que produce destellos, y los lentos avances de los corderos y las cabras en medio de las piedras blancas.

Cuando tocan días tristes, días de angustia, nadie como el Hartani para estar ahí, sin necesidad de palabras. Una mirada basta, y sabe dar pan y dátiles sin esperar nada a cambio. Prefiere incluso que te quedes a unos pasos de él, como les pasa a las cabras y los corderos, que nunca pertenecen por completo a alguien.

Lalla escucha todo el día los gritos de los pastores en las colinas, los silbidos que horadan el silencio blanco. Cuando vuelve a la Cité de tablas y papel alquitranado, se siente más libre, aun cuando Aamma la riña por no haber traído nada de comer.

Uno de esos días Aamma se ha llevado a Lalla donde la

vendedora de alfombras. Es al otro lado del río, en un barrio pobre de la ciudad, en una gran casa blanca de ventanas estrechas provistas de enrejado. Cuando entra en la sala que sirve de taller, Lalla oye el ruido de los telares. Hay veinte, quizá más, alineados unos detrás de otros en la penumbra lechosa de la gran sala, bajo el parpadeo de tres tubos de neón. Frente a los telares, unas niñas; agachadas o sentadas en taburetes. Trabajan deprisa, pasan la lanzadera entre los hilos de la urdimbre, cogen las tijeritas de acero, cortan las mechas, apilan la lana encima de la trama. La mayor debe de tener catorce años, la más pequeña es probable que no llegue a los ocho. No hablan, ni siquiera miran a Lalla cuando entra en el taller con Aamma y la vendedora de alfombras. La vendedora se llama Zora; es una mujerona vestida de negro que tiene siempre en sus manos grasas una vara flexible con la que azota en las piernas y los hombros a las niñas que no trabajan bastante deprisa o hablan con la que está al lado.

«¿Ha trabajado antes?», pregunta sin mirar siquiera a Lalla.

Aamma responde que en su día la enseñó a tejer. Zora mueve la cabeza. Parece muy descolorida, quizá por el vestido negro, o porque nunca sale de su tienda. Se llega despacio hasta un telar vacante en el que hay una alfombra grande, de tono rojo oscuro con puntos blancos.

«Que termine ésta», ordena.

Lalla se sienta y comienza el trabajo. Durante varias horas trabaja en la gran sala oscura, haciendo gestos mecánicos con las manos. Al principio se ve obligada a detenerse porque se le cansan los dedos, pero siente la mirada de la mujerona descolorida encima de ella y reanuda de inmediato su labor. Sabe que la mujer descolorida no la azotará con la vara, porque ella es mayor que las demás chicas que trabajan. Cuando se cruzan las miradas nota como una sacudida en su interior, y se enciende una chispa de furia en los ojos de Lalla. Pero la gorda vestida de negro se venga con las pequeñas, las que son flacuchas y medrosas como perras, las hijas de mendigos, las hijas abandonadas que viven todo el año en la casa de Zora y no tienen dinero. En cuanto aminoran el ritmo, o si intercambian algún cuchicheo, la gorda descolorida se precipita sobre ellas con sorprendente agilidad y les cruza la espalda con la vara. Pero las niñas nunca lloran. Sólo se oye el silbido de la vara y el azote sordo en sus espaldas. Lalla aprieta los dientes, inclina hacia el suelo la cabeza para no ver ni oír, porque querría gritar y golpear ella a Zora. Pero no dice nada por culpa del dinero que ha de llevar a la casa para Aamma. Lo único, por vengarse, hace mal algunos nudos en la alfombra roja.

Al día siguiente, no obstante, Lalla ya no aguanta más. Como la gorda descolorida vuelve a sacudirle varazos a Mina, una niña pequeña de apenas diez años, muy delgada y escuchimizada, por haber roto su lanzadera, Lalla se pone de pie y dice con frialdad:

«¡No la pegue más!».

Zora mira un momento a Lalla sin entender. Su cara grasienta y descolorida ha adquirido una expresión tal de estupidez que Lalla repite:

«¡No la pegue más!».

De repente, la cara de Zora se deforma de cólera. Lanza un violento baquetazo a la cara de Lalla, pero la vara no la alcanza más que en el hombro izquierdo, porque Lalla ha acertado a esquivar el golpe.

«¡Vas a ver si te pego o no!», grita Zora, y su rostro toma, ahora sí, un poco de color.

«¡Cobarde! ¡Mala mujer!»

Lalla empuña la vara de Zora y la parte con la rodilla. Ahora es el miedo lo que deforma la cara de la gorda. Retrocede farfullando:

«¡Vete! ¡Vete! ¡Enseguida! ¡Vete!».

Pero ya Lalla atraviesa la gran sala corriendo, salta al exterior, a la luz del sol; corre sin detenerse hasta la casa de Aamma. La libertad es hermosa. De nuevo pueden mirarse las nubes que se deslizan al revés, las avispas que se afanan alrededor de los montoncitos de desperdicios, los lagartos, los camaleones, las hierbas que titilan al viento. Lalla se sienta frente a la casa, a la sombra de la pared de tablas, y escucha con avidez cada ruido minúsculo. Cuando Aamma regresa al atardecer, Lalla se limita a decirle:

«No volveré a trabajar en casa de Zora, nunca más».

Aamma la mira un instante, pero no dice nada.

A partir de ese día las cosas han cambiado en serio para Lalla aquí, en la Cité. Es como si se hubiera hecho mayor de sopetón y la gente hubiera empezado a fijarse en ella. Hasta los hijos de Aamma son ahora distintos, duros y despreciativos. A veces echa de menos un poquito cuando era pequeña de verdad, recién llegada a la Cité, y nadie sabía su nombre, y podía esconderse tras un arbusto, en un cubo, en una caja de cartón. Eso le encantaba: ser como una sombra, ir y venir sin ser vista, sin que le hablaran.

El viejo Namán y el Hartani son los únicos que no han cambiado. Namán el pescador sigue contando historias inverosímiles mientras repara sus redes en la playa, o cuando viene a comer tortas de maíz a casa de Aamma. Apenas captura ya pescado, pero la gente le tiene cariño y siguen invitándolo a sus casas. Tiene sus ojos claros más transparentes que el agua, y el rostro surcado de arrugas más profundas que las cicatrices de antiguas heridas.

Aamma escucha lo que dice de España, Marsella, París, y de todas las ciudades que ha visto, que ha recorrido, de las que conoce los nombres de las calles y la gente. Aamma le plantea dudas, le pregunta si su hermano puede ayudarla a encontrar trabajo allí. Namán mueve la cabeza: «¿Por qué no?». Es su respuesta para todo, aunque en todo caso promete escribir a su hermano. Pero partir es complicado, se requiere dinero, papeles. Aamma se queda pensativa, con la mirada clavada en lontananza, sueña con las ciudades blancas pobladas de calles, casas, autos. Es quizá esto lo que espera.

Lo que es Lalla, no le da demasiadas vueltas. Le da igual. Mira los ojos de Namán, y es un poco como si ella hubiera conocido esos mares, esos lugares, esas casas.

El Hartani tampoco piensa en ello. Sigue siendo como un niño, por más que sea tan alto y fuerte como un adulto. Su cuerpo es flaco y esbelto, su rostro puro y liso como un fragmento de ébano. Quizá porque no habla el lenguaje de los demás.

Siempre está sentado en un risco, con la mirada clavada en la lejanía, vestido con su sayal y esa tela blanca que le tapa la cara. Los pastores negros están siempre alrededor de él, salvajes, astrosos, pegando brincos de risco en risco sin dejar de silbar. A Lalla le gusta mucho venir con ellos a este lugar lleno de luz blanca, donde el tiempo no pasa, donde no es posible crecer.

El hombre entró en la casa de Aamma, una mañana, al comienzo del verano. Era un hombre de la ciudad, vestido con un traje gris de reflejos verdes, zapatos de cuero negro que brillaban más que espejos. Vino con algunos regalos para Aamma y para sus hijos, un espejo eléctrico encastrado en plástico blanco, un aparato radiotransistor no mayor que una caja de cerillas, bolígrafos de capuchón dorado y una bolsa repleta de azúcar y latas de conserva. Cuando entró en la casa se cruzó con Lalla en la puerta, pero apenas la miró. Depositó todos los regalos en el suelo, Aamma lo invitó a sentarse, y él buscó con la mirada un sitio, pero no había más que cojines y el arca de madera de Lalla Hawa, que Aamma se había traído del sur con Lalla. El hombre se sentó en el arca, no sin antes haberla limpiado un poco con el dorso de la mano. El hombre esperó a que le sirvieran té y dulces.

Cuando supo, algo más tarde, que el hombre había venido a pedirla en matrimonio, Lalla se aterró y sintió como un vahído en la cabeza, y el corazón empezó a latirle muy deprisa. No fue Aamma quien le habló de ello, sino el Bareki, el hijo mayor de Aamma:

«Nuestra madre ha decidido casarte con él, porque es muy rico».

«¡Pero si yo no quiero casarme!», gritó Lalla.

«No tienes nada que decir, has de obedecer a tu tía», replicó el Bareki.

«¡No y no! ¡Jamás...!» Lalla se marchó gritando, con los ojos inundados de lágrimas de rabia.

Cuando volvió a la casa de Aamma, el hombre del traje gris verde había partido, pero los regalos seguían allí. Alí, el hijo menor de Aamma, escuchaba incluso música por el minúsculo aparato de transistores apoyado en la oreja. Cuando Lalla entró, él la miró socarrón.

Lalla se dirigió a Aamma con dureza:

«¿Por qué has aceptado los regalos de ese hombre? No pienso casarme con él».

El hijo de Aamma rió con sorna.

«¡A lo mejor quiere casarse con el Hartani!»

«¡Fuera!», dijo Aamma. El joven se va con el transistor.

«¡No puedes obligarme a casarme con ese hombre!», dice Lalla.

«Será un buen marido para ti», dice Aamma. «Ya no es muy joven, pero es rico, tiene una casa grande en la ciudad y conoce a mucha gente influyente. Tienes que casarte con él.»

«¡No quiero casarme, nunca!»

Aamma permanece en silencio un buen rato. Cuando habla de nuevo su voz se ha vuelto más dulce, pero Lalla se mantiene en sus trece.

«Te he criado como a una hija, te quiero, y tú hoy quieres hacerme este desplante.»

Lalla mira a Aamma con cólera, porque descubre por vez primera su lado mentiroso.

«Me da igual», dice. «No quiero casarme con ese hombre. ¡No quiero ese tipo de regalos ridículos!»

Señala el espejo eléctrico que está de pie, sobre su zócalo, asentado en el suelo de tierra batida.

«¡Ni siquiera tienes electricidad!»

De pronto se da cuenta de que está harta. Sale de la casa de Aamma y se dirige a la mar. Pero esta vez no corre por el sendero; anda muy despacio. Hoy nada es igual. Es como si todo estuviera sin lustre, ajado a fuerza de ser visto.

«Habrá que irse», se dice Lalla en voz alta. Pero enseguida piensa que ni siquiera sabe adónde. Pasa al otro lado de las dunas y anda por la playa grande, en busca del viejo Namán. Ojalá esté, como siempre, sentado en una raíz de la vieja higuera reparando sus redes. Le haría toda clase de preguntas a propósito de esas ciudades de España de nombres mágicos, Algeciras, Málaga, Granada, Teruel, Zaragoza, y de esos puertos de los que parten navíos tan grandes como ciudades, de las carreteras por las que transitan los autos hacia el norte, de los trenes que se van, de los aviones. Querría oírlo hablar durante horas de esas montañas nevadas, de esos túneles, de esos ríos que son tan grandes como la mar, de las llanuras cubiertas de trigo, de los bosques inmensos y, sobre todo, de esas ciudades perfumadas donde hay palacios blancos, iglesias, fuentes, tiendas rutilantes de luz. París, Marsella, y todas esas calles, las casas, tan altas que impiden ver el cielo, los jardines, los cafés, los hoteles y los cruces donde coincide gente venida de todos los rincones de la tierra.

Pero Lalla no encuentra al viejo pescador. Sólo está la gaviota blanca, que vuela despacio, cara al viento, que vira por encima de su cabeza. Lalla grita:

«¡Eo! ¡Eo! ¡Príncipe!».

El pájaro blanco sigue haciendo pasadas por encima de Lalla, hasta que desaparece a toda prisa empujado por el viento en dirección al río.

Lalla se queda largo rato en la playa, sin más compañía que el rugido del viento y de la mar en los oídos.

Los días siguientes nadie habló de nada en la casa de Aamma, y el hombre del traje gris verde no volvió. El aparatito de radio de transistores quedó pronto arruinado y las latas de conserva se consumieron todas. Sólo el espejo eléctrico de material plástico permaneció en el sitio en que lo habían colocado, en la tierra batida, cerca de la puerta.

Lalla durmió mal todas esas noches, sobresaltada por el menor ruido. Se acordaba de las historias que contaban, que hablaban de chicas raptadas por la fuerza durante la noche porque se negaban a casarse. Cada mañana, al despuntar el sol, Lalla salía antes que los demás para lavarse e ir por agua a la fuente. Así podía vigilar la entrada de la Cité.

Y se instaló además el viento de la desgracia, que sopló en la región varios días seguidos. El viento de la desgracia es un viento extraño, que no viene por aquí más que una o dos veces al año, al final del invierno o en otoño. Lo que resulta más extraño es que al principio apenas se siente. No sopla muy fuerte, y por momentos se aplaca del todo y cae en el olvido. No es un viento frío como el de las tempestades en pleno invierno, cuando la mar levanta sus olas furiosas. Tampoco es un viento abrasador y desecante como el que viene del desierto y enciende el fulgor rojo de las casas, hace crujir la arena en los tejados de chapa y papel alquitranado. No, el viento de la desgracia es un viento muy suave que se arremolina, que rachea y descarga su peso en los tejados de las casas, en los hombros y en el pecho de los hombres.

Cuando se presenta, el aire se calienta y se vuelve más pesado, como si todo se llenara de gris.

Cuando viene este viento lento y amable, la gente cae enferma un poco en todas partes, los niños pequeños y las personas mayores sobre todo; y mueren. Por eso lo llaman el viento de la desgracia.

Cuando empezó a soplar este año en la Cité, Lalla lo reconoció al instante. Vio las nubes de polvo gris que avanzaban por la llanura, que embrollaban la mar y el estuario del río. La gente no salía más que envuelta en sus mantos, pese al calor. No había avispas, y los perros se escondieron, con el hocico en el polvo, en los hoyos al pie de las casas. Lalla estaba triste porque pensaba en los que el viento iba a llevarse consigo. Cuando oyó entonces decir que el viejo Namán estaba enfermo, se le heló el corazón y no pudo respirar durante un momento. Nunca había experimentado de veras algo así con anterioridad, y hubo de sentarse para no caer.

Luego anduvo y corrió hasta la casa del pescador. Pensaba que habría gente a su lado, para ayudarlo, para cuidarlo, pero Namán estaba bien solito, echado en su estera de paja, con la cabeza apoyada en un brazo. Tirita tan fuerte que le rechinan los dientes, y ni siquiera puede enderezarse sobre los codos cuando Lalla entra en la casa. Sonríe un poco y le brillan los ojos con más fuerza al reconocer a Lalla. Sus ojos siguen teniendo el color de la mar, pero su rostro enjuto ha tomado un blanco un poco gris que asusta.

Ella se sienta a su lado y le habla en voz casi baja. Lo normal es que él cuente las historias y ella escuche, pero hoy todo es distinto. Lalla le habla de cualquier cosa, para calmar su angustia e intentar dar calor al pobre viejo. Le cuenta lo que él mismo le ha contado en el pasado sobre sus viajes por ciudades de España y Francia. Le habla de ello como si fuera ella quien hubiera visto esas ciudades, como si fuera ella quien hubiera hecho esos grandes viajes. Le habla de las calles de Algeciras, de las calles angostas y sinuosas cercanas al puerto, donde se siente el viento de la mar y el olor del pescado; luego están la estación de los andenes adornados con baldosas azules y los grandes puentes del ferrocarril, que salvan los barrancos y los ríos. Le habla de las calles de Cádiz, de los jardines de flores multicolores, de las grandes palmeras alineadas frente a los palacios blancos, y de todas esas calles por donde va y viene la muchedumbre, con los autos negros, los autobuses en medio de los reflejos cristalinos, frente a esos edificios tan altos como acantilados de mármol. Habla de las calles de todas las ciudades como si hubiera caminado por ellas: Sevilla, Córdoba, Granada, Almadén, Toledo, Aranjuez, y de esa ciudad tan grande como para perderse en ella durante días: Madrid, adonde viene gente de todos los rincones de la tierra.

El viejo Namán escucha a Lalla sin decir nada, sin moverse, pero sus ojos claros brillan con fuerza, y Lalla sabe que a él le gusta oír esas historias. Cuando para de hablar, oye el temblor del cuerpo del viejo y el silbido de su respiración: entonces se apresura a continuar para no oír esos terribles estertores.

Habla ahora de la gran ciudad de Marsella, en Francia, del puerto con sus muelles inmensos donde amarran los barcos de todos los países del mundo, los cargueros tan grandes como ciudadelas, con castillos altísimos y mástiles de un grosor superior al de los árboles, los paquebotes blanquísimos con miles de ventanas, y que llevan nombres extraños, pabellones misteriosos, nombres de ciudades: Odessa, Riga, Bergen, Limasol. En las calles de Marsella la multitud se aprieta, avanza, entra y sale sin cesar de comercios gigantes, se atropella a las puertas de los cafés, los restaurantes, los cines, y los autos negros circulan por avenidas sin fin, y los trenes sobrevuelan los tejados surcando puentes suspendidos, y los aviones despegan y giran despacio en el cielo gris por encima de los edificios y los descampados. A mediodía repican las campanas de las iglesias, y su estruendo retumba por las calles, en las explanadas, en la profundidad de los túneles subterráneos. Por la noche se ilumina la ciudad, los faros exploran la mar con sus haces luminosos, las luces de los coches centellean. Las calles estrechas son silenciosas, y los bandidos armados con cuchillos americanos acechan en los rincones de los portales a los viandantes de última hora. En ocasiones hay terribles batallas en los solares, o en los muelles, a la sombra de los cargueros adormecidos.

Lalla habla tanto rato y su voz es tan dulce, que el viejo Namán se queda dormido. Cuando está dormido, el cuerpo deja de temblarle y la respiración se le vuelve más regular. Lalla puede por fin salir de la casa del pescador, y sentir los ojos doloridos por la luz exterior.

Hay mucha gente que sufre con el viento de la desgracia; los pobres, los niños más pequeños. Cuando pasa por delante de sus casas, Lalla oye sus lamentos, las voces quejumbrosas de las mujeres, el llanto de los niños, y sabe que también allí morirá tal vez alguien. Está triste, querría estar muy lejos, al otro lado de la mar, en esas ciudades que se ha inventado para el viejo Namán.

Pero el hombre del traje gris verde ha regresado. Seguro que él no sabe que el viento de la desgracia sopla sobre la Cité de tablas y papel alquitranado; de todas formas, le sería más que indiferente, porque el viento de la desgracia no toca a gente como él. Él es ajeno a la desgracia, a todo eso.

Él ha regresado a la casa de Aamma y ha vuelto a toparse con Lalla delante de la puerta. Al verlo, se ha asustado y ha lanzado un grito, porque estaba segura de que volvería, y temía ese momento. El hombre del traje gris verde la ha mirado de una extraña manera. Tiene una mirada fija y dura, como la gente habituada a dar órdenes, y la piel de la cara blanca y seca, con la sombra azul de la barba en el mentón y las mejillas. Trae nuevas bolsas con regalos. Lalla se hace a un lado cuando él pasa a su altura, y mira los paquetes. El hombre malinterpreta su mirada, da un paso hacia ella y le ofrece los regalos. Pero Lalla da un brinco tan deprisa como le es posible y se marcha corriendo, sin volver la vista atrás, hasta que siente bajo sus plantas la arena del sendero que conduce a las colinas pedregosas.

No sabe dónde se detiene el sendero. Con los ojos nublados de lágrimas y el corazón en un puño, Lalla camina todo lo deprisa que puede. Aquí el sol abrasa cada vez más, como si se estuviera más cerca del cielo. Pero el viento denso no sopla en las colinas color ladrillo y tiza. Las piedras son duras, quebradas en lascas, erizadas; los arbustos negros están cubiertos de espinas con mechones de lana de corderos enganchados por aquí y por allá; hasta las briznas de hierba cortan como cuchillos. Lalla camina largo rato a través de las colinas. Algunas son altas y abruptas, con escarpas como muros; otras son pequeñas, apenas semejantes a montones de piedras, como si las hubieran construido unos niños.

Cada vez que Lalla llega a este territorio, siente que ya no pertenece al mismo mundo, como si el tiempo y el espacio aumentaran, como si la luz ardiente del cielo entrase en sus pulmones y los dilatara, y todo el cuerpo se le volviera parecido al de una giganta de larga y lenta vida.

Sin darse prisa ahora, Lalla remonta el lecho de un torrente seco hacia la gran estepa pedregosa, morada del que llama Es-Ser.

No tiene claro por qué va en esta dirección; es un poco como si hubiera dos Lallas; una que no supiera, cegada por la cólera y el desasosiego, que escapara al viento de la desgracia, y otra que supiera y dirigiera sus pasos hacia la morada de Es-Ser. Sube hacia la estepa pedregosa, con la cabeza vacía, sin comprender. Sus pies desnudos reencuentran las huellas antiguas, que el viento y el sol no han podido borrar.

Lentamente, sube hacia la estepa pedregosa. El sol le abrasa la cara y los hombros, las piernas y las manos. Pero apenas lo nota. La luz es la que libera, la que borra la memoria, la que vuelve puro como una piedra blanca. La luz lava el viento de la desgracia, abrasa las enfermedades, las maldiciones.

Lalla avanza con los ojos entornados debido a la reverberación de la luz, y el sudor le pega la ropa al vientre, al pecho, a la espalda. Quizá no ha habido nunca tanta luz sobre la tierra, y desde luego Lalla nunca ha sentido una sed semejante de ella, como si viniera de un valle oscuro en el que reinaran siempre la muerte y la sombra. El aire aquí está inmóvil, tiembla y vibra en el sitio, y parece oírse el ruido de las ondas de la luz, la rara música que simula el canto de las abejas.

Cuando llega a la inmensa estepa desierta, sopla de nuevo el viento contra ella, la hace vacilar. Es un viento frío y duro que no cesa, que se apoya en ella y la hace tiritar embutida en sus prendas empapadas de sudor. La luz es rotunda, estalla al viento abriendo estrellas en el culmen de los riscos. Aquí no hay hierbas, no hay árboles ni agua, sólo la luz y el viento desde hace siglos. No hay caminos, ni rastros humanos. Lalla avanza al azar por el centro de la estepa, donde no viven más que escorpiones y escolopendras. Es un lugar donde nadie se interna, ni los pastores del desierto siquiera, y cuando uno de sus animales se extravía por aquí, silban sin dejar de brincar y, a pedradas, lo obligan a volver corriendo.

Lalla anda despacio, con los ojos entornados, apoyando la punta de sus pies desnudos en las rocas ardientes. Es como estar en otro mundo, cerca del sol, en equilibrio, a punto de caer. Avanza, pero su corazón se halla ausente, o más bien todo su ser está delante de ella, en su mirada, en sus sentidos al acecho; sólo su cuerpo queda atrás, titubeando todavía en las rocas de aristas cortantes.

Espera con impaciencia a quien ha de presentarse ahora; ella lo sabe, es preciso. En cuanto ha echado a correr para escapar del hombre del traje gris verde, para escapar de la muerte del viejo Namán, ha sabido que alguien la esperaba en la estepa pedregosa, allí donde no hay hombres. Es el guerrero del desierto del velo azul, de quien ella sólo conoce la mirada, afilada como una cuchilla. Él la ha mirado desde lo alto de las colinas desiertas, y su mirada ha llegado hasta ella y la ha tocado, la ha atraído hasta aquí sin remisión.

Ella está ahora, inmóvil, en el centro de la gran estepa pedregosa. No hay nadie alrededor, salvo estos amontonamientos de guijarros, este polvo de luz, este viento frío y duro, este cielo intenso, sin nubes, sin vapor.

Lalla permanece quieta, erguida sobre una gran losa de piedra un poco empinada, una losa dura y seca que no ha pulido agua alguna. La luz del sol la castiga, vibra en su frente, en su pecho, en su vientre, la luz que es una mirada.

Seguro que el guerrero azul va a venir ahora. No puede ya tardar. Lalla cree oír el crujido de sus pasos en el polvo, y el corazón le late con fuerza. Los remolinos de luz blanca la envuelven, enroscan sus llamas en torno a sus piernas, se mezclan con su pelo, y ella siente la lengua rasposa que le abrasa los labios y los párpados. Le resbalan por las mejillas lágrimas saladas, le entran por la boca; el sudor salado le resbala gota a gota por las axilas, le escuece en los costados, le chorrea por el cuello, entre los omóplatos. El guerrero azul tiene que venir ahora, su mirada será ardiente como la luz del sol.

Pero Lalla sigue sola en medio de la estepa desierta, de pie sobre una losa un poco inclinada. El viento frío la abrasa, el viento terrible que no estima la vida de los hombres, sopla para legrarla, para reducirla a polvo. El viento que sopla en estos pagos a duras penas quiere a los escorpiones y las escolopendras, los lagartos y las serpientes; como mucho, a los zorros de pelaje quemado. Pero Lalla no le tiene miedo, porque sabe que en algún lugar entre los riscos, o en el cielo, está la mirada del Hombre Azul, ese al que llama Es-Ser, el Secreto, porque se oculta. Él es quien va a llegar con certeza, su mirada va a ir derecha al fondo de ella y le dará la fuerza para enfrentarse al hombre del traje, y a la muerte que visita a Namán; la transformará en ave, la lanzará en medio del espacio; puede que así ella logre por fin reunirse con la gran gaviota blanca, que es un príncipe y sobrevuela la mar incansablemente.

Cuando la alcanza la mirada, una gran vorágine se desencadena en su cabeza, como una ola de luz en pleno despliegue. La mirada de Es-Ser es más brillante que el fuego, de un fulgor azul y ardiente al tiempo, como el de las estrellas.

Lalla cesa de respirar unos instantes. Tiene los ojos dilatados. Se agacha en el polvo con los ojos cerrados, la cabeza hacia atrás, porque hay un lastre terrible en esta luz, un lastre que entra en ella y la vuelve pesada como una piedra.

Ha venido. Una vez más, sin hacer ruido, desplazándose sobre los guijarros afilados, vestido como los antiguos guerreros del desierto, con un gran manto de lana blanca y el rostro cubierto con un velo de tela azul noche. Lalla lo mira con todas sus fuerzas: él avanza en su sueño. Ve sus manos teñidas de índigo, ve el fulgor que brota de su mirada sombría. No habla. No habla nunca. Sabe hablar con la mirada, porque vive en un mundo donde no se necesitan las palabras de los hombres. Grandes torbellinos de luz de oro rodean su manto blanco, como si el viento levantara nubes de arena. Pero Lalla no oye más que los golpes de su propio corazón, que late muy despacio, muy lejos.

Lalla no necesita palabras. No necesita hacer preguntas ni pensar siquiera. Con los ojos cerrados, agachada en el polvo, siente la mirada del Hombre Azul clavada en ella, y el calor le penetra el cuerpo, vibra en sus miembros. Esto es lo extraordinario. El calor de la mirada alcanza lo más recóndito de su intimidad, elimina los dolores, la fiebre, los coágulos, todo lo que obstruye y duele.

Es-Ser no se mueve. Ahora está de pie frente a ella, mientras las olas de luz se enroscan y resbalan en torno a su manto. ¿Qué hace? Lalla ya no experimenta temor, siente que el calor crece en ella, como si los rayos le atravesaran el rostro, le iluminaran todo el cuerpo.

Ve lo que hay en la mirada del Hombre Azul, a su alrededor, hasta el infinito; el desierto que rutila y ondea, los haces de destellos, las lentas olas de las dunas que avanzan hacia lo desconocido. Hay urbes, grandes ciudades blancas con torres tan finas como los troncos de las palmeras, rojos palacios ornados con hojarasca, lianas, flores gigantes. Hay grandes lagos de agua más azul que el cielo, un agua tan bella y tan pura como no se da en ningún otro lugar sobre la tierra. Es un sueño que tiene Lalla con los ojos cerrados, la cabeza echada hacia atrás a la luz del sol, estrechamente abrazada a sus rodillas. Es un sueño que viene de otra parte, que existía aquí, en la estepa pedregosa, mucho antes que ella, un sueño en el que ahora entra Lalla, como durmiendo, y que extiende su playa ante ella.

¿Adónde lleva la ruta? Lalla no sabe dónde va, a la deriva, arrastrada por el viento del desierto que sopla, tan pronto abrasándole los labios y los párpados, cegador y cruel, como frío y lento, el viento que eclipsa a los hombres y logra desmoronar las rocas que yacen al pie de las escarpas. Es el viento que se dirige al infinito, más allá del horizonte, más allá del cielo, hasta las constelaciones yertas, a la Vía Láctea, al Sol.

El viento la lleva por la ruta sin límites, la inmensa estepa pedregosa donde la luz se arremolina. El desierto despliega sus campos vacíos color arena, sembrados de grietas, arrugados, igual que pieles muertas. La mirada del Hombre Azul está allí, dominándolo todo, hasta el punto más lejano del desierto, y a través de esa mirada ve ahora Lalla la luz. Siente en la piel el ardor de la mirada, el viento, la sequedad, y los labios le saben a sal. Ve la forma de las dunas, grandes animales dormidos, y las altas paredes negras de la Hamada, y la inmensa ciudad desecada de tierra roja. Es ese territorio en el que no hay hombres ni ciudades, ni nada que se detenga y perturbe. Sólo la piedra, la arena, el viento. Pero a Lalla la invade la dicha, porque reconoce cada cosa, cada detalle del paisaje, cada arbusto calcinado del gran valle. Es como si hubiera andado por allí antes, con los pies desnudos abrasados por el suelo, con la vista clavada en el horizonte, en medio del aire y su baile. El corazón le late más rápido y más fuerte, y ve ante sí las señales, las huellas perdidas, las ramitas rotas, las zarzas que se estremecen al viento. Aguarda, sabe que pronto va a llegar, ya está muy cerca. La mirada del Hombre Azul la guía por las fallas, los desprendimientos, los torrentes desecados. Y de repente oye esa extraña canción, incierta, gangosa, que tiembla muy lejos, que parece salir de la arena misma, confundida con el roce continuo del viento sobre las piedras, con el ruido de la luz. La canción vibra en el interior de Lalla, que la reconoce; es la canción de Lalla Hawa que cantaba Aamma, y que decía: «Un día, oh, un día, el cuervo se volverá blanco, el mar se secará, hallaremos la miel en la flor del cactus, prepararemos un lecho con las ramas de la acacia...». Pero Lalla ahora no entiende el contenido, porque se trata de alguien que canta con una voz muy lejana en la lengua de los bereberes. La canción en cualquier caso va de lleno a su corazón, y sus ojos se llenan de lágrimas, pese a mantener los párpados cerrados con todas sus fuerzas.

La música se prolonga largo rato; tan largo rato mece, que las sombras de las piedras se alargan sobre la arena del desierto. Lalla ve entonces la ciudad roja que se halla al fondo del inmenso valle. No es en verdad una ciudad como las que conoce Lalla, con calles y casas. Es una ciudad de barro, arruinada por el tiempo y consumida por el viento, que semeja a los nidos de las termitas o las avispas. La luz es hermosa sobre la ciudad roja, forma una bóveda de suavidad, clara y pura, en el cielo de eterna aurora. Las casas están agrupadas en torno a la boca del pozo, y hay algunos árboles inmóviles, acacias blancas similares a estatuas. Pero lo que Lalla ve sobre todo es un sepulcro blanco, simple como una cáscara de huevo, en plena tierra roja. Parece que es de allí de donde viene la luz de la mirada, y Lalla comprende que es la morada del Hombre Azul.

Es algo terrible, y al mismo tiempo hermoso, que llega hasta Lalla. Es como si algo se desgarrara y se quebrara en el fondo de ella, y diera paso a la muerte, a lo desconocido. El ardor del desierto en ella se propaga, remonta sus venas, hace uno con sus vísceras. La mirada de Es-Ser es terrible y duele, porque lleva en sí el sufrimiento que viene del desierto, el hambre, el miedo, la muerte, que llegan, que arrasan. La bella luz de oro, la ciudad roja, el sepulcro blanco y leve del que emana la claridad sobrenatural, traen también consigo la desgracia, la angustia, el abandono. Es una larga mirada de aflicción lo que viene, porque la tierra es dura y el cielo no quiere saber nada de los hombres.

Lalla permanece inmóvil, ensimismada, con las rodillas apoyadas en los guijarros. El sol le abrasa los hombros y la nuca. No abre los ojos. Sus lágrimas nutren dos ríos que trazan surcos en el polvo rojo adherido a sus mejillas.

Cuando endereza la cabeza y abre los ojos, la vista se le nubla. Ha de hacer un esfuerzo para adaptarse. Se muestran las siluetas puntiagudas de las colinas, y la extensión desierta de la estepa, donde no hay ni una hierba, ni un árbol; sólo la luz y el viento.

Entonces echa a andar, tambaleándose, baja despacio el sendero que conduce hacia el valle, hacia la mar, hacia la Cité de tablas y papel alquitranado. Las sombras son ahora alargadas, el sol está cerca del horizonte. Lalla siente la cara hinchada por el ardor del desierto, y piensa que nadie podrá reconocerla en este momento, que se ha vuelto como el Hartani.

Cuando llega abajo, cerca del estuario del río, es de noche en la Cité. Las bombillas crean puntos amarillos. En la carretera avanzan los camiones lanzando por delante los haces de luz blanca de sus faros, estúpidamente.

Lalla tan pronto va corriendo como muy despacio, como si fuera a pararse, dar media vuelta y huir a escape. Algunas radios producen su música maquinal en la noche. Los fuegos de los braseros se apagan solos, y en las casas, con sus tablas mal ajustadas, las mujeres y los niños están ya envueltos en sus mantas, en previsión de la humedad nocturna. De cuando en cuando el débil viento hace rodar una lata vacía, hace batir una placa de chapa. Los perros están a cobijo. Sobre la Cité, el cielo negro está henchido de estrellas.

Lalla anda por las calles sin hacer ruido, y piensa que nadie la necesita aquí, que todo es perfecto sin ella, como si hubiera partido hace años, como si no hubiera existido nunca.

En lugar de dirigirse a la casa de Aamma, Lalla anda despacio hacia la otra punta de la Cité, donde vive el viejo Namán. La joven tirita, porque el aire de la noche es muy húmedo, y las rodillas le tiemblan, porque no ha comido nada desde la víspera. La jornada ha sido tan larga arriba, en la estepa pedregosa, que Lalla tiene la impresión de haberse ido hace días, meses incluso. Es como si apenas reconociese las calles de la Cité, las barracas de tablas, el sonido de los aparatos de radio y los llantos de los niños, el olor a orina y polvo. De repente piensa que es posible que hayan pasado meses de veras, arriba, en la estepa pedregosa, bajo la apariencia de una única y larga jornada. Piensa en el viejo Namán y se le encoge el corazón. Pese a su debilidad, echa a correr por las calles vacías de la Cité. Los perros la oyen correr, por eso gruñen y ladran un poco. Cuando llega ante la casa de Namán, el corazón le late con fuerza, y apenas puede respirar. La puerta está entreabierta, no hay luz.

El viejo Namán está acostado en su estera, como ella lo dejó. Aún respira, muy despacio, entre silbidos, y tiene los ojos abiertos del todo en la oscuridad. Lalla se inclina hacia su rostro, pero él no la reconoce. Su boca abierta está tan ocupada en intentar respirar, que ya no es capaz de sonreír.

«Namán... Namán...», murmura Lalla.

El viejo Namán carece ya de fuerzas. El viento de la desgracia le ha dado fiebre, esa que abruma el cuerpo y la cabeza e impide comer. El viento va a llevárselo probablemente. Angustiada, Lalla se acerca al rostro del pescador y le dice:

«No vas a irte ahora, ¿verdad? Ahora no, todavía no, ¿eh?».

Le gustaría tanto que Namán le hablara, le contara otra vez la historia del pájaro blanco que era un príncipe de la mar, o la historia de la piedra que el ángel Gabriel entregó a los hombres y ennegreció por culpa de sus pecados. Pero el viejo Namán no puede ya contar historias, apenas conserva la fuerza suficiente para dilatar el pecho, para respirar, como si un peso invisible lo abrumara. El sudor maligno y la orina bañan su cuerpo enjuto, como baldado en el suelo.

Lalla está ahora demasiado cansada para contar otras historias, para seguir describiendo lo que hay al otro lado de la mar, todas esas ciudades de España y Francia.

Se sienta junto al viejo y mira por la puerta entreabierta la luz de la noche. Escucha la respiración sibilante, oye el rugido maligno del viento de afuera, que hace rodar las latas de conserva y batir las chapas. Y se queda dormida así, sentada, con la cabeza apoyada en las rodillas. De cuando en cuando, la respiración agobiada del viejo Namán la despierta, y ella pregunta:

«¿Estás ahí? ¿Sigues ahí?».

Él no responde, no duerme; su cara gris está orientada hacia la puerta, pero sus ojos brillantes parecen ya no ver, como si captaran lo que hay más allá.

Lalla se esfuerza por combatir el sueño, porque teme lo que ocurrirá si se duerme. Es como los pescadores, los que están lejos, perdidos en la mar sin ver nada, manejados por las olas, presos en los remolinos de la tempestad. No deben dormirse nunca, porque entonces la mar se apoderaría de ellos, los arrojaría a sus profundidades, se los tragaría. Lalla quiere resistir, pero se le cierran los párpados a pesar de su porfía, y siente que cae hacia atrás. Nada mucho tiempo, sin saber adónde va, llevada por el lento ritmo de la respiración del viejo Namán.

Antes de despuntar el día, se despierta sobresaltada. Mira al viejo echado en el suelo, con su cara apacible recostada en un brazo. Ahora ya no hace ruido, porque ha cesado de respirar. Afuera, el viento ha cesado de soplar, ya no hay peligro. Todo está sosegado, como si la muerte no existiera en ningún sitio.

Cuando Lalla ha decidido partir, no ha dicho nada a nadie. Ha decidido partir porque el hombre del traje gris verde ha vuelto varias veces a la casa de Aamma, y cada vez ha mirado a Lalla con sus ojos brillantes y duros como piedras negras, y se ha sentado en el arca de Lalla Hawa a beber un vaso de té de menta. Lalla no le tiene miedo, pero sabe que si no se va, un día se la llevará a la fuerza a su casa para desposarla, porque es rico y poderoso y no le gusta que se le resistan.

Ha partido esta mañana, antes de salir el sol. No ha mirado siquiera, al fondo de la casa, la silueta de Aamma dormida, envuelta en su sábana. Tan sólo ha cogido un trozo de tela azul en el que ha dispuesto el pan duro y algunos dátiles secos, y un brazalete de oro que pertenecía a su madre.

Ha salido sin hacer ruido, sin despertar ni a un perro. Ha andado con los pies desnudos por la tierra fría, entra las filas de casas dormidas. El cielo que ve está un poco desvaído, porque se aproxima el día. La bruma viene de la mar, forma una gran nube ligera que remonta el curso del río extendiendo dos brazos arqueados como un gigantesco pájaro de alas grises.

Por un instante Lalla siente deseos de acercarse a la casa de Namán el pescador, por verlo una última vez, porque es la única persona a la que Lalla ha perdido con tristeza. Pero teme retrasarse, y se aleja de la Cité siguiendo el sendero de las cabras hacia las colinas pedregosas. Cuando empieza a escalar los riscos, siente que la penetra el viento frío. Aquí tampoco hay nadie. Los pastores duermen aún en sus chozas de ramas, junto a los corrales, y es la primera vez que Lalla entra en la región de las colinas sin oír sus silbidos agudos. Esto le da un poco de miedo, como si el viento hubiera transformado la tierra en desierto. Pero la luz del sol aparece poco a poco del otro lado de las colinas, una mancha roja y amarilla que se mezcla con el gris de la noche, Lalla está contenta de verla, y piensa que hacia allí irá más tarde, a ese lugar donde la gran mancha de la primera luz inunda cielo y tierra.

Las ideas se le cruzan un tanto en la cabeza mientras anda por los riscos. Es porque sabe que no volverá a la Cité, que no verá de nuevo todo eso que tanto le gustaba, la gran llanura árida, la extensión de la playa blanca, donde mueren las olas una tras otra; está triste porque piensa en las dunas inmóviles, donde solía sentarse para mirar la progresión de las nubes en el cielo. Ya no verá más el pájaro blanco que era un príncipe de la mar, ni la silueta del viejo Namán sentado a la sombra de la higuera, junto a su barca volcada. Aminora un poco la marcha y siente deseos de mirar atrás un instante. Pero ante ella están las colinas silenciosas, las piedras afiladas sobre las que comienza a centellear la luz, y los pequeños espinos donde tremblequean algunas gotas de la humedad del cielo, sin olvidar las leves moscas pequeñas que se dejan llevar por el viento.

Así que anda, sin volverse, apretando contra el pecho el paquetillo de pan y dátiles. Cuando el sendero se termina es porque ya no hay hombres en los alrededores. De la tierra salen piedras afiladas, y hay que brincar de una roca a otra subiendo hacia la colina más alta. Allí la espera el Hartani, pero todavía no lo ve. Puede que esté escondido en una gruta, por la parte de la escarpa, en el rincón desde el que puede vigilarse todo el valle hasta la mar. O a lo mejor está cerquita, detrás de algún arbusto quemado, enterrado hasta el cuello en un hoyo de piedra, como una serpiente.

Siempre está al acecho, como los perros salvajes, dispuestos a pegar un brinco, a darse a la fuga. ¿Es posible que hoy ya no quiera partir? Y sin embargo, ayer, Lalla dijo que vendría, y le mostró la extensión remota, la gran barra de tiza que parece sostener el cielo donde comienza el desierto. Los ojos le brillaron más fuerte, porque siempre ha tenido esta idea; desde pequeñito no ha cesado de pensar en ello un solo instante. Se nota en la forma que tiene de mirar hacia el horizonte, con los ojos fijos y la cara tensa. Nunca se sienta, se mantiene sobre los talones como si fuera a saltar. Él le ha enseñado a Lalla la ruta del desierto, la ruta por la que uno se pierde, de donde nadie regresa nunca, y el cielo, tan puro y bello, al fondo.

El sol acaba de salir, surge como un gran disco de fuego frente a ella, deslumbrante, asciende lentamente, hinchándose sobre el caos de piedra. Nunca ha parecido tan hermoso. Pese al dolor y las lágrimas que brotan de sus ojos y resbalan por sus mejillas, Lalla lo mira de cara, sin pestañear, como dijo el viejo Namán que hacen los príncipes de la mar. La luz penetra hasta el fondo de ella, toca todo lo que de oculto hay en su cuerpo, en especial el corazón.

No hay ninguna senda marcada. Lalla ha de buscar su camino a través de los riscos. Salta de piedra en piedra, por encima de los torrentes secos, contornea las paredes de las escarpas. El sol naciente ha formado una gran mancha de deslumbramiento en sus retinas, y avanza así, un poco al azar, vencida hacia adelante para no caer. Pasa una tras otra las colinas, camina luego en medio de un enorme pedregal. No hay nadie. Hasta donde le alcanza la vista, no hay más que extensiones de piedra seca, con algunas matas de euforbio y cactos. El sol ha despoblado la tierra, la ha abrasado y desgastado hasta no dejar más que esas piedras blancas, esos zarzales. Lalla ya no lo mira de cara; está demasiado alto en el cielo y se le quemarían las pupilas en un segundo, como heridas por el rayo. El cielo está inflamado. Está azul y arde como una llamarada, y Lalla tiene que entornar con fuerza los ojos para mirar hacia adelante. A medida que el sol sube en el cielo, las cosas de la tierra se hinchan, se impregnan de luz. Aquí no hay ruido alguno, aunque uno cree oír de cuando en cuando los guijarros que se dilatan y se resquebrajan.

Hace mucho que camina. ¿Cuánto? Horas tal vez, sin saber adónde va; simplemente en dirección opuesta a la sombra, hacia el otro extremo del horizonte. Hay allí altas montañas rojas que parecen suspendidas en el cielo, aldeas, quizá un río, lagos de agua color cielo.

Y de repente, sin saber de dónde ha salido, aparece el Hartani, de pie ante ella. Está inmóvil, vestido como todos los días con su saya, con la cabeza envuelta en un trozo de tela blanca. Su rostro es negro, pero lo alumbra su sonrisa cuando Lalla se le acerca:

«¡Oh, Hartani! ¡Hartani...!».

Lalla se abraza a él con fuerza, reconoce el olor de su sudor en sus vestiduras polvorientas. También él ha traído un poco de pan y unos dátiles en un trapo mojado atado a la cintura.

Lalla abre su hatillo, comparte un poco de pan con él. Comen sin sentarse, deprisa, porque tienen mucha hambre atrasada. El joven pastor echa un vistazo alrededor. Sus ojos escrutan todos los puntos del paisaje y recuerda un ave rapaz de mirada inmutable. Señala un punto lejos, en el horizonte, por donde las montañas rojas. Pone la palma de la mano bajo los labios; allí hay agua.

Reanudan la marcha. El Hartani va delante, brinca con ligereza por los riscos. Lalla intenta poner los pies en sus huellas. Ve todo el tiempo la silueta frágil y ligera del muchacho, que la precede y parece bailar sobre las piedras blancas; lo mira como a una llama, como a un reflejo, y sus pies parecen andar solos al ritmo del Hartani.

El sol es duro ahora, abruma la cabeza y los hombros de Lalla con su peso, le hace daño en el interior del cuerpo. Es como si la luz que había entrado en ella de mañana se pusiera a arder, a rebosar, y siente las largas ondas dolorosas que remontan sus piernas, sus brazos, y se alojan en la cavidad de su cabeza. El ardor de la luz es seco y polvoriento. No hay una gota de sudor en el cuerpo de Lalla, y la ropa azul le roza el vientre y los muslos produciendo restallidos eléctricos. En sus ojos están secas las lágrimas, las costras de sal crean cristalillos aguzados como granos de arena en las comisuras de sus párpados. Su boca está seca y dura. Se pasa la punta de los dedos por los labios, y piensa que su boca se ha vuelto como la de los camellos y pronto podrá comer cactos y cardos sin sentir nada.

En cuanto al Hartani, sigue brincando de roca en roca, sin mirar atrás. Su silueta blanca y ligera se aleja cada vez más, es igual que un animal huyendo sin detenerse, sin mirar atrás. A Lalla le gustaría cogerlo, pero no le quedan fuerzas. Se lía atravesando el caos de piedras al azar, con la mirada fija al frente. Los pies le sangran, desollados, y al caerse varias veces se ha lastimado las rodillas. Pero apenas siente el dolor. Sólo siente la terrible reverberación de la luz por todas partes, que le hace ver montones de animales brincando por las piedras a su alrededor, perros salvajes, caballos, ratas, cabras que dan brincos prodigiosos. Hay también grandes aves blancas, ibis, serpentarios, cigüeñas; baten sus grandes alas flameantes, como si pugnaran por tomar vuelo, e inician una danza que no tiene fin. Lalla siente el soplo de sus alas en el pelo, capta el frotamiento de sus remeras en el aire espeso. Vuelve la cabeza, mira hacia atrás para ver todas esas aves, todos esos animales, incluidos los leones que ha entrevisto con el rabillo del ojo. Pero cuando los mira se esfuman al punto, desaparecen como espejismos para volver a formarse detrás de ella.

El Hartani apenas queda a la vista. Su silueta ligera baila sobre los guijarros blancos como una sombra despegada de la tierra. Lalla ya no intenta seguir sus pasos. No ve siquiera la masa roja de la montaña inmóvil en el cielo, al otro lado de la llanura. ¿Es posible que ya no avance? Sus pies desnudos chocan con los guijarros, se desuellan, tropiezan en los hoyos. Pero es como si el camino se deshiciera sin cesar detrás de ella, como el agua de los ríos que se escurre entre las piernas. Lo que pasa sobre todo es la luz; baja a la gran llanura vacía, pasa con el viento, barre el espacio. La luz hace un ruido de agua y Lalla oye su canto sin poder beber. La luz viene del centro del cielo, y elige el yeso y la mica para abrasar en la tierra. De cuando en cuando, en medio del polvo ocre, entre los guijarros blancos, hay una piedra de fuego, del color de las brasas, puntiaguda como un colmillo. Lalla camina mirando el destello fijamente, como si la piedra le transmitiera fuerza, como si fuera una señal dejada por Es-Ser para mostrarle la ruta que seguir. O, más adelante, una placa de mica igual al oro, cuyos reflejos son como un nido de insectos, y Lalla cree oír el zumbido de sus alas. Pero algunas veces, al azar, en la tierra polvorienta, hay una piedra rodada gris y mate, un simple canto de la mar, y Lalla lo mira con todas sus fuerzas; lo toma en la mano y lo mantiene apretado, para escaparse. El canto está ardiendo, todo estriado de venas blancas que dibujan una ruta en su centro, donde vienen a ramificarse otras rutas finas como los cabellos de un niño. Sosteniéndolo en el puño, Lalla sigue derecha hacia adelante. El sol declina ahora hacia el otro extremo de la llanura blanca. El viento del atardecer levanta a intervalos trombas de polvo, que ocultan la gran montaña roja al pie del cielo.

«¡Hartani! ¡Hart-a-ani!», grita Lalla. Ha caído de rodillas encima de los guijarros, porque sus piernas no quieren andar más. Arriba, el cielo está vacío, cada vez más grande, más vacío. No hay un solo eco.

Todo es limpio y puro, Lalla puede ver el menor guijarro, el menor arbusto, casi hasta el horizonte. Nadie se mueve. Le gustaría mucho ver las avispas, se le ocurre que le encantaría verlas hacer sus nudos invisibles en el aire, en torno a los cabellos de los niños. Le gustaría ver un pájaro, aunque fuera un cuervo, un buitre. Pero no hay nada, nadie. Sólo su sombra negra alargada tras de sí, como fosa en la tierra demasiado blanca.

Se echa al suelo, y piensa que pronto morirá, porque a su cuerpo ya no le quedan fuerzas, y el fuego de la luz le consume los pulmones y el corazón. Lentamente decrece la luz y el cielo se cubre, pero puede que sea la debilidad que hay en ella lo que apaga el sol.

De repente reaparece el Hartani. Está ante ella, de pie sobre una pierna, en equilibrio, como un pájaro. Viene hacia ella, se inclina. Lalla se aferra a él por el sayal, agarra el tejido con todas sus fuerzas, no quiere soltarlo y está a punto de hacer caer al muchacho. Él se agacha a su lado. Su rostro es oscuro, pero los ojos le brillan muy fuerte, inundados por una expresión intensa. Toca el rostro de Lalla, su frente, sus ojos, le pasa los dedos por los labios agrietados. Señala un punto en la llanura pedregosa, en dirección a poniente, donde hay un árbol junto a un risco: el agua. ¿Está cerca, lejos? El aire es tan puro que es imposible saberlo. Lalla hace un esfuerzo para incorporarse, pero ya no le responde el cuerpo.

«Hartani, no puedo más...», murmura Lalla, mostrando sus piernas desolladas, dobladas bajo su cuerpo.

«¡Vete! ¡Déjame, vete!»

El pastor, que sigue en cuclillas junto a ella, titubea. ¿Se irá? Lalla lo mira sin decir nada, tiene ganas de dormir, desaparecer. Pero el Hartani le rodea el cuerpo con los brazos, la iza con cuidado. Lalla siente los músculos de las piernas del muchacho que tiemblan por el esfuerzo, y le enlaza el cuello con sus brazos, intenta confundir su peso con el del pastor.

El Hartani anda sobre los guijarros, brinca rápido, como si estuviera solo. Corre impulsando sus largas piernas vacilantes, atraviesa los barrancos, franquea las grietas. El sol y el viento polvoriento han puesto fin a sus remolinos en la llanura pedregosa, pero persisten lentos movimientos que vienen del rojo horizonte y arrojan fulgores sobre los pedernales. Hay ante ellos como un gran embudo de luz, en el lugar donde el sol ha declinado hacia la tierra. Lalla escucha el corazón del Hartani, que late en las arterias de su cuello, oye su respiración jadeante.

Antes de la caída de la noche, han conseguido llegar ante el risco y el árbol, donde reposa el ojo del agua. Es un simple agujero en el guijarral con agua gris. El Hartani descuelga a Lalla con suavidad al lado del agua, y le da de beber con el hueco de la mano. El agua esta fría y un poco desabrida. A continuación el pastor vuelve a inclinarse y bebe largamente, con la cabeza a flor de agua.

Esperan la caída de la noche. Aquí se instala muy deprisa, a la manera de un telón que se echa sin humos, sin nubes, sin espectáculo. Es como si casi no hubiera más aire, ni agua, sólo el fulgor del sol que apagan las montañas.

Lalla está echada en el suelo, pegada al Hartani. No se mueve. Tiene las piernas molidas, laceradas, y la sangre coagulada ha formado una costra semejante a una suela negra bajo sus plantas. El dolor sube desde los pies por momentos, le atraviesa las piernas, le recorre los huesos y los músculos, sus manos se aferran a los brazos del joven. Él no la mira; mira de frente hacia el horizonte, por la parte de las montañas negras, o puede que sea hacia el gran cielo nocturno. El rostro se le ha ensombrecido mucho por la oscuridad. ¿Piensa en algo? A Lalla le gustaría entrar en él, se decide a hablar. El Hartani la escucha como hacen los perros, que estiran la cabeza y siguen el sonido de las sílabas.

Le habla del hombre del traje gris verde, de sus ojos duros y negros como trozos de metal, y de la noche junto a Namán, cuando el viento maligno soplaba sobre la Cité. Dice:

«Ahora que te he elegido a ti como marido, ya nadie podrá llevárseme, ni arrastrarme por la fuerza ante un juez para hacerme su mujer... Ahora vamos a vivir juntos, y tendremos un hijo, y así nadie querrá ya casarse conmigo, ¿entiendes, Hartani? Aunque nos echen mano, diré que tú eres mi marido y que vamos a tener un hijo, y esto no podrán impedirlo. Nos dejarán partir, y podremos ir a vivir a los territorios del sur, muy lejos, al desierto...».

Ya no siente el cansancio ni el dolor, sólo la ebriedad de esta libertad en medio del pedregal, en el silencio de la noche. Se abraza con fuerza al cuerpo del joven pastor, hasta que sus olores y sus hálitos se confunden por completo. Muy suavemente, el muchacho entra en ella y la posee, y ella oye el ruido precipitado de su corazón contra su pecho.

Lalla torna la cara hacia el centro del cielo y mira con todas sus fuerzas. La noche fría y hermosa los envuelve, los encierra en su azul profundo. Nunca ha visto Lalla una noche tan hermosa. Abajo, en la Cité, o en las orillas de la mar, había siempre un velo que empañaba la vista, porque los hombres estaban allí, alrededor, con sus fuegos, su alimento, su aliento. Pero aquí todo es puro. El Hartani se echa ahora a su lado, y un gran vértigo los atraviesa, ensancha sus pupilas.

El rostro del Hartani está tenso, como si la piel de su frente y sus mejillas fuera de piedra pulida. Lentamente, sobre ellos, el espacio se puebla de estrellas, miles de estrellas. Emiten blancos centelleos, palpitan, dibujan sus figuras secretas. Los dos fugitivos las miran, casi sin respirar, con los ojos abiertos como platos. Sienten que el dibujo de las constelaciones se acomoda en sus rostros, como si ambos no existieran más que por la mirada, como si bebieran la suave luz de la noche. No piensan en nada más, ni en el camino del desierto, ni en el sufrimiento del día siguiente, ni en los demás días; ya no sienten sus heridas, ni la sed y el hambre, ni nada terrestre; han olvidado incluso el ardor del sol, que les ha ennegrecido la cara y el cuerpo, que ha devorado el interior de sus ojos.

La luz de las estrellas cae con la suavidad de una lluvia. No hace ruido, no levanta polvo, no comba ningún viento. Alumbra ahora el pedregal, y junto a la boca del pozo, el árbol calcinado se aligera y debilita como si fuera humo. La tierra ya no es muy llana, se ha alargado como la proa de una barca y avanza ahora con suavidad, se desliza arfando y balanceándose, va despacio entre las hermosas estrellas, mientras los dos críos, apretados uno contra el otro, ya leves los cuerpos, se entregan a los gestos del amor.

Una estrella nueva aparece a cada instante, minúscula, posible a duras penas en la oscuridad, y los hilos imperceptibles de su luz se unen a los otros. Hay bosques de luz gris, roja, blanca, que se mezclan con el azul profundo de la noche y se petrifican como burbujas.

Más tarde, mientras el Hartani se duerme tan tranquilo recostando en ella la cara, Lalla mira todos los signos, todos los destellos de luz, todo lo que palpita, tiembla o permanece inmóvil como unos ojos. Más arriba todavía, justo encima de ella, se sitúa la gran Vía Láctea, el camino trazado por la sangre del cordero de Gabriel, según lo que contaba el viejo Namán.

Bebe la palidísima luz que viene del cúmulo de estrellas, y de repente le parece estar tan cerca, como en la canción que cantaba la voz de Lalla Hawa, que le bastaría tender la mano para coger un puñado de la bella luz resplandeciente. Pero no se mueve. Su mano, apoyada en el cuello del Hartani, escucha el latido de la sangre en sus arterias y el paso tranquilo de su respiración. La noche ha aplacado la fiebre del sol y la sequedad. La luz de la galaxia ha mitigado la sed, el hambre, la angustia, y hay en su piel, parecen gotas, la marca de cada estrella del cielo.

Ya no ven la tierra en este instante. Los dos críos, apretados uno contra el otro, viajan en medio del cielo abierto.

Cada día añadía un poco de tierra. La caravana se había dividido en tres columnas, distantes entre sí dos o tres horas de marcha. La de Lagdaf estaba a la izquierda, junto a las estribaciones del Hau, en dirección a Sidi el-Hach. La de Saad Bu, el hijo pequeño del gran *cheij*, a la derecha del todo, remontando el lecho reseco del Zhang Saccum, en el centro de la vaguada de Sagia el-Hamra. En medio, y en la retaguardia, avanzaba Ma el-Ainin con sus guerreros a lomos de los camellos. Luego, la caravana de los hombres, las mujeres y los niños que, empujando por delante su ganado, seguían la gran nube de polvo rojo que ascendía al cielo frente a ellos.

Andaban cada día por la cuenca de la inmensa vaguada, mientras el sol seguía el camino inverso por encima de sus cabezas. Era el final del invierno y las lluvias todavía no habían aliviado la tierra. La cuenca de Sagia el-Hamra estaba resquebrajada y endurecida como una piel vieja. Su color rojo abrasaba hasta los ojos y la piel de la cara.

Por la mañana, poco antes de la salida del sol, retumbaba la llamada para la primera plegaria. Se oía luego el ajetreo de las bestias. Las humaredas de los braseros colmaban la vaguada. Sonaban a lo lejos los gritos salmodiados de los soldados de Lagdaf, a los que respondía la gente de Saad Bu. Pero los hombres azules del gran jeque oraban en silencio. Cuando la primera polvareda roja se elevaba en el aire, los hombres ponían en marcha los rebaños. Cada uno recogía su carga y reanudaba la marcha por la tierra aún gris y fría.

La luz nacía con lentitud en el horizonte, por encima de la Hamada. Los hombres miraban el disco resplandeciente que iluminaba la cuenca de la vaguada, y fruncían el ceño y se iban encorvando un poco, como si quisieran luchar contra el peso y el dolor que descargaba la luz en sus frentes y en sus hombros.

Los grupos de Lagdaf y de Saad Bu estaban a veces tan próximos, que podía oírse el ruido de los cascos de sus caballos y los gruñidos de los camellos. Las tres nubes de polvo se unían entonces en el cielo y velaban casi el sol.

Cuando el sol llegaba al cenit, se levantaba el viento y barría el espacio, despidiendo murallas de polvo rojo y arena. Los hombres mantenían quietos los rebaños en semicírculo, y se ponían a cubierto detrás de los camellos agachados, o contra los arbustos espinosos. La tierra parecía tan grande como el cielo, tan vacía, tan deslumbrante.

Tras el grupo del gran *cheij*, marchaba Nur con su carga de víveres en una tela grande anudada en torno al pecho. Cada día, desde el alba hasta la puesta de sol, marchaba por el rastro de los caballos y los hombres sin saber adónde iba, sin ver a su padre, ni a su madre, ni a sus hermanas. Se encontraba con ellos algunas veces al atardecer, cuando los viajeros encendían las hogueras con ramas menudas para el té y las gachas. No hablaba con nadie, y nadie hablaba con él. Era como si el cansancio y la sequedad le hubieran abrasado las palabras en la garganta.

Cuando había caído la noche y los animales se habían hecho un hueco para dormir, Nur podía mirar alrededor la inmensa vaguada desierta. Alejándose un poco del campamento, manteniéndose de pie en la llanura reseca, Nur tenía la impresión de ser tan alto como un árbol. La vaguada, extensión infinita de piedras y arena roja inalterada desde el comienzo de los tiempos, parecía no tener límites. De trecho en trecho estaban las siluetas calcinadas de las pequeñas acacias, de los zarzales, y las matas de las cácteas y de los palmitos, allí donde la humedad de la vaguada introducía vagas manchas oscuras. En la penumbra de la noche, la tierra tomaba un color mineral. Nur, entonces, esperaba de pie, absolutamente inmóvil, a que la oscuridad cayera al fin, y llenase toda la vaguada despacio, como un agua impalpable.

Más tarde, otros grupos de nómadas vinieron a juntarse a la caravana de Ma el-Ainin. Parlamentaron con los jefes de las tribus para preguntarles adónde iban, y siguieron la misma ruta. Ahora eran varios miles los que marchaban por la vaguada hacia los pozos de Hausa, el-Faunat, Yorf.

Nur no sabía ya cuántos días hacía que había emprendido el viaje. Puede que fuera sólo una única e interminable jornada la que así discurría, mientras el sol subía y volvía a caer en el cielo ardiente y la nube de polvo rodaba sobre sí misma, rompía como una ola. Los hombres de los hijos de Ma el-Ainin iban muy adelante, debían de haber alcanzado ya el final de Sagia el-Hamra, más allá del sepulcro de Rayem Mohammed Embarek, allí donde se abre, en la estepa de la Hamada, el valle lunar del Mesuar. Puede incluso que sus camellos estuvieran ya trepando las pendientes de las colinas rocosas y vieran abrirse tras ellos la inmensa vaguada de Sagia el-Hamra, donde se arremolinaban las nubes ocre rojo de los hombres y los rebaños de Ma el-Ainin.

Los hombres y las mujeres aminoraban ahora la marcha de la última columna. De vez en cuando, Nur se paraba a esperar el grupo en que estaban su madre y sus hermanas. Se sentaba en las piedras ardientes, con el vuelo del manto echado sobre la cabeza, y miraba el rebaño que avanzaba por la pista con lentitud. Los guerreros sin montura marchaban encorvados, abrumados por los fardos que portaban a hombros. Algunos se apoyaban en sus largos fusiles, en sus lanzas. Sus caras eran negras, y entre el crujido de sus pasos en la arena, Nur oía el sonido doloroso de su respiración.

Detrás venían los niños y los pastores, que hostigaban el rebaño de cabras y corderos, los forzaban a avanzar a pedradas. Los remolinos de polvo los envolvían como una niebla roja, y Nur miraba las siluetas extrañas, desgreñadas, que parecían bailar en medio del polvo. Las mujeres marchaban al lado de los camellos de albarda y algunas llevaban a sus retoños en el interior de los mantos, caminando despacio con los pies desnudos por la tierra ardiente. Nur oía el ruido claro de sus collares de oro y de cobre, las pulseras de sus tobillos. Marchaban entonando una canción interminable y triste, que iba y venía como el ruido del viento.

Pero al final del todo venían los que no podían más, los ancianos, los niños, los heridos, las jóvenes que habían perdido a todos sus hombres y no tenían a nadie para ayudarlas a encontrar el agua y el alimento. Eran muy numerosos, desperdigados a lo largo de la pista en la vaguada de Sagia, y seguían llegando horas después de que los soldados del *cheij* hubieran pasado. Nur los miraba con compasión sobre todo a ellos.

De pie al borde de la pista, los veía marchar lentamente, desplazando a duras penas sus piernas abotagadas por la fatiga. Sus rostros eran grises, demacrados, con unos ojos que brillaban de fiebre. Les sangraban los labios; las manos y el pecho los tenían señalados de llagas cuya sangre coagulada se había mezclado con el oro del polvo. El sol los castigaba como a las piedras rojas del camino, y eran auténticos golpes lo que encajaban. Las mujeres no llevaban calzado alguno, y tenían los pies desnudos abrasados por la arena y carcomidos por la sal. Pero lo que resultaba más doloroso en ellos, lo que provocaba la inquietud y la piedad, era su silencio. Ninguno de ellos hablaba ni cantaba. Nadie lloraba ni gemía. Todos, hombres, mujeres, niños de pies ensangrentados, avanzaban sin hacer ruido, como vencidos, sin pronunciar una palabra. Se oía sólo el ruido de sus pasos en la arena, y el jadeo corto de su respiración. Y se alejaban despacio, haciendo jinglar sus fardos en los riñones, como curiosos insectos tras la tempestad.

Nur permanecía erguido al borde de la pista con su fardo apoyado en los pies. Cada tanto, cuando una anciana o un soldado herido venía hacia él, intentaba hablarles, se les acercaba, les decía:

«Hola, hola, ¿seguro que no estás demasiado cansado?, ¿quieres que te ayude a llevar tu carga?».

Pero ellos permanecían en silencio, ni siquiera lo miraban, y sus rostros, agarrotados por el dolor y la luz, eran duros como las piedras de la vaguada.

Llegaba un grupo de hombres del desierto, guerreros de Chingeti. Sus grandes mantos azul celeste estaban hechos jirones. Se habían vendado las piernas y los pies con trapos ensangrentados. No llevaban nada, ni un saco de arroz, ni un pellejo de agua. Ya sólo tenían sus fusiles y sus lanzas, y marchaban con dolor, como los viejos y los niños.

Uno de ellos estaba ciego, se agarraba a los demás por los faldones de sus mantos, tropezando con las piedras del camino, dándose con las raíces de los peores zarzales.

Cuando pasó junto a Nur, y oyó la voz del joven, que lo saludaba, soltó el manto de su compañero y se detuvo:

«¿Ya hemos llegado?», preguntó.

Los demás continuaron su ruta, sin volverse siquiera. El guerrero del desierto tenía un rostro todavía joven, pero agotado por la fatiga, y un trozo de tela sucia le tapaba los ojos abrasados.

Nur le dio de beber un poco de su agua, se echó otra vez su bulto a los hombros y colocó la mano del guerrero en su manto:

«Ven, ahora te guiaré yo».

Reanudaron la marcha por la pista, por delante de la gran nube de polvo rojo, hacia el fondo de la vaguada.

El hombre no hablaba. Su mano se asía con fuerza al hombro de Nur, con tanta fuerza que le hacía daño. Al atardecer, cuando hicieron alto en el pozo de Yorf, el joven se encontraba al límite de sus fuerzas. Estaban ahora al pie de las escarpas rojas, donde empiezan las mesas del Haua, y el valle que se dirige al norte.

Todas las caravanas se habían reagrupado aquí, las de Lagdaf y de Saad Bu y los hombres azules del gran *cheij*. A la luz del crepúsculo, Nur miraba los miles de hombres sentados en la tierra reseca, en torno a la mancha negra del pozo. El polvo rojo se iba posando poco a poco y los humos de los braseros subían ya al cielo.

Cuando Nur se repuso, recogió el fardo, pero sin atárselo alrededor del pecho. Tomó la mano del guerrero ciego y anduvieron hasta el pozo.

Todos habían bebido ya, los hombres y las mujeres al este del pozo, los animales al oeste. El agua estaba turbia, mezclada con el barro rojo de las orillas. Sin embargo, a los hombres nunca les había parecido tan hermosa. El cielo despejado brillaba en su superficie negra como en un metal bruñido.

Nur se inclinó hacia el agua y bebió a largos tragos, sin darse un respiro. Arrodillado al borde del pozo, también bebía el guerrero ciego, con avidez, casi sin ayudarse con el hueco de la mano. Cuando quedó saciado, se sentó al borde del pozo con la barba y el rostro oscuro chorreando agua.

Volvieron luego hacia atrás, hacia los rebaños. Era orden del *cheij*, pues nadie podía permanecer junto al pozo, a fin de no enturbiar el agua.

La noche caía deprisa, cerca de la Hamada. La oscuridad se adueñaba del valle y sólo exponía los picos de piedra roja a la llama del sol.

Nur buscó un instante a su padre y a su madre, sin verlos. Puede que ya hubieran reanudado la marcha hacia la entrada de la pista del norte, con los soldados de Lagdaf. Nur escogió un sitio para pasar la noche, junto a los rebaños. Echó el fardo a tierra y compartió un trozo de pan de mijo y unos dátiles con el guerrero ciego. El hombre comió deprisa, y se tendió en el suelo con las manos bajo la cabeza. Nur aprovechó para hablarle, para preguntarle quién era. El hombre relató con parsimonia, la voz un poco tomada de tanto haber callado, todo lo que había pasado allá lejos, en Chingeti, cerca del gran lago salado de Chinchan: los soldados de los cristianos habían atacado las caravanas, habían incendiado las ciudades, habían llevado a los niños a los campos. Cuando los soldados de los cristianos llegaron desde el oeste, desde las orillas del mar, o del sur, guerreros vestidos de blanco montados en camellos y hombres negros de Níger, la gente del desierto se vio obligada a huir hacia el norte. Fue en el curso de un combate cuando un fusil lo hirió y lo dejó ciego. Entonces sus compañeros lo habían traído hacia el norte, hacia la ciudad santa de Smara, porque decían que el gran *cheij* podía sanar las heridas provocadas por los cristianos, tenía el poder de devolver la vista. Mientras hablaba, sus párpados cerrados no podían contener las lágrimas, porque le venía a las mientes todo lo que había perdido.

«¿Sabes dónde estamos ahora?» Se pasaba el rato preguntándoselo a Nur, como si temiera ser abandonado allí, en medio del desierto.

«¿Sabes dónde estamos? ¿Estamos lejos todavía del lugar donde podremos detenernos?»

«No», decía Nur, «vamos a llegar pronto a las tierras que nos ha prometido el *cheij,* esas donde nada nos faltará, donde todo será como en el reino de Dios.»

Pero no tenía la menor idea, y en el fondo de su corazón pensaba que quizá nunca llegarían a esa tierra, ni aunque lograran atravesar el desierto, las montañas e incluso el mar, hasta el lugar donde nace el sol en el horizonte.

El guerrero ciego continuaba hablando, pero no hablaba ya sobre la guerra. Contaba casi en voz baja su infancia en Chingeti, la ruta de la sal, con su padre y sus hermanos. Contaba las enseñanzas en la mezquita de Chingeti, y la partida de las inmensas caravanas, a través de las extensiones del desierto, hacia el Adrar y, más al este todavía, hacia las montañas de Hank, hacia el pozo de Abdelmalek, donde se encuentra el sepulcro milagroso. Hablaba de todo ello con suavidad, casi canturreando, tumbado en el suelo, y la noche le cubría el rostro y los ojos abrasados con sombra fresca.

Nur se acostaba a su lado, arropado en su manto de lana, con la cabeza apoyada en el fardo, y se dormía con los ojos abiertos, mirando el cielo y escuchando la voz del hombre, que hablaba para él solo.

Las noches del desierto eran frías, pero la lengua y los labios de Nur seguían ardiendo, y le parecía soportar en los párpados añicos calentados al fuego. El viento pasaba sobre los riscos, soplaba sobre las dunas, hacía tiritar de fiebre a los hombres en sus harapos. En algún lugar entre sus guerreros dormidos, vestido con su manto blanco, miraba la noche el viejo *cheij*, sin dormir, como llevaba haciendo meses. Su mirada escrutaba el revoltijo de estrellas que bañaba la tierra con su claridad difusa. En ciertos momentos daba algunos pasos entre los hombres dormidos, y volvía a su sitio para sentarse de nuevo. Bebía té, despacio, escuchando las crepitaciones del carbón en el brasero.

Pasaron así los días, abrasadores y terribles, mientras el tropel de los hombres y las bestias remontaba la vaguada hacia el norte. Seguían ahora la pista del Tinduf, a través de la estepa árida de la Hamada. Los hijos de Ma el-Ainin, con los hombres más válidos, cabalgaban por delante explorando las quebradas de los montes Uarkziz, pero era una ruta demasiado dura para las mujeres y los niños, y el *cheij* había decidido seguir la pista del este.

En la cola de la caravana marchaba Nur, con la mano del guerrero sujeta a su hombro. El fardo de la comida se aligeraba cada día más, y Nur sabía de sobra que no alcanzaría hasta el final del viaje.

Marchaban ahora por la inmensa estepa pedregosa, casi tocando el cielo. Cruzaban a veces hondonadas, grandes heridas negras en la roca blanca, rocallas de guijarros como cuchillos. El guerrero ciego se asía muy fuerte al hombro y al brazo de Nur, para no caer.

Los hombres arrastraban destrozado el calzado de cuero de cabra, y muchos se habían vendado los pies con jirones de sus propias vestiduras, para taponar el flujo de la sangre. Las mujeres llevaban los pies descalzos, porque estaban habituadas desde la infancia, pero algunas veces un guijarro más afilado les sajaba la carne y lanzaban un gemido sin detenerse.

El guerrero ciego no hablaba nunca de día. Su rostro oscuro le quedaba oculto por el manto azul y el vendaje que le cubría los ojos como el capirote de un halcón. Marchaba sin quejarse, y desde que Nur lo guiaba no temía ya perderse, únicamente cuando sentía caer la tarde, cuando los hombres de Lagdaf y de Saad Bu, lejos, muy adentrados en los valles, gritaban con sus voces cantarinas la señal de alto, el guerrero ciego preguntaba, siempre con la misma inquietud:

«¿Es aquí? ¿Ya estamos? Dime, ¿hemos llegado al sitio en el que nos quedaremos para siempre?».

Nur miraba alrededor y veía sólo la extensión sin fin de la piedra y el polvo, la

tierra siempre igual bajo el cielo. Se quitab
el fardo de encima y se limitaba a decir:
«No, todavía no es aquí».

Entonces, como cada tarde, el guerr
ciego bebía algunos sorbos del odre, co
algunos dátiles y pan, y se tendía en el
lo, y continuaba hablando de las cosas
tierra, de la gran ciudad de Chingeti, junto
al lago Chinchan. Hablaba del oasis donde
el agua es verde, donde las palmeras son inmensas y dan frutos dulces como la miel,
donde la sombra está henchida del canto de
los pájaros y de la risa de las jóvenes que van
a sacar agua. Lo contaba con esa voz suya
que arrullaba un poco, como si se acunara a
sí mismo para atenuar el sufrimiento. Algunas veces venían sus compañeros a sentarse
a su lado, compartían con Nur el pan y los
dátiles, o preparaban infusiones con la hierba *chiba*. Escuchaban el monólogo del guerrero ciego y hablaban, también ellos, de su
tierra, de los pozos del sur, Atar, Uzheft,
Tamchakatt, y de la gran ciudad de Ualata.
Hablaban una lengua extraña y dulce como
la de las plegarias, y sus rostros demacrados
eran del color del metal. Cuando el sol raya-
ba casi en el horizonte, y la estepa desierta
se volvía radiante de luz, se arrodillaban y
elevaban su plegaria hundiendo la frente en el
polvo. Nur ayudaba al guerrero ciego a pros-
ternarse en dirección a levante y se acostaba luego, arropado con el manto, y escuchaba
el rumor de voces de los hombres hasta el
sueño.

Así atravesaron los montes de Uarkziz, siguiendo las fallas y los lechos de los torrentes desecados. La caravana se estiraba por toda la estepa, de una punta a otra del horizonte. La gran nube de polvo rojo subía cada día hacia el cielo azul, se doblaba al viento. Los rebaños de cabras y corderos, los camellos de albarda avanzaban en medio de los hombres, los cegaban con el polvo. Muy atrasados, los ancianos, las mujeres enfermas, los niños abandonados, los guerreros lisiados, marchaban inmersos en la dulzura de la luz, con la cabeza inclinada y la debilidad en las piernas, dejando a su paso un reguero de sangre.

La primera vez que Nur vio caer a alguien a un lado de la pista sin un grito, hubiera querido detenerse; pero los guerreros azules y quienes marchaban con él lo empujaron hacia adelante, sin decir nada, porque ya no había nada que hacer. Ahora Nur ya no se detenía. A veces se dibujaba en el polvo la forma de un cuerpo, brazos y piernas recogidos, como si durmiera. Era un viejo, o una mujer, a quien la fatiga y el dolor habían detenido allí mismo, a un lado de la pista, golpeado en la nuca como con un martillo, con el cuerpo ya consumido. El viento que sopla arrojaría encima montones de arena, lo enterraría en el acto sin necesidad de cavarle una tumba.

Nur pensaba en la vieja que le había dado té en el campamento de Smara. Puede que hubiera caído también, atacada por el sol, y la hubiera cubierto la arena del desierto. Pero no pensaba mucho en ella, porque cada paso que daba era como la muerte de una persona, muerte que borraba sus recuerdos; como si la travesía del desierto tuviera que destruir todo, quemar todo en su memoria, hacer de él un muchacho diferente. La mano del guerrero ciego lo empujaba hacia adelante cuando el ritmo de sus piernas flaqueaba de fatiga, y puede que sin esa mano apoyada en el hombro hubiera caído también él, brazos y piernas recogidos, al borde de la pista.

Había siempre nuevas montañas en el horizonte, la estepa de piedras y arena parecía interminable, como el mar. Cada atardecer, el guerrero ciego le decía a Nur al oír las voces de alto:

«¿Es aquí? ¿Hemos llegado?».

Y añadía:

«Dime lo que ves».

Pero Nur se limitaba a responder:

«No, no es aquí. Sólo hay desierto, hay que seguir más lejos».

La desesperación ganaba a los hombres. Hasta los guerreros del desierto, los hombres azules invencibles de Ma el-Ainin, estaban cansados y su mirada era ignominiosa, como la de los hombres que han cesado de creer.

Se quedaban sentados en grupitos, con los fusiles apoyados en los brazos, sin hablar. Cuando Nur iba a ver a su padre y a su madre para pedirles agua, el silencio de éstos era lo que más lo aterraba. Era como si la amenaza de la muerte hubiera alcanzado a los hombres y no tuvieran más fuerzas para amarse.

La mayor parte de la gente de la caravana, las mujeres, los niños, estaba postrada en la tierra esperando a que el sol se extinguiera en el horizonte. No tenían siquiera fuerzas para elevar la plegaria, pese a la llamada de los religiosos de Ma el-Ainin que resonaba en la estepa. Nur se tendía en el suelo con la cabeza reclinada en el fardo casi vacío, y miraba el cielo sin fondo que cambiaba de color escuchando la voz del ciego, que canturreaba.

A veces tenía la impresión de que todo era un sueño, un terrible, interminable sueño que él tenía con los ojos abiertos y lo arrastraba por las rutas de las estrellas, por la tierra lisa y dura como una piedra pulida. Los sufrimientos eran lanzas tendidas, y él avanzaba sin comprender qué lo desgarraba. Era como si saliera de sí mismo, abandonando su cuerpo en la tierra abrasada, su cuerpo inmóvil en el desierto de piedras y arena, igual que una mancha, un montón de trapos viejos tirado por el suelo entre todos los demás montones de trapos desechados, y su alma se aventuraba en el cielo escarchado, en medio de las estrellas, recorriendo en un abrir y cerrar de ojos todo el espacio que su vida entera no alcanzaría a reconocer. Veía así, surgidas como espejismos, las ciudades extraordinarias con sus palacios de piedra blanca, las torres, las bóvedas, los grandes jardines rezumantes de agua pura, los árboles atiborrados de fruta, los macizos de flores, las fuentes en que se reunían las jóvenes de risas ligeras. Veía todo esto con claridad, se introducía en el agua fresca, bebía en las cascadas, saboreaba cada fruta, aspiraba cada aroma. Pero lo más extraordinario era la música que oía cuando él se iba de su cuerpo. Nunca había oído nada parecido. Era la voz de una joven que cantaba en lengua bereber una canción dulce que se movía en el aire y repetía todo el tiempo la misma cantilena de esta manera:

«Un día, oh, un día, el cuervo se volverá blanco, el mar se secará, prepararemos un lecho con las ramas de la acacia, oh, un día, no habrá ya veneno en la boca de la serpiente, y las balas de los fusiles no llevarán la muerte, porque será el día en que dejaré a mi amor...».

¿De dónde venía esta voz tan clara, tan dulce? Nur sentía su espíritu deslizarse más lejos todavía, más allá de esta tierra, más allá de este cielo, hacia ese lugar en el que hay nubes negras cargadas de lluvia, ríos profundos y anchos por donde el agua no cesa nunca de correr.

«Un día, oh, un día, el viento no soplará en la tierra, los granos de arena se volverán dulces como el azúcar, bajo cada piedra blanca manará una fuente esperándome, un día, oh, un día, las abejas cantarán para mí, porque será el día en que dejaré a mi amor...»

Allí gruñen los rugidos misteriosos de la tormenta, allí reinan el frío, la muerte.

«Un día, oh, un día, lucirá el sol de la noche, el agua de la luna dejará sus charcos en la tierra, el cielo regalará el oro de las estrellas, un día, oh, un día, veré mi sombra bailar para mí, porque será el día en que dejaré a mi amor...»

De allí viene el orden nuevo, el que expulsa a los hombres azules del desierto y siembra el pavor por todas partes.

«Un día, oh, un día, el sol será negro, la tierra se abrirá hasta el centro, el mar cubrirá la arena, un día, oh, un día, mis ojos ya no verán la luz, mi boca ya no podrá decir tu nombre, mi corazón cesará de latir, porque será el día en que dejaré a mi amor...»

La voz desconocida se alejaba entre murmullos y Nur oía de nuevo la canción lenta y triste del guerrero ciego, que hablaba solo, con la cara vuelta hacia el mismo cielo que no podía ver.

La caravana de Ma el-Ainin llegó una tarde a la orilla del Draa, al otro lado de las montañas. Allí, descendiendo hacia el oeste, vieron las humaredas de los campamentos de los grupos de Lagdaf y de Saad Bu. Cuando los hombres se reunieron de nuevo, renació la esperanza. El padre de Nur vino a su encuentro, y lo ayudó a llevar su bulto.

«¿Dónde estamos? ¿Es aquí?», preguntaba el guerrero ciego.

Nur le explicó que habían cruzado el desierto y que ya no estaban lejos de su objetivo.

Hubo una especie de fiesta esa noche. Por primera vez desde hacía mucho, se oía el sonido de las guitarras y los tambores, y el canto claro de las flautas.

La noche era más suave en el valle, había hierba para los animales. Nur comió el pan de mijo y los dátiles en compañía de su padre y su madre, y el guerrero ciego recibió también su parte. Habló con ellos del camino que habían recorrido, desde Sagia el-Hamra hasta el sepulcro de Sidi Mohammed el-Quenti. Y anduvieron juntos, guiando al guerrero ciego a través de las brozas, hasta el lecho desecado del Draa.

Había muchos hombres y animales, porque a los hombres y rebaños de la caravana del gran *cheij* se habían unido los nómadas del Draa, los de los pozos del Tasuf, los hombres de Meseied, de Tcart, de El-Gaba, de Sidi Brahim el-Aattami, todos a quienes la miseria y la amenaza de la llegada de los franceses habían expulsado de las regiones de la costa, y habían llegado a saber que el gran *cheij* Ma el-Ainin se encaminaba a la guerra santa, para echar a los extranjeros de las tierras de los creyentes.

En ese momento no se veían los huecos que había abierto la muerte en las filas de los hombres y las mujeres. Ya no se veía que la mayoría de los hombres estaban heridos o enfermos, ni que los niños pequeños morían lentamente en los brazos de sus madres, consumidos por la fiebre y la deshidratación.

Lo único que se veía por todas partes, por

el lecho negro del río desecado, eran esas siluetas que andaban lentamente, y esos rebaños de cabras y corderos, y esos hombres
montados en sus camellos, en sus caballos,
que iban a algún sitio, hacia su destino.

Durante días remontaron el inmenso valle del Draa, por la extensión de arena agrie-
tada, endurecida como la tierra cocida en el
horno, por el lecho negro del río cuyo cenit
solar abrasaba como una llama. Al otro lado
del valle, los hombres de Lagdaf y de Saad Bu
lanzaron sus caballos por el angosto torrente
arriba, y los hombres, las mujeres, los rebaños siguieron la ruta que les habían marca-
do. Los guerreros de Ma el-Ainin iban ahora los últimos, a lomos de sus camellos, y
Nur marchaba con ellos guiando al guerrero
ciego. La mayor parte de los soldados de Ma
el-Ainin iba a pie, ayudándose con sus fusiles y sus lanzas para escalar los barrancos.
    Esa misma tarde, la caravana alcanzó el
pozo profundo, el que llamaban Ain el-Ja-
dra, no lejos de Torkoz, al pie de las montañas. Como cada atardecer, Nur fue por agua
para el guerrero ciego, e hicieron sus ablu-
ciones y su plegaria. Luego Nur se acomo-
dó no lejos de los guerreros del *cheij* para
pasar la noche. Ma el-Ainin no montaba su
tienda. Dormía afuera, como los hombres
del desierto, cubierto tan sólo con su manto blanco, en cuclillas, en la sudadera de su
silla de montar. La noche caía con rapidez,

porque las altas montañas estaban próximas. El frío hacía tiritar a los hombres. Junto a Nur, ya no cantaba el guerrero ciego. Puede que no se atreviera por la presencia del *cheij,* o que estuviera demasiado cansado para hablar.

Cuando Ma el-Ainin tomó la cena con sus guerreros, mandó que llevaran un poco de comida y té a Nur y su compañero. El té les sentó particularmente bien, y Nur pensaba que nunca había bebido nada mejor. Los alimentos y el agua fresca del pozo eran como una luz en el cuerpo que los revitalizaba. Nur comía el pan mirando la silueta sentada del anciano envuelta con el gran manto blanco.

De cuando en cuando venía gente a presencia del *cheij* a solicitar su bendición. Él los recibía, les hacía sentarse a su lado, les ofrecía una parte de su pan, les hablaba. Ellos se iban tras besarle el faldón del manto. Eran hombres nómadas del Draa, pastores astrosos o mujeres azules que llevaban a sus pequeños arrebujados en sus mantos. Querían ver al *cheij* para recibir un poco de fuerza, un poco de esperanza; para que aliviase las llagas de sus lastimados cuerpos.

Más tarde, entrada la noche, Nur se despertó sobresaltado. Vio al guerrero ciego inclinado sobre él. La claridad de las estrellas hacía relumbrar vagamente su rostro plagado de sufrimiento. Como Nur se echaba hacia atrás, casi aterrado, el hombre dijo en voz baja:

«¿Él va a devolverme la vista? ¿Podré ver de nuevo?».

«No sé», dijo Nur.

El guerrero ciego gimió y cayó otra vez al suelo, incrustando la cabeza en el polvo.

Nur miraba alrededor. Al fondo del valle, al pie de las montañas, no se percibía ya un solo movimiento, ni un ruido. Por todas partes dormían los hombres arrebujados en sus telas para combatir el frío. Solo, sentado en su manta sudadera, corno si para él la fatiga no existiese, Ma el-Ainin seguía inmóvil, con la mirada clavada en el paisaje nocturno.

Nur se acostaba de lado, con la mejilla apoyada en el brazo, y miraba con detenimiento al anciano, que estaba rezando, y era como si partiese una vez más por la senda de un sueño interminable, un sueño más grande que él, que lo condujera hacia otro mundo.

Cada día, cuando salía el sol, los hombres estaban ya en pie. Recogían los bultos sin decir nada y las mujeres se fajaban los niños a la espalda. Los animales también se incorporaban, y pateaban el suelo levantando la primera polvareda, porque la orden del viejo penetraba en ellos, subía con el calor del sol y la ebriedad del viento.

Reanudaban la marcha hacia el norte, a través de las montañas recortadas del Taisa, surcando desfiladeros abrasadores como los flancos de un volcán.

A veces, al atardecer, cuando llegaban ante el pozo, hombres y mujeres azules, surgidos del desierto, se les presentaban solícitos con ofrendas, como dátiles, leche cuajada, pan de mijo. El gran *cheij* les impartía su bendición, pues habían traído consigo a sus niños enfermos del vientre o de los ojos. Ma el-Ainin los uncía con un poco de tierra que mezclaba con su saliva, les imponía las manos en la frente; luego las mujeres se iban, regresaban al desierto rojo como habían venido. También venían a veces hombres con sus fusiles y sus lanzas para unirse a la tropa. Eran campesinos de extraños ojos verdes y aspecto rudo, pelirrojos o rubios.

La caravana llegó, por la otra cara de las montañas, al palmeral de Taidalt, donde nacen el río Nun y la pista de Gulimín. Nur pensaba que podrían descansar y beber a satisfacción, pero el palmeral era pequeño y estaba minado por la sequedad y por el viento del desierto. Las grandes dunas grises habían devorado el oasis, y el agua era color barro. No había casi nadie en el palmeral, sólo algunos viejos consumidos por el hambre; el grupo de Ma el-Ainin reanudó la marcha al día siguiente, encaminándose por el cauce reseco del río hacia Gulimín.

Antes de llegar a la ciudad, los grupos de los hijos de Ma el-Ainin partieron en avanzadilla. Dos días más tarde regresaron trayendo las malas noticias: los soldados de los cristianos habían desembarcado en Sidi Ifni y maniobraban también ellos hacia el norte.

Lagdaf quería ir a Gulimín de todas formas para enfrentarse a los franceses y a los españoles, pero el *cheij*, señalando a los hombres que acampaban en la llanura, se limitó a preguntarle: «¿Son ésos tus soldados?». Lagdaf hubo de bajar la cabeza y el gran *cheij* dio la orden de partida, a la altura de Gulimín, hacia el palmeral de Ait Buja, para cruzar luego las montañas hasta la pista de Bu Izakarn, al este.

Pese al cansancio, los hombres y las mujeres caminaron durante semanas por las montañas rojas, siguiendo los torrentes sin agua. Los hombres azules, las mujeres, los pastores con sus rebaños, los camellos de albarda, los jinetes, todos tenían que filtrarse entre los bloques de piedra, encontrar un paso para salvar las rocallas. Llegaron así a la ciudad santa de Sidi Ahmed u Musa, el patrón de los acróbatas y los malabaristas. La caravana se instaló a lo largo de todo el valle árido. Sólo el *cheij* y sus hijos, y los de la Gudfiya, se quedaron en el recinto del sepulcro, mientras los notables se presentaban a rendirles pleitesía.

Elevaron en aquel atardecer una plegaria común bajo el cielo estrellado, y los hombres y las mujeres se reunieron en torno al sepulcro del santo. Al calor de los fuegos encendidos, el silencio sólo era interrumpido por la crepitación de las ramas secas, y Nur veía la leve silueta del *cheij* acurrucado en el suelo, recitando en voz baja la fórmula del *dikr*. Pero la de aquel atardecer era una plegaria sin gritos y sin música, porque la muerte estaba demasiado próxima y el cansancio les ponía un nudo en la garganta. Se elevaba solitaria aquella voz dulcísima, leve como el humo, que canturreaba en medio del silencio. Nur miraba alrededor y veía a los miles de hombres vestidos con sus mantos de lana, sentados en el suelo, alumbrados a ramalazos por las hogueras. Permanecían inmóviles y silenciosos. Era la plegaria más intensa, más dolorosa que había oído jamás. Nadie se movía, salvo, de vez en cuando, una mujer que amamantaba a su hijo para dormirlo, o un viejo que tosía. En el valle de paredes elevadas no corría un soplo de aire, y las hogueras ardían esbeltas y con ganas. La noche era hermosa y escarchada, repleta de estrellas. Al poco, el resplandor de la luna se mostraba en el horizonte, sobre las negras escarpas, y el disco de plata, redondo y perfecto, ascendía hacia el cenit hora tras hora.

El *cheij* rezó toda la noche mientras los fuegos se apagaban uno a uno. Los hombres, abrumados de fatiga, se echaban a dormir en el lugar que ocupaban. Nur se había alejado dos o tres veces nada más para orinar tras los zarzales, al fondo del valle. No podía dormir, como si la fiebre le abrasara el cuerpo. Cerca de él, su padre, su madre y sus hermanas, arropados con sus mantos, habían sido vencidos por el sueño, como el guerrero ciego, que dormía con la cabeza descansando en la tierra fría.

Nur seguía mirando al anciano sentado junto al sepulcro blanco, que cantaba a media voz en medio del silencio de la noche como si acunara a un niño.

Al despuntar el día, la caravana reemprendió la marcha en compañía de los Ait u Musa y de los montañeses llegados desde Iligh, Tafermit, Ida Gugmar, Ifrán, Tighmi; todos los que querían seguir a Ma el-Ainin en su guerra en defensa del reino de Dios.

Hubo aún muchos días que transcurrieron a través de las montañas desiertas, por los barrancos y los torrentes desecados. El ardor del sol se renovaba cada día, la sed, el deslumbramiento del cielo demasiado blanco, los riscos demasiado rojos, el polvo que agobiaba a las bestias y a los hombres. Nur ya no se acordaba de lo que era la tierra cuando uno estaba inmóvil. Ya no se acordaba de los pozos cuando las mujeres van a sacar agua con sus tinajas y hablan como las aves. No se acordaba ya de la canción de los pastores que dejan los rebaños a su aire, ni de los juegos de los niños en la arena de las dunas. Era como si hubiera estado en marcha desde siempre, viendo sin descanso colinas idénticas, torrenteras, riscos rojos. Cómo le hubiera gustado por momentos sentarse en una piedra, en cualquier piedra al borde de la pista, y ver alejarse la larga caravana con las negras siluetas de los hombres y los camellos en el aire tembloroso, como si se tratara de un espejismo en plena disolución.

Pero la mano del guerrero ciego no le soltaba el hombro, lo empujaba hacia adelante, lo obligaba a mantener la marcha.

Cuando tenían a la vista alguna aldea, se detenían. El nombre del pueblo corría de boca en boca, vibraba en todos los labios: «Tighmi, Anezi, Asaka, Asersif...». Avanzaban ahora junto a un auténtico río, por el que corría un hilillo de agua. Las riberas se hallaban pobladas de acacias blancas y de arganes. Continuaban por una inmensa llanura de arena blanca como la sal, donde cegaba la luz del sol.

Un atardecer, mientras la caravana se instalaba para pasar la noche, llegó hasta el norte un tropel de guerreros acompañando a un hombre a caballo, vestido con un gran manto blanco.

Era el gran *cheij* Lahusin, que venía a ayudar con sus guerreros y a repartir alimentos entre los viajeros. Así comprendieron los hombres que el viaje tocaba a su fin, pues estaban a un paso del valle del gran río Sus, donde encontrarían agua y pastos para los animales, y tierra para todos los hombres.

Cuando se propaló la noticia entre los viajeros, Nur sintió la impresión del vacío y de la muerte una vez más, como antes de partir de Smara. Todos corrían arriba y abajo inmersos en el polvo; lanzaban gritos, se interpelaban: «¡Hemos llegado! ¡Hemos llegado!». El guerrero ciego presionaba con fuerza el hombro de Nur y también él gritaba: «¡Hemos llegado!».

Pero hasta dos días después no llegaron al valle del gran río, frente a la ciudad de Tarudant. Durante horas remontaron el curso del río, marchando por los estrechos hilos de agua que cubrían los cantos rojos. A pesar del agua del río, las riberas estaban secas y duras, y la tierra estaba dura, cocida por el sol y por el viento.

Nur marchaba por los cantos rodados arrastrando tras él al guerrero ciego. Pese al fuego del sol, el agua estaba helada. Algunos magros arbustos habían crecido en medio del río, en las isletas formadas por los cantos rodados. Había también grandes troncos blancos que las crecidas habían arrastrado desde la montaña.

Nur ya había olvidado la impresión de muerte. Era dichoso porque también él pensaba que el viaje tocaba a su fin, que ésta era la tierra que les había prometido Ma el-Ainin antes de dejar Smara.

El aire caliente estaba cargado de olores, pues era el comienzo de la primavera. Nur aspiraba este aroma por primera vez. Sobre los cursos de agua bailaban insectos, avispas, moscas ligeras. Hacía tanto tiempo que Nur no había visto animales, que era dichoso contemplando esas moscas y estas avispas. Aun cuando un tábano le picó de improviso a través de la ropa, no se enfadó, y se contentó espantándolo con la mano.

Al otro lado del río Sus, adosada a la montaña roja, se erigía como una visión celestial aquella gran ciudad de casas de barro.

Irreal, como suspendida a la luz del sol, la ciudad parecía aguardar a los hombres del desierto para ofrecerles amparo. Nur no había visto jamás una ciudad tan hermosa. Los altos muros de piedra roja y barro, sin ventanas, resplandecían a la luz de poniente. Un halo de polvo flotaba como polen sobre la ciudad, la rodeaba con su nube mágica.

Los viajeros se detuvieron en el valle, más abajo de la ciudad, y la miraron detenidamente con amor y reserva al mismo tiempo. Ahora eran conscientes, por primera vez desde el inicio del viaje, de su grado de extenuación, del miserable estado de sus andrajos, de sus pies vendados con trapos ensangrentados, de sus labios y párpados abrasados por el sol del desierto. Estaban sentados encima de los cantos rodados del río, y algunos habían montado sus tiendas, o habían construido abrigos con ramas y hojas. Como si también él sintiera la aprensión del gentío, Ma el-Ainin se había detenido con sus hijos y guerreros a la orilla del río.

Levantaban ahora las grandes tiendas de los jefes de tribu, descargaban los bultos de los camellos de albarda. La noche cayó sobre el recinto de la ciudad, el cielo se apagó y la tierra roja quedó en sombra, únicamente las altas cumbres del Atlas, el monte Tichka, el monte Tinergüet, cubiertas de escarcha, relucían aún al sol cuando el valle ya era dominio de la noche. Podía oírse la llamada a la plegaria del atardecer en la ciudad; una voz que resonaba extrañamente como un lamento. También los viajeros se prosternaban y oraban en los cantos rodados del río, sin elevar la voz, acompañados por el suave rumor del agua que corría.

Por la mañana Nur quedó deslumbrado. Había dormido de un tirón, sin notar los guijarros que le mortificaban los costados, ni el frío ni la humedad del río. Cuando despertó, vio la bruma que descendía despacio por el valle, como si la luz del día la empujara hacia adelante. En el lecho de la corriente, en medio de los hombres aún dormidos, andaban ya las mujeres acarreando agua o yendo a recoger ramas menudas. Los niños buscaban las quisquillas bajo las piedras planas.

Pero mirando la ciudad, Nur estaba maravillado. Al aire puro de la aurora, al pie de las montañas, la ciudad de Tarudant erigía su fortaleza. Sus muros de piedra roja, sus terrazas, sus torres, eran nítidos, precisos, parecían esculpidos en la roca misma de la montaña. La bruma blanca pasaba por momentos entre el lecho del río y la ciudad, la cubría a medias, como si la ciudadela flotara sobre el valle al modo de un bajel de tierra y piedra que se deslizara, lentamente, frente a las islas de las montañas nevadas.

Nur miraba el espectáculo sin poder apartar la vista. Las elevadas paredes sin ventanas eran fascinantes a sus ojos. Había algo misterioso y amenazante en esos muros, como si en lugar de hombres, vivieran en su interior espíritus sobrenaturales. Lentamente la luz aparecía en el cielo, rosa primero, luego ambarina, así hasta que un azul esplendoroso lo llenaba todo. La luz crepitaba en los muros de barro, en las terrazas, en los naranjales y en las grandes palmeras. Más abajo, los eriales atravesados de acequias presentaban un rojo casi violáceo.

Inmóvil en la playa fluvial, en medio de los hombres del desierto, en pleno silencio, Nur miraba el despertar de la ciudad mágica. Las leves humaredas se elevaban al aire, y se oían, casi irreales, los sonidos familiares de la vida, las voces, las risas de los niños, el canto de una joven.

Para los hombres del desierto, inmóviles en el lecho del río, estas humaredas, estos sonidos parecían inmateriales, como si soñaran esta ciudad fortificada en el flanco de la montaña, estos campos, estas palmeras, estos naranjos.

El sol estaba ahora en lo alto del cielo, abrasando ya los guijarros del lecho del río. Un olor extraño venía hasta el campamento de los nómadas, y Nur no lograba reconocerlo. No era el olor agrio y frío de los días de huida y miedo, ese olor que aspiraba desde hacía tanto tiempo a través del desierto. Era un olor a almizcle y aceite, poderoso, embriagador, el olor de los braseros donde arde el carbón de cedro, el olor a cilantro, pimienta, cebolla.

Nur respiraba este olor sin atreverse a hacer el menor movimiento por miedo a perderlo, y también el guerrero ciego compartía esta dicha. Todos los hombres estaban inmóviles, mirando sin pestañear, con los ojos desorbitados hasta el sufrimiento, la elevada muralla roja de la ciudad. Miraban la ciudad, tan próxima y tan lejana a un tiempo, la ciudad que acaso les abriría las puertas, y el corazón les latía más acelerado. Alrededor temblaban ya las playas de cantos del río al calor del día. Y ellos miraban sin moverse la ciudad mágica. Luego, como el sol proseguía su ascenso en el cielo azul, fueron cubriéndose uno a uno la cabeza con el vuelo de sus mantos.

La vida entre los esclavos

Acodada en la borda, Lalla mira la estrecha franja de tierra que aparece en el horizonte como una isla. Pese a la fatiga, mira la tierra con todas sus fuerzas, intenta distinguir las casas, las carreteras, puede que hasta las siluetas de la gente. Junto a ella, los viajeros están apiñados contra la borda. Gritan, gesticulan, hablan con vehemencia, se interpelan en todas las lenguas de un extremo al otro del puente trasero. ¡Hace tanto que aguardan este momento! Hay muchos niños y adolescentes. Llevan enganchada a la ropa la misma etiqueta, con sus nombres, fechas de nacimiento y el nombre y la dirección de la persona que los espera en Marsella. En la parte baja de la etiqueta hay una firma, un sello y una crucecita roja rodeada por un círculo negro. A Lalla no le gusta la crucecita roja; tiene la impresión de que le quema la piel a través de la blusa, de que se le marca poco a poco en el pecho.

El viento frío sopla a rachas sobre el puente, y las pesadas olas hacen vibrar las chapas del barco. Lalla está mareada porque, durante la noche, en lugar de dormir, los niños han hecho circular los tubos de leche condensada que los comisarios de la Cruz Roja habían repartido antes de embarcar. Y además, como no había bastantes tumbonas, Lalla tuvo que dormir en el suelo, agobiada por el calor repugnante de la bodega, el olor a fuel y a grasa, sacudida por las trepidaciones del motor. Vuelan ahora a popa las primeras gaviotas, chillan y chillan sin parar, como si se enfadaran por la llegada del barco. En nada se parecen a un príncipe de la mar; son de color gris sucio, con un pico amarillo y un ojo que brilla con dureza.

Lalla no vio la aurora. Se quedó dormida rota de cansancio encima de la lona de la bodega, con la cabeza reclinada en un trozo de cartón. Cuando despertó, todo el mundo estaba ya en el puente con la mirada clavada en la franja de tierra. Ya no quedaba en la bodega más que una joven palidísima que sostenía en brazos a un minúsculo bebé. El pequeño estaba enfermo, había vomitado por el suelo, gemía bajito. Cuando Lalla se acercó a preguntar qué tenía, la joven la miró sin contestar, con ojos vacíos.

Ahora la tierra está muy próxima; flota en esa mar verde atestada de porquería. La lluvia comienza a caer sobre el puente, pero nadie se pone a cubierto. El agua fría chorrea por los cabellos rizados de los niños, forma gotas en la punta de su nariz. Visten como pobres, con camisetas ligeras, pantalones de tela azul o faldas grises, en ocasiones con un tradicional sayal grande. Llevan sus pies desnudos en unos zapatos de cuero negro de tallas excesivas. Los varones adultos visten viejas chaquetas ajadas, pantalones demasiado cortos y gorritos de esquí de lana. Lalla mira a los niños, las mujeres, los hombres que la rodean; presentan un aspecto triste y apocado, unas caras amarillas, abotagadas por la fatiga, y unos brazos y piernas cincelados por la carne de gallina. El olor a mar se mezcla con el del cansancio y la inquietud, y a lo lejos, como una mancha en la mar verde, también la tierra parece triste y desfallecida. El cielo está bajo, las nubes cubren lo alto de las colinas. Por más que mira, Lalla no alcanza a ver la ciudad blanca de que hablaba Namán el pescador, ni los palacios, ni las torres de las iglesias. Ahora no hay más que muelles sin fin, color piedra y cemento, muelles que se abren sobre otros muelles. El barco cargado de viajeros se desliza lentamente en el agua negra de las dársenas. En los muelles hay algunos hombres que, de pie, ven pasar el barco con indiferencia. Los niños, en cambio, gritan con toda su alma, agitan los brazos, pero nadie les contesta. La lluvia persiste, fina y fría. Lalla mira el agua de la dársena, el agua negra y grasienta, donde flotan desperdicios que no quieren ni las gaviotas.

¿Y si no hay ciudad? Lalla mira los muelles mojados, las siluetas de los cargueros detenidos, las grúas y, más allá, los blancos edificios alargados, que forman un muro al fondo del puerto. Poco a poco decae la algarabía de los niños del barco de la Cruz Roja Internacional. Hay todavía, de cuando en cuando, algunos gritos, pero no duran. Los comisarios y las acompañantes andan ya por el puente, impartiendo a voces órdenes que nadie entiende. Consiguen agrupar a los niños y empiezan a pasar lista, pero la voz se les pierde entre el ruido del motor y el barullo de la masa.

«... Makel...»

«... Sefar...»

«... Ko-di-ki...»

«Hamal...»

«... Lagor...»

Esto no quiere decir nada y nadie contesta. A continuación se pone a hablar el altavoz, como a ladridos, sobre las cabezas de los pasajeros, y hay una especie de pánico. Algunos corren hacia adelante, otros tratan de subir las escaleras hacia el puente superior donde los oficiales los hacen retroceder. Por fin todo el mundo se calma, porque el barco acaba de atracar y ha parado las máquinas. Hay en el muelle una caseta feúcha de cemento con las ventanas iluminadas. Los niños, las mujeres, los hombres se asoman por encima de la borda, para intentar distinguir un rostro familiar entre la gente que se ve andar abajo, insectos diminutos, al otro lado de la caseta.

Comienza el desembarco. Quiere esto decir que durante varias horas los pasajeros permanecen en el puente del barco de la Cruz Roja Internacional a la espera de una señal cualquiera. A medida que el tiempo va pasando, crece el nerviosismo entre los niños que se apelotonan en el puente. Los más pequeños prorrumpen en sollozos, se entregan a un gimoteo continuo que rechina y no arregla las cosas. Gritan las mujeres, cuando no los hombres. Lalla se ha sentado encima de un montón de cabos, con la maleta apoyada a su lado, resguardada por el mamparo del puente de los oficiales, y espera mientras mira las gaviotas grises que vuelan en el cielo gris.

Por fin llega el momento de bajar a tierra. Los pasajeros están tan cansados de esperar, que tardan aún un rato en ponerse en movimiento. Lalla sigue la cohorte hasta la gran caseta gris. Allí, tres policías y unos intérpretes interrogan a los que van llegando. En el caso de los niños la cosa va algo más deprisa, porque el policía se contenta con leer lo que figura en las etiquetas y copiarlo en las fichas que tiene. Cuando termina con Lalla, el hombre la mira y le pregunta:

«¿Tienes la intención de trabajar en Francia?».

«Sí», responde Lalla.

«¿Qué trabajo?»

«No sé.»

«Empleada de hogar.»

El policía dice esto y lo escribe en su hoja. Lalla recoge la maleta y se va a esperar con los demás a la sala grande de muros grises donde brilla la luz eléctrica. No hay nada para sentarse, y pese al frío de fuera, provocado por la lluvia, hace en la sala un calor sofocante. Los niños más pequeños se han quedado dormidos en brazos de sus madres, o en el suelo, acostados sobre prendas de vestir. Ahora son los niños de más edad los que se quejan. Lalla tiene sed, la garganta seca, y los ojos le arden de fiebre. Está demasiado agotada como para pensar en algo. Espera con la espalda apoyada en la pared y de pie sobre una pierna que cambia alternativamente. Al otro lado de la sala, ante la barrera de los policías, está la joven palidísima de la mirada vacía, sosteniendo en brazos a su minúsculo bebé. Está de pie frente al despacho del inspector, como extraviada, sin decir nada. El policía le larga un discurso interminable, enseña sus papeles al intérprete de la Cruz Roja Internacional. Hay algo que no cuadra. El policía hace preguntas que el intérprete traslada a la joven, pero ella los mira como si no entendiera nada. No quieren dejarla pasar. Lalla mira a la joven, tan pálida, que sostiene a su bebé. Lo aprieta tan fuerte en sus brazos que el crío se despierta un poco y se pone a berrear, aunque se tranquiliza en cuanto su madre, con gesto rápido, libera un seno y se lo da a mamar. El policía parece sentirse violento. Se vuelve y despliega la vista en otras direcciones. Su mirada se cruza con la de Lalla, que se ha acercado. El policía le indica por señas que se llegue hasta él.

«¿Hablas su lengua?»

«No sé», responde Lalla.

Lalla dice algunas cosas en bereber y la joven la mira un instante, y después contesta.

«Dile que sus papeles no están en regla, falta la autorización para el bebé.»

Lalla intenta traducir la frase. Cree que la joven no ha entendido, y de pronto ésta se desploma y se echa a llorar. El policía añade algunas palabras, y el intérprete de la Cruz Roja Internacional reincorpora a la mujer como puede y se la lleva hacia el fondo de la sala, donde hay dos o tres sillones de escai.

Lalla está triste porque se da cuenta de que la joven deberá coger de nuevo el barco en sentido inverso con su bebé enfermo. Pero ella misma está demasiado cansada para pensar en ello con intensidad, y se da la vuelta para apoyarse en la pared junto a la maleta. Hay en lo alto del tabique, al otro extremo de la sala, un reloj de péndulo con cifras escritas en tablillas. Cada minuto, una tablilla pasa chasqueando. La gente ya no habla en este momento. Esperan sentados por el suelo o de pie apoyados en la pared, con la mirada fija, el rostro tenso, como si a cada chasquido fuera a abrirse la puerta del fondo y a dejarlos salir.

Por fin, tras un lapso tan largo que ya nadie albergaba la menor esperanza, los hombres de la Cruz Roja Internacional atraviesan la amplia sala. Abren la puerta del fondo y leen otra vez la lista de los niños. El rumor de las voces se reanuda, la gente se agolpa junto a la salida. Lalla, con su maleta de cartón en la mano, estira el cuello para ver por encima de los demás, espera a que citen su nombre con tanta impaciencia que empiezan a temblarle las piernas. Cuando el hombre de la Cruz Roja cita su nombre, más bien emite una especie de ladrido, y Lalla no entiende. Así que él repite a gritos:

«¡Hawa! ¡Hawa ben Hawa!».

Lalla corre con la maleta bamboleándose al ritmo de su brazo, atraviesa la multitud. Se detiene ante la puerta mientras el hombre comprueba su etiqueta, y sale afuera de un brinco, como si la empujaran por la espalda. Afuera hay tal claridad, tras esas horas pasadas en la gran sala gris, que Lalla se tambalea dominada por el vértigo. Se abre paso entre las hileras de mujeres y hombres, sin verlos, avanza derecha, hacia adelante, al azar, hasta que siente que alguien la toma por el brazo, la abraza, la besa. Aamma la arrastra hacia la salida de los muelles, hacia la ciudad.

Aamma vive sola en un apartamento del casco viejo, cerca del puerto, en el último piso de una casa que se viene abajo. Tiene apenas una pieza con un diván y una habitación oscura con una cama plegable, más una cocina. Las ventanas del apartamento dan a un patio interior, pero se ve de sobra el cielo sobre los techos de teja. Por la mañana, hasta mediodía, da incluso un poco el sol, que entra por las dos ventanas del cuarto del diván. Aamma le dice a Lalla que ha tenido mucha suerte de encontrar este apartamento, y también mucha suerte al haber encontrado ese trabajo de cocinera en la cafetería del hospital. Cuando llegó a Marsella, hace varios meses, se alojó primero en un piso amueblado en los suburbios, donde eran cinco mujeres por habitación, con la policía que venía cada mañana y las grescas en la calle. Hubo incluso dos hombres que se enzarzaron a navajazos, y Aamma tuvo que escapar de aquello dejando atrás una maleta, por miedo a ser llevada a la policía y expulsada.

Aamma parece muy contenta de volver a ver a Lalla después de todo este tiempo. No le pregunta por lo que pasó cuando escapó al desierto con el Hartani ni cuando la trasladaron al hospital de la ciudad, a punto de morir de sed y fiebre. El Hartani, por su lado, continuó solo su camino hacia el sur, hacia las caravanas, porque era lo que debía hacer desde siempre. Aamma ha envejecido mucho en pocos meses. Tiene un rostro enjuto y cansado, tez gris y ojeras color humo. Al atardecer, cuando vuelve del trabajo, mientras come galletas y bebe té de menta, relata su viaje en auto a través de España, en compañía de otras mujeres y otros hombres que iban a buscar trabajo. Durante días circularon por carreteras, atravesaron ciudades, franquearon montañas, ríos. Y un día, el conductor del auto señaló una ciudad donde había muchas casas de ladrillo, todas iguales, con tejados negros. Dijo: aquí es, hemos llegado. Aamma bajó con los demás y como habían pagado todo el viaje por adelantado, tomaron sus pertenencias y echaron a andar por las calles de la ciudad. Pero cuando Aamma enseñó el sobre donde venía el nombre y la dirección del hermano de Namán, la gente se echó a reír y le dijeron que no estaba en Marsella, sino en París. Tuvo entonces que coger el tren y viajar toda la noche para llegar.

Cuando Lalla oye esta historia le entra la risa, porque imagina a los pasajeros del auto andando por las calles de París creyendo estar en Marsella.

Esta ciudad desde luego es grandísima. Lalla no se había figurado jamás que pudiera haber tanta gente viviendo en el mismo sitio. Desde que ha llegado, se pasa el día recorriendo la ciudad, de sur a norte y de este a oeste. No conoce los nombres de las calles, no sabe adónde va. Tan pronto sigue los muelles mirando la silueta de los cargueros, como remonta las grandes avenidas hacia el centro de la ciudad, o se introduce en el dédalo de las callejas del casco viejo, sube las escaleras, va de plaza en plaza, de iglesia en iglesia, hasta la gran explanada donde se contempla la fortaleza sobre la mar. O incluso va a sentarse a los bancos de los jardines, mira los pichones que se mueven por los paseos polvorientos. Hay tantas calles, tantas casas, tiendas, ventanas, tantos autos; te vuelven loco, y el ruido y el tufo a gasolina quemada emborrachan y dan dolor de cabeza. Lalla no habla con la gente. Se sienta a veces en los escalones de las iglesias, bien tapada con su abrigo de lana marrón, y mira cómo pasan los transeúntes. Hay hombres que la miran, se paran en una esquina y hacen como que fuman mientras la vigilan. Pero Lalla sabe desaparecer con rapidez, lo aprendió del Hartani; cruza dos o tres calles, una tienda, se cuela entre los autos parados y nadie puede seguirla.

A Aamma le gustaría que trabajara con ella en el hospital, pero Lalla es demasiado joven, hay que ser mayor de edad. Y además es difícil encontrar trabajo.

Algunos días después de su llegada fue a ver al hermano del viejo Namán, que se llama Asaph, pero la gente de aquí lo llama Joseph. Tiene unos ultramarinos en la rue des Chapeliers, no muy lejos de la gendarmería. Dio la impresión de alegrarse al ver a Lalla, y la besó mientras hablaba de su hermano, pero Lalla desconfió enseguida de él. No se parece a Namán en absoluto. Es bajito, casi calvo, con ojos feos y saltones color gris verde, y una sonrisa que no anuncia nada bueno. Cuando supo que Lalla buscaba trabajo, los ojos empezaron a brillarle y se puso nervioso. Le dijo a Lalla que precisamente necesitaba a una chica que lo ayudara a llevar los ultramarinos, a colocar, limpiar, y quién sabe si hasta a llevar la caja. Pero según lo decía, no dejaba de mirar el vientre y los senos de Lalla con sus ojos feos y húmedos, así que ella le dijo que volvería mañana y se marchó enseguida. Como no volvió, fue él quien se pasó una tarde por casa de Aamma. Pero Lalla salió en cuanto lo vio, y se dio un largo paseo por las callejas del casco viejo, haciéndose tan invisible como una sombra, hasta que estuvo segura de que el tendero había regresado a su casa.

Es un lugar extraño esta ciudad con toda su gente, porque en realidad no te prestan atención si no te muestras. Lalla ha aprendido a escurrirse con sigilo a lo largo de los muros, por las escaleras. Conoce todos los rincones desde donde puede verse sin ser visto, los escondites detrás de los árboles, en los grandes aparcamientos atestados de coches, en los quicios de las puertas, en los solares. Lalla sabe que puede hacerse invisible hasta en medio de esas rectísimas avenidas, por donde hay un flujo continuo de hombres y autos que avanza, que baja. Al principio seguía estando marcada del todo por el sol ardiente del desierto, y unos destellos solares cubrían por entero sus largos cabellos negros y ensortijados. La gente la miraba con extrañeza, como si viniera de otro planeta. Pero ahora han pasado los meses, y Lalla se ha transformado. Se ha cortado el pelo bien corto; lo tiene mate, casi gris. En la oscuridad de las callejas, en el frío húmedo del apartamento de Aamma, también la piel de Lalla ha perdido lustre, ha empalidecido, se ha vuelto gris. Y luego está este abrigo marrón con el que ha dado en la tienda de un ropavejero judío, cerca de la catedral. Le llega casi hasta los tobillos, tiene unas mangas demasiado largas y unas hombreras caídas, y sobre todo está hecho de una especie de paño de lana, ajado y lustrado por el tiempo, color muralla, color papel; cuando Lalla se pone el abrigo, tiene de veras la sensación de hacerse invisible.

Ya se ha aprendido el nombre de las calles, oyendo hablar a la gente. Son nombres raros, tan raros que los recita a veces a media voz, mientras camina entre las casas:

«La Major
La Tourette
Place de Lenche
Rue du Petit-Puits
Place Vivanx
Place Sadi-Carnot
La Tarasque
Impasse des Muettes
Rue du Cheval
Cours Belsunce».

¡Hay tantas calles, tantos nombres! Lalla sale cada día antes de que su tía se haya despertado, se mete un trozo de pan duro en el bolsillo del abrigo marrón y empieza a andar; a andar primero describiendo círculos alrededor del Panier, hasta que llega a la mar, por la rue de la Prison, mientras el sol alumbra los muros del Ayuntamiento. Se sienta un rato a mirar cómo pasan los autos, pero no demasiado, porque los policías vendrían a preguntarle qué hace allí.

Al poco continúa hacia el norte, remonta las grandes y ruidosas avenidas, la Canebière, el boulevard Dugommier, el boulevard d'Athènes. Hay gente de todos los lugares del mundo, y hablan todo tipo de lenguas; gente negrísima, de ojos estrechos, ataviada con largas ropas blancas y babuchas de plástico. Hay gente del norte, de pelo y ojos pálidos, soldados, marineros, y también hombres de negocios corpulentos que andan a toda prisa llevando unas curiosas y menudas carteras negras.

También entonces le gusta sentarse a Lalla en una rinconada, para mirar a toda esa gente que va y viene, anda y corre. Cuando hay mucho movimiento, nadie le presta atención. Puede que crean que es como ellos, que está esperando a alguien, algo, o que la tomen por una mendiga.

En los barrios donde hay movimiento, se ven muchos pobres, y Lalla los mira sobre todo a ellos. Ve a mujeres andrajosas, palidísimas pese al sol, que llevan de la mano a unos niños muy pequeños. Ve a ancianos vestidos con largos abrigos remendados, borrachos con la vista nublada, vagabundos, extranjeros hambrientos que llevan maletas de cartón y bolsas de provisiones vacías. Ve a niños solos con la cara sucia y los pelos de punta, vestidos con ropa vieja demasiado amplia para sus cuerpos raquíticos; andan deprisa como si fueran a alguna parte, y su mirada es huidiza y fea como la de los perros perdidos. Desde su escondrijo tras los autos estacionados, o inmersa en la oscuridad de una puerta cochera, Lalla mira a toda esa gente de aspecto sonámbulo, que camina como si estuviera en duermevela. Le brillan de manera extraña sus ojos sombríos mientras los mira, y en ese instante es como si un poco de la gran luz del desierto se derramara sobre ellos, que apenas si la sienten, sin saber de dónde viene. Puede que experimenten un escalofrío fugitivo, pero se marchan rápidamente, se pierden en la multitud desconocida.

Algunos días se va muy lejos, anda tanto rato por las calles que le duelen las piernas y tiene que sentarse en el bordillo de la acera para recuperar fuerzas. Va hacia el este, siguiendo la gran avenida bordeada de árboles por donde circulan muchos autos y camiones, luego a través de las colinas, hasta el fondo de las navas. Son barrios donde hay muchos solares, edificios tan grandes como acantilados, todo blancos, con miles de ventanitas idénticas; más lejos, hay villas rodeadas de laureles y naranjos, con un perro malo que corre pegado a la reja ladrando con todas sus fuerzas. También hay muchos gatos callejeros, flacos, con los pelos de punta, que habitan en lo alto de las tapias y debajo de los coches aparcados.

Lalla sigue andando, al azar, internándose en las carreteras. Atraviesa los barrios alejados donde serpentean canales infestados de mosquitos, entra en el cementerio, que es tan grande como una ciudad, con sus hileras de piedras grises y cruces herrumbrosas. Asciende a lo más alto de las colinas, tan lejos que la mar se ve apenas, como una sucia mancha azul entre los cubos de los edificios. Hay una bruma extraña que flota sobre la ciudad, una gran nube gris, rosa y amarilla donde la luz se debilita. El sol cae ya por el oeste, y Lalla siente que la fatiga le invade el cuerpo, siente sueño. Mira a lo lejos centellear la ciudad, oye su ruido de motores, los trenes que circulan, que se internan por los negros agujeros de los túneles. No tiene miedo y, sin embargo, hay algo en ella que da vueltas, como un vértigo, como un viento. ¿Será el *chergui*, el viento del desierto, que llega hasta aquí, que ha atravesado toda la mar, que ha salvado las montañas, las ciudades, las carreteras, y por fin llega? Es difícil saberlo. Hay aquí tantas fuerzas, tantos ruidos, trasiegos, y a lo mejor el viento se ha perdido en las calles, por las escaleras, en las explanadas.

Lalla mira un avión que sube despacio en el cielo desvaído haciendo un ruido atronador. Vira encima de la ciudad, pasa frente al sol, lo apaga una fracción de segundo, y se va hacia la mar empequeñeciéndose poco a poco. Lalla lo mira con todas sus fuerzas hasta que no es más que un punto imperceptible: ¿Se irá a volar sobre el desierto, allá, sobre las extensiones de arena y de piedras, por donde anda el Hartani?

Y Lalla se va, también ella. Con una buena flojera en las piernas, baja de nuevo a la ciudad.

Hay otra cosa que Lalla disfruta haciendo; va a sentarse a los peldaños de las amplias escalinatas que dan acceso a la estación, y mira a los viajeros que las suben y bajan. Los hay que llegan jadeando, con los ojos desencajados, el pelo despeinado, y bajan los escalones tambaleándose a la luz. Los hay que se van de viaje, que se dan prisa porque temen perder el tren; suben los peldaños de dos en dos y se golpean las piernas con las maletas y los bolsos, y tienen la vista fija, miran al frente, hacia la entrada de la estación. Tropiezan con los últimos escalones, se interpelan por miedo a extraviarse.

A Lalla le encanta estar junto a la estación. Aquello es como si la gran ciudad no estuviera todavía acabada del todo, como si quedara aún este gran agujero por el que la gente siguiera llegando y partiendo. Piensa a menudo que le gustaría mucho irse, subir a un tren de los que se dirigen al norte, con todos esos nombres de lugares que atraen y aterran un poco, Irún, Burdeos, Amsterdam, Lyon, Dijon, París, Calais. Cuando tiene algo de dinero, Lalla entra en la estación, se compra una cocacola en la cafetería y un billete de andén. Entra en el gran vestíbulo de salidas y va a pasearse por todos los andenes, ante los trenes que acaban de llegar o van a partir. Algunas veces hasta se atreve a subir a algún vagón y se sienta un instante en la banqueta de molesquín verde. La gente va llegando; unos tras otros se instalan en el compartimiento, preguntando incluso: «¿Está libre?», y Lalla hace un pequeño gesto con la cabeza. Y cuando la megafonía anuncia que va a salir el tren, Lalla se baja del vagón corriendo, salta al andén.

La estación es también uno de esos lugares desde donde puede verse sin que te vean, porque hay demasiada agitación y prisa para que alguien se fije en algo. Hay gente de todo tipo en la estación, maleantes, violentos de cabeza carmesí, gente vocinglera de verdad; hay gente muy triste y muy pobre al mismo tiempo, viejos perdidos que buscan con angustia el andén del que ha de partir su tren, mujeres con demasiados niños que renquean con sus bultos a lo largo de los altísimos vagones. Están todos los que la pobreza ha atraído hasta aquí, los negros desembarcados de los buques y en ruta hacia los países fríos, vestidos con camisetas de abigarrados colores, con un bolso playero por todo equipaje; los norteafricanos, sombríos, abrigados con viejas chaquetas, tocados con gorros de montaña o con gorras con orejeras; turcos, españoles, griegos, todos de aspecto inquieto y fatigado, errando por los andenes al viento, atropellándose en medio del mar de viajeros indiferentes y militares socarrones.

Lalla los mira, camuflada apenas entre la cabina del teléfono y el tablero informativo. Está bien sumergida en la sombra, con su rostro cobrizo protegido por el cuello del abrigo. Pero el corazón se le acelera por momentos, y sus ojos despiden un fulgor luminoso como el reflejo del sol en las piedras del desierto. Mira a los que se dirigen a otras ciudades, al hambre, al frío, a la desgracia, a los que van a ser humillados y a vivir en soledad. Pasan, un tanto encorvados, con los ojos vacíos y la ropa ajada por tanta noche de dormir en el suelo, como soldados vencidos.

Se dirigen a las ciudades negras, a los cielos bajos, a los humos, al frío, a la enfermedad que desgarra el pecho. Se dirigen a sus ensanches edificados en descampados embarrados. Bajo las autopistas, a sus cuartos modelados en la tierra, como tumbas, rodeados de paredes altas y mallas metálicas. ¿Es posible que no regresen esos hombres, esas mujeres que pasan como fantasmas arrastrando a sus niños y equipajes, demasiado pesados, encontrarán acaso la muerte en esas tierras que no conocen, lejos de sus poblados, lejos de sus familias? Van a unos países extranjeros que les quitarán la vida, que se encargarán de triturarlos y devorarlos. Lalla permanece inmóvil en su escondite oscuro, y se le nubla la vista por tales pensamientos. ¡Desearía tanto marcharse, andar por las calles de la ciudad hasta donde no queden casas ni jardines, ni carreteras siquiera, ni orilla alguna, sólo un sendero, como antes, que fuera estrechándose hasta el desierto!

La noche cae sobre la ciudad. Las luces se encienden en las calles, alrededor de la estación, en los postes de hierro, al igual que las grandes barras rojas, blancas, verdes que coronan los cafés y los cines. En las calles oscuras Lalla anda sin hacer ruido, se escurre a ras de las paredes. Los hombres ofrecen semblantes aterradores cuando llega la noche y las farolas los alumbran sólo a medias. Les brillan los ojos con fuerza, el ruido de sus pisadas resuena en los pasillos, en el interior de las puertas cocheras. Lalla aprieta el paso, como si intentara fugarse. En ocasiones la sigue un hombre, pugna por acercarse a ella, agarrarla del brazo; Lalla se esconde entonces tras un auto y desaparece al punto. Se escurre de nuevo como una sombra, callejea por el casco viejo hasta el Panier, donde vive Aamma. Sube las escaleras sin dar la luz, para que nadie averigüe dónde entra. Llama a la puerta bajito, y cuando oye la voz de su tía, pronuncia su nombre con alivio.

Así son los días de Lalla aquí, en la gran ciudad de Marsella, recorriendo todas esas calles, con todos esos hombres y todas estas mujeres que nunca podrá conocer.

Hay muchos mendigos. En los primeros tiempos, cuando acababa de llegar, a Lalla le llamaba mucho la atención. Ahora se ha acostumbrado. Pero no se olvida de verlos, como la mayor parte de la gente de la ciudad, que si acaso da un pequeño rodeo para no pisarlos, o les salta incluso por encima si va con prisa.

Radicz es un mendigo. Así es como ella lo ha conocido, andando por las grandes avenidas cerca de la estación. Un día ella salió temprano del Panier, todavía de noche porque era invierno. No había mayor movimiento en las callejas y las escalinatas del casco viejo, y la gran avenida, por debajo del hospital, estaba todavía desierta, si acaso con unos camiones que circulaban con los faros encendidos, y algunos hombres y mujeres en sus ciclomotores, embutidos en sus prendas de abrigo.

Allí es donde se encontró con Radicz. Estaba sentado, hecho una pelota en una rinconada, se resguardaba como podía del viento y de la lluvia fina. Daba la impresión de tener mucho frío, y cuando Lalla llegó a su altura, la miró de un modo muy extraño, para nada como suelen hacerlo los chavales cuando ven a una chica. La miró sin bajar la vista, y no era posible leer gran cosa en su mirada, como en los ojos de los animales.

Lalla se detuvo frente a él, le preguntó:

«¿Qué haces ahí? ¿No tienes frío?».

El muchacho meneó la cabeza sin sonreír y extendió la mano.

«Dame algo.»

Lalla no tenía más que un mendrugo de pan y una naranja que se había traído para almorzar. Se los dio al muchacho. Éste agarró la naranja bruscamente, sin dar las gracias, y empezó a comérsela.

Así fue como Lalla lo conoció. Después ha vuelto a verlo con frecuencia, por la calle, cerca de la estación, o en la gran escalinata cuando el tiempo lo permitía. Se queda sentado durante horas, con la vista clavada al frente sin hacer caso a la gente. Pero a Lalla le tiene cariño, quizá por la naranja. Le dijo que se llamaba Radicz, hasta le escribió el nombre en el suelo con una ramita, pero se quedó pasmado cuando Lalla le dijo que no sabía leer.

Tiene un bonito pelo, negrísimo y tieso, y la piel cobriza. Tiene ojos verdes y un bigotito que parece una sombra sobre los labios. Pero más que nada le sale a veces una hermosa sonrisa, en la que resalta el brillo de sus incisivos blanquísimos. Lleva un arete en la oreja izquierda y asegura que es de oro. Pero viste como un pobre, con un pantalón sucio y desgarrado, un montón de viejos jerseys de punto metidos unos encima de otros, y una chaqueta masculina demasiado grande para su talla. Lleva los pies desnudos en unos zapatos de cuero negro.

A Lalla le gusta verlo en la calle, por casualidad, porque nunca es del todo el mismo. Hay días en que tiene los ojos tristes y velados, como si se hubiera perdido en un sueño y nada pudiera sacarlo de allí. Otros días está alegre y le brillan los ojos; cuenta todo tipo de historias absurdas que inventa sobre la marcha, y no para de reírse, sin ruido, y Lalla no puede dejar de reírse con él.

A Lalla le gustaría mucho que fuera a verla a casa de su tía, pero no se atreve a proponérselo, porque Radicz es gitano y esto no le haría ninguna gracia a Aamma. Él no vive en el Panier, ni siquiera en la vecindad. Vive muy lejos, en algún lugar al oeste, cerca de la vía férrea, donde hay grandes descampados y bidones de gasolina, y chimeneas que arden día y noche. Todo se lo ha dicho él, pero nunca habla mucho rato de su casa ni de su familia. Se limita a decir que vive demasiado lejos para venir todos los días, y cuando viene prefiere dormir al sereno antes que volver a su casa. No le importa, dice que se sabe buenos rinches donde no pasa frío, donde no se siente el viento y nadie, nadie, podría localizarlo.

Hay, por ejemplo, los huecos de las escaleras en los edificios destartalados de las aduanas. Hay un agujero justo del tamaño de un chaval, y uno se cuela dentro y luego se tapa el boquete con un pedazo de cartón. Hay también las casetas de los aparejos, en las obras, o las camionetas cubiertas con una lona. Radicz conoce bien todo eso.

Casi siempre se le puede encontrar por la zona de la estación. Cuando hace bueno y el sol calienta, se sienta en los peldaños de la escalinata y Lalla se acomoda a su lado. Juntos ven pasar a la gente. En ocasiones Radicz se fija en alguien y le dice a Lalla: «Vas a ver». Se va derecho al viajero, que sale de la estación un poco atontado por la luz, y le pide una moneda. Como tiene una bonita sonrisa y también cierta tristeza en la mirada, el viajero se para y hurga en sus bolsillos. Son los hombres de unos treinta años, bien vestidos, sin demasiado equipaje, los que suelen darle algo a Radicz. Con las mujeres es más lioso, quieren hacer preguntas y a Radicz no le gusta. Así que cuando ve a una joven de buen tono, le da un meneo a Lalla y le dice:

«Venga, tú, pídele».

Pero Lalla no se atreve a pedir dinero. Le da un poco de vergüenza. Sin embargo, hay momentos en que le gustaría mucho tener algo de dinero, para comerse un pastel o ir al cine.

«Éste es el último año que lo hago», dice Radicz. «El año que viene me largo, iré a trabajar a París.»

Lalla le pregunta por qué.

«El año que viene seré demasiado mayor, la gente deja de darte cuando eres demasiado mayor, dicen que no tienes más que ponerte a trabajar.»

Mira a Lalla un instante, le pregunta si trabaja, y Lalla dice que no con la cabeza.

Radicz apunta a alguien que pasa un poco más allá, por donde los autobuses.

«Ése también trabaja conmigo, tenemos el mismo patrón.»

Es un joven negro muy delgado que parece una sombra; se dirige a los viajeros e intenta cogerles las maletas, pero no le va muy bien. Radicz se encoge de hombros.

«No sabe hacérselo. Se llama Baki, no sé lo que quiere decir, pero los otros negros se parten de risa cuando pronuncian su nombre. Nunca le lleva mucho dinero al patrón.»

Como Lalla lo mira con extrañeza:

«Claro, no lo sabes; el patrón es un gitano como yo, se llama Lino, y al sitio donde vivimos todos lo llamamos el hotel; es una casona repleta de chavales, todos trabajando para Lino».

Conoce por su nombre a todos los mendigos de la ciudad. Sabe dónde viven, con quién trabajan y hasta quiénes son más bien vagabundos de ir por libre. Están los chavales que trabajan en familia, con sus hermanos y hermanas, y que mangan también en los grandes almacenes y los supermercados. Los más pequeños aprenden a vigilar o distraen a los dependientes, o hacen a veces de relevo. Están sobre todo las mujeres, las gitanas con sus largos vestidos floreados, con la cara velada de negro, no se les ve más que los ojos, tan brillantes y negros como los de los pájaros. Y están también los viejos y las viejas, los miserables, los hambrientos, que se aferran a las chaquetas y a las faldas de los burgueses mascullando encantamientos, y no las sueltan hasta que les dan una monedita.

Lalla siente que le oprime el corazón cuando los ve, o cuando se cruza con una joven fea con un crío colgado del pecho que mendiga en la esquina de la gran avenida. No sabía lo que era el miedo de verdad, porque allí, donde el Hartani, no había más que serpientes y escorpiones, como mucho los malos espíritus que esbozan muecas de sombra en medio de la noche, pero aquí se da el miedo al vacío, al desamparo, al hambre, el miedo que no tiene nombre y parece brotar de los tragaluces entornados en los sótanos atroces, apestosos, que parece subir desde los patios oscuros, entrar en las habitaciones tan frías como tumbas, o recorrer como un viento maligno esas grandes avenidas por donde los hombres, sin detenerse, andan, andan, se marchan, se empujan sin más, sin fin, día y noche, durante meses, años, inmersos en el ruido incansable de sus zapatos de crep, y levantan al aire pesado su fragor de palabras, de motores, sus refunfuños, sus jadeos.

A veces la cabeza se pone a darle vueltas con tanta fuerza que tiene que sentarse con urgencia, en el acto, y Lalla busca con la mirada un punto de apoyo. Su rostro metálico se vuelve gris, se le apagan los ojos y cae despacito, como al fondo de un pozo inmenso, sin nada a que agarrarse.

«¿Qué ocurre, señorita? ¿Se le pasa? ¿Se encuentra bien...?»

La voz se eleva en algún sitio, muy lejos de su oído; Lalla percibe el olor a ajo de ese aliento antes de recobrar la vista. Se halla medio ovillada al pie de un muro. Un hombre la agarra de la mano y se inclina hacia ella.

«... Ya estoy mejor, ya estoy mejor...»

Logra hablar muy despacito, ¿o piensa sólo esas palabras?

El hombre la ayuda a caminar, la lleva hasta la terraza de un café. La gente que se había congregado comienza a alejarse, pero Lalla oye de todas formas la voz de una mujer que dice con claridad:

«Está embarazada, sólo es eso».

El hombre la hace sentarse a una mesa. Sigue inclinándose hacia ella. Es bajito y grueso, con la cara picada, bigote, casi sin pelo.

«Bébase algo, se recobrará.»

«Tengo hambre», dice Lalla. Todo le resulta indiferente, puede que piense que va a morir.

«Tengo hambre.» Lo repite con un hilillo de voz.

El hombre, por su parte, se azora y tartamudea. Se levanta y corre a la barra, y regresa al poco con un bocadillo y un cesto de brioches. Lalla no lo oye; come con avidez, primero el bocadillo, luego las brioches una tras otra. El hombre la mira mientras come, y su carota sigue agitadísima de emoción. Habla en arrebatos y enseguida se calla, por temor a aburrir a Lalla.

«Cuando la he visto caerse, así, frente a mí, bueno, ¡me ha impresionado! ¿Es la primera vez que le pasa? Quiero decir, es terrible, con tanta gente allí, en la avenida, los que estaban detrás de usted han estado a punto de pisarla, ni se han parado, es... Me llamo Paul, Paul Estève, ¿y usted? ¿Habla francés? Usted no es de aquí, ¿verdad? ¿Ha comido bastante? ¿Quiere que vaya a buscarle otro bocadillo?»

El aliento le huele mucho a ajo, tabaco y vino, pero Lalla está contenta de que esté allí, lo encuentra amable y los ojos le brillan un poco. Él se da cuenta y se pone a hablar otra vez, como hace él, mezclándolo todo, haciendo las preguntas y dando las respuestas.

«¿Ya, ya no tiene hambre? ¿Quiere beber algo? ¿Coñac? No, mejor algo dulce, sienta bien cuando se tiene debilidad, ¿una coca o un zumo de frutas? ¿No la agobio demasiado? ¿Sabe?, yo es la primera vez que veo a alguien perder el conocimiento delante de mí de esta manera, desplomándose, y esto... me ha causado mucha impresión. Yo trabajo... Estoy en Correos, eso es, no estoy habituado, en fin, quiero decir, a lo mejor debería usted ir al médico, ¿quiere que vaya a llamar por teléfono?»

Ya se levanta, pero Lalla dice que no con la cabeza, y vuelve a sentarse. Más tarde ella bebe un poco de té caliente y se le disipa la fatiga. Su cara recupera el color cobrizo, la luz le brilla en los ojos. Se levanta y el hombre la acompaña hasta la calle.

«¿Está, está usted segura de que ya está repuesta?, ¿cree que podrá andar?»

«Sí, sí, gracias», contesta Lalla.

Antes de irse, Paul Estève le escribe su nombre y dirección en un trozo de papel.

«Si necesita usted algo...»

Le da la mano a Lalla. Es apenas más alto que ella. Sus ojos azules siguen empañados por completo de emoción.

«Hasta luego», dice Lalla. Y se marcha todo lo aprisa que puede, sin volver la vista atrás.

Hay perros desperdigados por todas partes. Pero no son como los mendigos, prefieren vivir en el Panier, entre la place de Lenche y la rue du Refuge. Lalla los mira cuando pasa, se fija en ellos. Tienen el pelaje erizado, son muy flacos, pero no tienen nada que ver con los perros salvajes que robaban las gallinas y los corderos entonces, en la Cité; éstos son más grandes y robustos, y hay algo peligroso y desesperado en su aspecto. Se dirigen a los montones de basuras para comer, ronzan los huesos pasados, las cabezas de pescado, las sobras que les tiran los carniceros. Hay un perro que Lalla conoce bien. Está todos los días en el mismo sitio, en la parte de abajo de las escaleras, por donde la calle que lleva a la gran iglesia de las rayas. Es negro del todo, con sólo una papada de pelo blanco que le llega hasta el costillar. Se llama *Dib,* o *Hib,* no está segura, pero en el fondo su nombre no tiene mayor importancia porque la verdad es que no tiene dueño. Lalla oyó un día a un chaval en la calle que lo llamaba así. Cuando ve a Lalla parece que se alegra un poco y menea la cola, pero no se acerca a ella y no permite que nadie se le acerque. Lalla se limita a decirle algunas cosas, le pregunta qué tal, pero sin pararse, según pasa, y si tiene algo que comer le tira un pedacito.

Todo el mundo conoce más o menos a todo el mundo aquí en el Panier. No es como en el resto de la ciudad, donde hombres y mujeres discurren por las avenidas en oleadas, generando un ruido enorme de motores y zapatos. Aquí, en el Panier, las calles son cortas, dan la vuelta, desembocan en otras calles, en callejas, pasajes, escaleras, y todo ello recuerda más bien a un gran apartamento con pasillos y cuartos que encajan unos en otros. De todas formas, aparte del perrazo negro, *Dib* o *Hib*, y de algunos niños cuyos nombres conoce, la mayoría de la gente no parece verla siquiera. Lalla se desplaza sin hacer ruido, va de una calle a otra, sigue el curso del sol y de la luz.

¿Será que aquí la gente tiene miedo? ¿Miedo de qué? Resulta difícil de decir, es como si se sintieran vigilados y tuvieran que poner cuidado en cada uno de sus gestos, en cada una de sus palabras. Pero en realidad nadie los vigila. Así que, ¿tendrá que ver con la cantidad de lenguas diferentes que hablan? Están los del norte de África, los magrebíes, marroquíes, argelinos, tunecinos, mauritanos, y los de África, los senegaleses, los de Malí, los dahomeyanos, y luego los judíos, que llegan de todas partes pero nunca terminan de hablar la lengua de su tierra; están los portugueses, los españoles, los italianos y también esa gente extraña que no se parece a los demás, yugoslavos, turcos, armenios, lituanos; Lalla no entiende el significado de esos nombres, pero así los llaman aquí, y Aamma se los conoce todos. Están sobre todo los gitanos, como los que viven en la casa de al lado, tan numerosos que no se sabe nunca si ya se los ha visto a todos o si acaban de llegar; no quieren a los árabes, ni a los españoles ni a los yugoslavos; no quieren a nadie, porque no están acostumbrados a vivir en un lugar como el Panier, así que siempre están listos para cualquier pelea, hasta los chavales pequeños, hasta las mujeres, que según lo que cuenta Aamma llevan una hoja de afeitar en el interior de la boca. A veces, por la noche, te despierta el ruido de una trifulca en las callejas. Lalla baja los escalones hasta la calle y ve, a la pálida luz del farol, a un hombre que se arrastra por el suelo con la mano en un cuchillo clavado en el pecho. Al día siguiente hay un largo reguero viscoso en el suelo, donde vienen a zumbar las moscas.

En ocasiones aparece también la gente de la policía, aparcan su auto negro e imponente al pie de las escaleras y se meten en las casas, sobre todo en las que ocupan los árabes y los gitanos. Hay policías que llevan uniforme y gorra, pero no son los más peligrosos; para eso, los otros, los que visten como todo el mundo traje gris y jersey de cuello alto. Llaman a las puertas, muy fuerte porque hay que abrirles enseguida, y entran en los apartamentos sin decir nada, a ver quién vive allí. En casa de Aamma, el policía va a sentarse al diván de escai que Lalla usa a modo de cama, y a ella se le ocurre que le va a hacer un agujero, y que cuando llegue el momento de acostarse por la noche estará todavía la marca donde se ha sentado el tipo gordo.

«¿Apellido? ¿Nombre? ¿Nombre de la tribu? ¿Permiso de residencia? ¿Permiso de trabajo? ¿Nombre del empresario? ¿Número de la Seguridad Social? ¿Contrato, recibo del alquiler?»

Ni siquiera se digna echar un vistazo a los papeles que Aamma le enseña, uno tras otro. Está sentado en el diván, fuma su *gauloise* con cara de aburrimiento. Mira no obstante a Lalla, que aguanta a pie firme frente a la puerta de la habitación de Aamma. Pregunta a Aamma:

«¿Es tu hija?».

«No, es mi sobrina», contesta Aamma.

Echa mano a todos los papeles y los examina.

«¿Dónde viven sus padres?»

«Han muerto.»

«Ah», dice el policía. Mira los papeles como si estuviera en plena reflexión.

«¿Trabaja?»

«No, todavía no, señor», responde Aamma; dice «señor» cuando tiene miedo.

«¿Pero va a trabajar aquí?»

«Sí, señor, si encuentra trabajo. No es fácil para una joven encontrar trabajo.»

«¿Tiene diecisiete años?»

«Sí, señor.»

«Hay que tener cuidado, una chica de diecisiete años está aquí expuesta a muchos peligros.»

Aamma no dice nada. El policía cree que ella no ha entendido e insiste. Habla despacio, matizando cada palabra, y le brillan los ojos como si la cosa le interesara más ahora.

«Ten cuidado de que tu hija no acabe en la rue du Poids de la Farine, ¿sabes? Hay muchas chicas como ella por allí, ¿entiendes?»

«Sí, señor.» Aamma no se atreve a repetir que Lalla no es su hija.

Pero el policía siente la dura mirada de Lalla sobre él y se siente incómodo. No dice nada durante unos segundos y el silencio se hace intolerable. Hasta que el tipo gordo estalla y vuelve a la carga con voz rabiosa y los ojos rasgados de cólera:

«Sí, entiendo, sí, eso se dice fácil, y un buen día tu hija se pondrá a hacer la calle, una puta más a diez francos el pase; así que luego no me vengas llorando y diciendo que no sabes, porque ya te he advertido».

Está casi gritando, con las venas de las sienes a punto de estallarle. Aamma permanece inmóvil, paralizada, pero a Lalla no la asusta el tipo gordo. Lo mira con dureza, avanza hacia él y se limita a decirle:

«Váyase».

El policía la mira pasmado, como si lo hubiera insultado. Va a abrir la boca, incorporarse, abofetear a Lalla quizá. Pero la mirada de la joven es más dura que el metal, difícil de sostener. El policía se levanta de modo brutal y en menos de un suspiro ya está fuera, enfilando la escalera. Lalla oye el trallazo de la puerta que da a la calle. Se ha marchado.

Aamma llora ahora, con la cabeza entre las manos, sentada en el diván. Lalla se acerca a ella, le rodea los hombros, la besa en la mejilla para consolarla.

«Puede que convenga que me marche», dice bajito, como se habla a un niño. «Quizá fuera mejor si me marchara.»

«No, no», exclama Aamma, y se intensifica su llantina.

Por la noche, cuando todo duerme a su alrededor y no se oye más que el ruido del viento sobre el zinc de los tejados y el goteo del agua en algún regazo perdido, Lalla está tumbada en el diván con los ojos abiertos en medio de la penumbra. Piensa en la casa de la Cité, allá tan lejos, cuando soplaba el viento frío de la noche. Se le ocurre que le encantaría empujar la puerta y estar enseguida al aire libre, como entonces, rodeada por la noche profunda con sus miles de estrellas. Sentiría la tierra dura y helada bajo sus pies desnudos. Oiría los crujidos del frío, los chillidos de las zumayas, el ulular de la lechuza y los ladridos de los perros salvajes. Se le ocurre que andaría sin más, sola en la noche, hasta las colinas pedregosas, en medio del canto de los cigarrones, o por el sendero de las dunas, guiada por la respiración de la mar.

Escruta la oscuridad con todas sus fuerzas, como si su mirada pudiera volver a abrir el cielo, hacer que resurjan las figuras desaparecidas, las líneas de los techos de chapa y papel alquitranado, las paredes de tablas y cartón, las siluetas de las colinas; y todos ellos, el viejo Nur, las niñas de la fuente, el Susi, los hijos de Aamma y, sobre todo, él, el Hartani, tal como era, inmóvil en medio del calor del desierto, de pie sobre una sola pierna, sin un signo de cólera o de fatiga; inmóvil frente a ella como si esperase la muerte, mientras los hombres de la Cruz Roja venían por ella para llevársela. También quiere ver al que llamaba Es-Ser, el Secreto, aquel cuya mirada venía de muy lejos y la envolvía, penetraba en ella como la luz del sol.

Pero, ¿pueden venir hasta aquí desde el otro lado de la mar, desde el otro lado de todo?

¿Pueden encontrar el camino entre tantas carreteras, encontrar la puerta entre tantas puertas? La oscuridad sigue siendo opaca, el vacío es grande, tan grande, en la habitación, que todo da vueltas y forma un embudo frente al cuerpo de Lalla, y la boca del vértigo se aplica sobre ella y la atrae hacia adelante. Ella se aferra al diván con todas sus fuerzas, resiste, con el cuerpo tenso y a punto de romperse. Desearía gritar, lanzar alaridos para romper el silencio, alejar el peso de la noche. Pero un nudo en la garganta la impide liberar ningún sonido, y su respiración sólo tiene lugar al precio de un esfuerzo doloroso, con un silbido como el del vapor. Así pugna durante algunos minutos, horas quizá, con todo el cuerpo sometido a este calambre. Por fin, de improviso, mientras el primer fulgor del alba despunta en el patio del edificio, Lalla siente deshacerse, retirarse la vorágine. El cuerpo se le aquieta en el diván, blando e informe. Piensa en el niño que lleva dentro, y por primera vez experimenta la angustia de haber hecho daño a alguien que depende de ella. Se coloca las manos a ambos lados del vientre, hasta que el calor empieza a ser profundo. Llora largo rato, sin hacer ruido, leves sollozos tranquilos, como quien respira.

Están atrapados en el Panier. Puede que realmente no lo sepan. Puede que crean que un día podrán irse, irse a otra parte, regresar a sus aldeas de las montañas y los valles enlodados, reencontrar a los que dejaron atrás, a los padres, a los hijos, a los amigos. Pero es imposible. Las calles angostas con sus viejos muros decrépitos, los apartamentos oscuros, las habitaciones húmedas y frías donde el aire gris oprime el pecho, los talleres agobiantes donde las chicas laboran frente a sus máquinas de coser pantalones y vestidos, las salas de hospital, las obras, las carreteras donde estalla el estrépito de las perforadoras neumáticas, todo los tiene en un puño, los atenaza, los apresa, y no podrán liberarse.

Ahora Lalla ha encontrado trabajo. Está de asistenta en el hotel Sainte-Blanche, a la entrada del casco viejo, hacia el norte, no muy lejos de la gran avenida donde se encontró con Radicz la primera vez. Cada día, sale temprano, antes de la apertura de las tiendas. Se embute bien en su abrigo marrón para combatir el frío y cruza todo el casco viejo, recorre las callejas oscuras, sube las escaleras por las que, peldaño a peldaño, corre el agua sucia. Afuera no hay apenas movimiento; si acaso algún que otro perro de pelo erizado en busca de sobras en las pilas de basuras. Lalla guarda en el bolsillo un mendrugo de pan, porque en el hotel no le dan de comer; a veces lo comparte con el viejo chucho negro, ese al que llaman *Dib* o *Hib*. En cuanto llega al hotel, el patrón le da un cubo y un cepillo para que restriegue las escaleras, aunque están tan sucias que Lalla piensa que es trabajo en vano. El patrón es un hombre no muy mayor, pero de cara amarillenta y ojos abotagados como si no durmiera bastante. El hotel Sainte-Blanche es una casa de tres pisos medio en ruina, cuya planta baja la ocupa un negocio de pompas fúnebres. La primera vez que Lalla entró allí, se asustó, y estuvo a punto de irse en el acto de lo sucio, frío y maloliente que estaba. Pero ya se ha acostumbrado. Es como el apartamento de Aamma, o como el barrio del Panier; es cuestión de acostumbrarse. No hay más que cerrar la boca y respirar despacio, a pequeñas inspiraciones, para no dejar entrar en el interior del cuerpo el hedor de la pobreza, la enfermedad y la muerte que reina aquí, en estas escaleras, por estos corredores, en estos rincones donde viven las arañas y las cucarachas.

El patrón del hotel es un griego, o un turco, que Lalla no está segura. En cuanto le ha dado el cubo y el cepillo, vuelve a acostarse a su habitación, en el primer piso, donde la puerta está acristalada para poder controlar desde la cama las entradas y salidas. El hotel lo habitan sólo pobres, gente lastimosa, todos hombres. Son norteafricanos que trabajan en las obras, negros antillanos, también españoles, que no tienen familia ni casa y se alojan allí en espera de algo mejor. Pero acaban amoldándose y se quedan, y a menudo regresan a sus países sin haber encontrado nada, porque el alojamiento está caro y nadie quiere saber de ellos en la ciudad. Así que viven en el hotel Sainte-Blanche, a razón de dos o tres por habitación y sin conocerse. Cada mañana, cuando se van al trabajo, llaman a la puerta acristalada del patrón y pagan la noche por adelantado.

Cuando termina de frotar con el cepillo los peldaños mugrientos de la escalera y el linóleo adhesivo de los pasillos, Lalla limpia con el mismo cepillo los W.C. y la única sala de duchas que hay, por más que también allí la capa de mugre sea tal que las cerdas del cepillo no llegan siquiera a calar en ella. Luego hace las habitaciones; vacía los ceniceros y barre las migas y el tamo. El patrón le da su llave maestra y ella va de cuarto en cuarto. Ya no hay nadie en el hotel. Las habitaciones están listas enseguida, porque los hombres que viven en ellas son muy pobres y se puede decir que no tienen nada propio. Si acaso las maletas de cartón, las bolsas de plástico con la ropa sucia, un trozo de jabón envuelto en papel de periódico. A veces hay fotos en alguna cartera encima de la mesilla; Lalla mira un momento los rostros inciertos en el papel brillante, dulces caritas de niños, mujeres, medio borrosos, como a través de una niebla. También hay cartas a veces, metidas en sobres grandes; o llaves, monederos vacíos, recuerdos comprados en los bazares cerca del puerto viejo, juguetes de plástico para los niños de las fotos borrosas. Lalla lo mira todo un buen rato, toma esos objetos en sus manos mojadas, mira esos tesoros precarios como si medio soñara, como si fuera a poder entrar en el universo de las fotos nubladas, captar el sonido de las voces, de las risas, entrever la luz de las sonrisas. Todo se esfuma de repente y ella sigue barriendo las habitaciones, recogiendo las migas desperdigadas por las comidas rápidas de estos hombres, restaurando el triste y gris anonimato que los objetos y las fotos habían perturbado un instante. A veces Lalla encuentra, en una cama deshecha, una revista llena de fotos obscenas, de mujeres desnudas con los muslos separados y los obesos senos tan hinchados como enormes naranjas: mujeres con los labios pintados de rojo claro, la mirada excesiva teñida de azul y verde, las cabelleras rubias y pelirrojas. Las páginas de la revista están manoseadas, pegadas con esperma, las fotos están sucias y ajadas como si las hubieran pisado y arrastrado por la calle. Lalla mira la revista otro buen rato, y el corazón se le acelera de angustia y desazón; luego vuelve a dejar la revista en la cama hecha, tras alisar las páginas y colocar las tapas en su sitio, como si fuera asimismo un recuerdo precioso.

Durante el tiempo que trabaja en las escaleras y las habitaciones, Lalla no ve a nadie. No conoce de cara a los hombres que viven en el hotel, y ellos, cuando se van al trabajo por la mañana, tienen tanta prisa que pasan a su lado sin verla. Lo cierto es que Lalla va vestida para que no la vean. Por debajo del abrigo marrón lleva un vestido gris de Aamma que le llega casi hasta los tobillos. Se anuda un gran pañuelo alrededor de la cabeza y calza sandalias de caucho negro. En los pasillos sombríos del hotel, en el linóleo color heces de vino y frente a las puertas plagadas de manchas, ella es una silueta apenas visible, gris y negra, como un amasijo de trapos. Los únicos que la conocen aquí son el patrón del hotel y el vigilante nocturno que se queda hasta la mañana, un argelino alto y muy delgado, con un rostro duro y hermosos ojos verdes como los de Namán el pescador. Él siempre saluda a Lalla en francés, y le dedica palabras atentas; como habla siempre con mucha ceremonia, apoyado en su voz grave, Lalla le responde con una sonrisa. Es quizá el único que se ha percatado de que Lalla es una joven, el único que ha visto bajo la sombra de sus trapos su hermoso rostro color cobre y sus ojos cuajados de luz. Para los demás es como si no existiese.

Cuando concluye su trabajo en el hotel Sainte-Blanche, el sol está todavía en lo alto del cielo. Lalla baja entonces la gran avenida en dirección a la mar. En ese momento ya no piensa en nada más, como si lo hubiera olvidado todo. En la avenida, en las aceras, la multitud sigue moviéndose con prisa, moviéndose hacia lo desconocido. Hay hombres con gafas que espejean, que aprietan el paso a grandes zancadas, hay pobres vestidos con trajes raídos que caminan en sentido contrario, con la vista al acecho como los zorros. Hay grupos de chicas jóvenes ataviadas con prendas ceñidas que caminan taconeando así: cra-cab, cra-cab, cra-cab. Los autos, las motos, los ciclomotores, los camiones, los autocares van a toda velocidad hacia la mar o hacia la parte alta de la ciudad, atiborrados de hombres y mujeres de caras idénticas. Lalla anda por la acera, lo ve todo: esos desplazamientos, esas formas, esos destellos de luz, y todo entra en ella y levanta un torbellino. Tiene hambre y el cuerpo cansado por el trabajo en el hotel, y sin embargo le apetece seguir caminando para ver más luz, para echar fuera toda la oscuridad que le ha quedado en el fondo de sí misma. El viento gélido del invierno sopla a rachas por la avenida, levanta polvaredas y hojas viejas de periódico. Lalla entorna los ojos, avanza un poco vencida hacia adelante, como antes en el desierto, hacia la fuente de luz, allá al final de la avenida.

Cuando llega al puerto, la invade una suerte de ebriedad y se tambalea en el bordillo de la acera. Aquí el viento se arremolina en libertad, despide hacia adelante el agua del puerto, hace que chasqueen los aparejos de los barcos. La luz viene desde más lejos todavía, desde más allá del horizonte, al sur de todo, y Lalla se dirige a la mar caminando por los muelles. El fragor de los hombres y los motores la envuelve, pero ella lo ignora. A ratos corriendo, a ratos a pie, se dirige a la gran iglesia de las rayas, y un poco más lejos, se introduce en la zona abandonada de los muelles, donde el viento levanta trombas de polvo de cemento.

Aquí, de golpe, reina el silencio, como si de verdad hubiera llegado al desierto. Tiene frente a ella la extensión blanca de los muelles, donde la luz del sol brilla con fuerza. Lalla anda despacio junto a las siluetas de los grandes cargueros, bajo las grúas metálicas, entre las hileras de contenedores rojos. No hay aquí hombres ni motores de auto, tan sólo la piedra blanca y el cemento, y el agua turbia de las dársenas. Se busca un sitio entre dos hileras de mercancías cubiertas con una lona azul, y se sienta protegida del viento para almorzar pan y queso, mirando el agua del puerto. Pasan a veces graznando grandes aves marinas, y Lalla piensa en su rincón entre las dunas y en el pájaro blanco que era un príncipe de la mar. Comparte su pan con las gaviotas, aunque algunas palomas también se le acercan. Aquí todo está en calma, no viene nunca nadie a molestarla. De tarde en tarde a lo sumo, aparece un pescador recorriendo el muelle con la caña en ristre en busca de un lugar que sea bueno para los sargos; pero apenas si mira a Lalla de reojo, y se va hacia el fondo del puerto. O un niño que camina con las manos en los bolsillos y juega solo a darle patadas a una lata oxidada.

Lalla siente cómo el sol la penetra, la llena poco a poco, va sacando todo lo negro y triste que se ha instalado en lo más profundo de ella. Ya no piensa en el hotel Sainte-Blanche, ni siquiera en todas esas calles, avenidas, bulevares por donde la gente camina y refunfuña sin cesar. Se convierte en un pedazo de roca cubierto de liquen y musgo, inmóvil, sin pensamiento, algo que el calor del sol dilata. A veces incluso se queda dormida apoyada en la lona azul, con el mentón encima de las rodillas, y sueña que surca la mar lisa en un barco, hasta el otro lado del mundo.

Los grandes cargueros se deslizan con parsimonia en las negras dársenas. Se dirigen a la entrada del puerto, al encuentro de la mar. Lalla se divierte persiguiéndolos a la carrera por los muelles tan lejos como puede. No sabe leer sus nombres, pero mira sus banderas, mira las manchas de herrumbre en sus cascos, y sus gruesos mástiles de carga replegados como antenas, y sus chimeneas, que llevan dibujos de estrellas, cruces, cuadrados, soles. Delante de los cargueros avanza el barco del práctico contoneándose como un insecto, y cuando los cargueros se adentran en alta mar hacen sonar sus sirenas, una o dos veces nada más, para decir hasta la vuelta.

El agua del puerto también es hermosa, y Lalla se instala a menudo con la espalda recostada en alguna bita de amarre y las piernas colgando sobre el agua. Mira las manchas irisadas de petróleo, que hacen y deshacen sus nubes, y todas las cosas raras que flotan en la superficie a la deriva, los cascos de cerveza, las mondas de naranja, las bolsas de plástico, los cabos de cuerda y los trozos de madera, y esa especie de espuma parduzca que no se sabe de dónde sale, que se deshilacha como una baba por los muelles. Y cuando pasa un barco, el chapoteo de su estela, que avanza separándose, estrellándose en los muelles. El viento sopla de vez en cuando con gran fuerza, crea leves ondulaciones en las dársenas, estremecimientos, agita los reflejos de los cargueros.

Algunos días de invierno, cuando hay mucho sol, Radicz el mendigo viene a ver a Lalla. Anda despacio por los muelles, pero Lalla lo reconoce de lejos, sale de su escondite en las lonas y silba entre los dedos, como hacían los pastores en los dominios del Hartani. El muchacho llega corriendo, se sienta junto a ella al borde del muelle y permanece un tiempo sin decir nada, mirando el agua del puerto.

Luego el rapaz le enseña a Lalla algo que ella jamás había notado: en la superficie del agua negra hay pequeñas explosiones silenciosas que dan lugar a unas ondas. Al principio Lalla mira hacia arriba, porque se cree que son gotas de lluvia. Pero el cielo está azul. Entonces comprende: son burbujas que suben desde el fondo y estallan en la superficie del agua. Juntos se entretienen mirando las explosiones de las burbujas:

«¡Ahí! ¡Ahí...! ¡Otra, otra!».

«¡Ahí, mira!»

«¡Y allá!»

¿De dónde vienen las burbujas? Radicz dice que son los peces, que respiran, pero Lalla cree que deben de ser las plantas, y piensa en esas hierbas misteriosas que bullen muy despacio en el fondo del puerto.

Después Radicz saca su caja de cerillas. Dice que es para fumar, pero en realidad fumar no es lo que quiere; lo que le gusta es prender las cerillas. Cuando dispone de un poco de dinero propio, Radicz se acerca a un estanco y se compra una caja grande de cerillas que lleva pintada una gitana bailando. Va a sentarse a un rincón tranquilo y frota sus cerillas una tras otra. Lo hace muy deprisa, sólo por el gusto de ver la cabecita roja arder al tiempo que hace un ruido como de cohete, y al momento la hermosa llama naranja baila en la punta del palito de madera, protegida al amor de sus manos.

En el puerto hay mucho viento, y Lalla tiene que improvisar una especie de tienda con su abrigo bien abierto, y siente el calor acre del fósforo que le pica en las narices. Cada vez que Radicz prende una cerilla se ríen los dos con ganas, e intentan pasarse por turno el trocito de madera. Radicz enseña a Lalla cómo se puede quemar toda la cerilla; humedeciendo la punta de los dedos y tomando la parte carbonizada. Cuando Lalla agarra la cerilla por el carbón todavía al rojo se produce un pequeño silbido, y ella se quema el pulgar y el índice, pero no es una quemadura desagradable; mira cómo devora la llama la cerilla entera, y el carbón que se retuerce como si estuviera vivo.

Fuman luego un cigarrillo a medias con la espalda recostada en la lona azul y la mirada perdida en el vacío, orientada hacia el agua oscura del puerto y el cielo color polvo de cemento.

«¿Cuántos años tienes?», pregunta Radicz.

«Diecisiete años, pero voy a cumplir pronto dieciocho», contesta Lalla.

«Yo voy a cumplir catorce el mes que viene», dice Radicz. Reflexiona un poco frunciendo el ceño.

«¿Ya te has... acostado con un hombre?»

A Lalla la sorprende la pregunta.

«No, bueno sí, ¿por qué?»

Radicz está tan preocupado que se olvida de pasarle el cigarrillo a Lalla; da una calada tras otra, sin tragar el humo.

«Yo no he hecho eso», aclara.

«¿No qué?»

«No me he acostado con una mujer.»

«Eres demasiado pequeño.»

«¡No es verdad!», replica Radicz. Se altera y tartamudea un poco. «¡No es verdad! Yo, todos mis amigos han hecho eso, y hasta algunos tienen una mujer suya, y se ríen de mí, dicen que soy marica porque no tengo mujer.»

Sigue cavilando sin dejar de fumar.

«Pero me importa un rábano lo que digan. Yo creo que no está bien acostarse con una mujer sin más, sólo por... por hacerse el listo, por echar unas risas. Es como con los cigarrillos. ¿Sabes?, yo nunca fumo allí, en la casona, delante de los demás, así que se creen que no he fumado en mi vida y esto también les hace mucha gracia. Pero es porque no tienen ni idea, y a mí me da lo mismo, prefiero que no sepan.»

Vuelve a pasarle ahora el cigarrillo a Lalla. La toba está consumida casi por completo. Lalla le da una calada nada más y la aplasta en el suelo, en el muelle.

«¿Sabes que voy a tener un hijo?»

No sabe muy bien por qué se lo ha dicho a Radicz. Él la mira con detenimiento sin contestar nada. Hay en sus ojos algo sombrío pero que de repente se aclara.

«Qué bien», dice con seriedad. «Qué bien; me alegro.»

Se alegra tanto que no aguanta más sentado. Se levanta, camina frente al agua y luego vuelve con Lalla.

«¿Vendrás a verme donde vivo?»

«Si quieres...», responde Lalla.

«Está lejos, ¿sabes?, hay que tomar el autocar y andar después un buen rato en dirección a los depósitos. Cuando quieras iremos juntos, porque si no, te pierdes.»

Y se marcha corriendo. El sol ya ha caído, no está muy lejos de la línea de los bloques altos que se ven al otro lado de los muelles. Los cargueros permanecen inmóviles como si fueran acantilados herrumbrosos y, frente a ellos, las gaviotas pasean su calmoso vuelo, danzan sobre los mástiles.

Hay días en que Lalla oye los ruidos del miedo. No sabe con certeza qué pueden ser; como pesados golpes descargados sobre placas de chapa y también un rumor sordo que no llega por los oídos, sino por la planta de los pies, y resuena en el interior de su cuerpo. Es la soledad, quizá, y también el hambre, el hambre de cariño, de luz, de canciones, el hambre de todo.

En cuanto traspasa la puerta del hotel Sainte-Blanche, al concluir su jornada, Lalla siente la luz demasiado clara del cielo que cae sobre ella, la hace tropezar. Hunde la cabeza todo lo que puede en el cuello de su abrigo marrón, se cubre el cabello hasta las cejas con el pañuelo gris de Aamma, pero la blancura del cielo no deja de herirla, como el vacío de las calles. Es como una náusea que le sube desde el centro del vientre, le llega a la garganta, le inunda la boca de amargura. Lalla se apresura a sentarse en cualquier sitio sin intentar entender, sin hacer caso de la gente que la mira, porque teme desvanecerse de nuevo. Resiste con todas sus fuerzas, trata de apaciguar los latidos de su corazón, la agitación de sus entrañas. Se coloca las dos manos en el vientre para que el calor suave de sus palmas le atraviese el vestido, entre en ella, llegue hasta el niño. Así es como se cuidaba antes, cuando le atacaban los terribles dolores en el bajo vientre, como si una bestia la royera por dentro. Luego se acuna un poco de adelante a atrás, así, sentada en el bordillo de la acera junto a los autos aparcados.

La gente pasa frente a ella sin detenerse. Aminoran un poco la marcha como si fueran a acercarse, pero cuando Lalla levanta de nuevo la cabeza, hay tanto sufrimiento en su mirada que se van a escape, porque se asustan.

Al cabo de un rato disminuye el dolor bajo las manos de Lalla. Puede volver a respirar con más desahogo. A pesar del viento frío está bañada en sudor, y la ropa empapada se le pega a la espalda. Puede que sea cosa del sonido del miedo, ese sonido que no se oye por los oídos, sino con los pies y todo el cuerpo, que vacía las calles de la ciudad.

Lalla sube hacia el casco viejo, asciende despacio los peldaños de la escalera desvencijada por donde corre el desagüe que hiede tanto. En lo alto de la escalera, tuerce a la izquierda y se interna por la rue du Bon-Jesus. Hay en los viejos muros leprosos signos escritos con tiza, letras y números incomprensibles, medio borrados. Hay por el suelo varias manchas de un rojo como la sangre, donde merodean las moscas. El color rojo le resuena a Lalla en la cabeza, le provoca un ruido de sirena, un silbido que le abre un agujero, le vacía el espíritu. Con lentitud, con esfuerzo, Lalla salva una primera mancha, una segunda, una tercera. Hay rarísimas cosas blancas mezcladas con las manchas rojas, algo así como cartílagos, huesos quebrados, piel, y la sirena le resuena a Lalla con más fuerza en la cabeza. Intenta correr por la calle en cuesta, pero las piedras están húmedas y resbaladizas, sobre todo si se llevan sandalias de caucho. En la rue du Timon siguen viéndose signos pintados con tiza en los viejos muros, palabras, ¿tal vez nombres? También una mujer desnuda, de senos como ojos, y Lalla se acuerda de la revista obscena desplegada encima de la cama deshecha en la habitación del hotel. Más allá hay un falo enorme pintado con tiza en una puerta vieja, algo así como una máscara grotesca.

Lalla sigue andando, respirando con dificultad. El sudor le sigue corriendo por la frente, espalda abajo, le empapa los riñones, le causa un picor en las axilas. No hay nadie en la calle a esas horas, salvo algunos perros de pelo erizado que roen sus huesos entre gruñidos. Rejas y barrotes cierran las ventanas a ras del suelo. Más arriba están bajadas las persianas, las casas parecen abandonadas. Un frío de muerte sale de las bocas de los tragaluces, de los sótanos, de las negras ventanas. Es como un hálito de muerte que sopla por las calles, que colma los recovecos podridos al pie de los muros. ¿Adónde ir? Lalla avanza de nuevo, muy despacio, y vuelve a doblar a la derecha, hacia la pared de la casa vieja. A Lalla le da siempre cierta aprensión cuando ve esos ventanales provistos de barrotes, porque cree que se trata de una prisión donde la gente murió antaño: dicen incluso que se oyen a veces, por la noche, los gemidos de los presos tras los barrotes de las ventanas. Baja ahora por la rue des Pistoles, desierta como siempre, y por el atajo de la Charité, para ver, a través del portal de piedra gris, la extraña cúpula rosa que tanto le gusta. Algunos días se sienta en el umbral de una casa y se queda mirando largo rato la cúpula, que recuerda una nube, y se olvida de todo, hasta que una mujer se llega a preguntarle qué hace allí y la obliga a marcharse.

Pero hoy la asusta la mismísima cúpula, como si latiera una amenaza tras sus angostas ventanas, como si fuera una tumba. Sin volver la vista, se aleja con rapidez, baja de nuevo en dirección a la mar siguiendo las calles silenciosas. El viento que pasa a rachas hace flamear la ropa tendida, grandes sábanas blancas deshilachadas en los bordes, prendas infantiles, masculinas, ropa interior femenina azul y rosa; Lalla no quiere ver esa colada, pues muestra cuerpos invisibles, piernas, brazos, pechos, algo así como despojos sin cabeza. Recorre la rue Rodillat, y también en ella hay de esas ventanas bajas, cubiertas con rejas, clausuradas con barrotes, donde se hallan prisioneros los hombres y los niños. Lalla oye por momentos retazos de frases, ruidos de loza o de cocina, o música chillona, y piensa en todos los que están atrapados en esos cuartos oscuros y fríos plagados de ratas y cucarachas, todos los que no verán más la luz, no volverán a respirar el viento.

Allí, detrás de esa ventana con los cristales rajados y ennegrecidos, está esa señora gorda y lisiada, que vive sola con dos gatos flacos y se pasa el día hablando de su jardín, de sus rosas, de sus árboles, de su grandioso limonero, que da la fruta más hermosa del mundo, ella, que no tiene más que un cuchitril frío y negro y sus dos gatos ciegos.

Acá está la casa de Ibrahim, un viejo soldado oranés que luchó contra los alemanes, los turcos, los serbios, por ahí, en lugares cuyos nombres repite sin cansarse: Salónica, Varna, Bjala. ¿Pero acaso no va a morir también él, atrapado en el cepo de su casa leprosa, cuya escalera sombría y resbaladiza está a punto de hacerlo caer en cada peldaño, cuyas paredes, como un abrigo calado de agua, son un peso para su pecho raquítico?

Un poco más allá, la española con sus seis hijos, que duermen todos en la misma habitación del ventanuco o vagabundean por el barrio del Panier andrajosos, pálidos, siempre muertos de hambre. Y allí, en esa casa por donde se cuela una lagartija, de paredes como humedecidas por un sudor maligno, la pareja enferma; tosen tan fuerte que Lalla se sobresalta a veces de noche, como si pudiera oírlos de verdad a través de todas las paredes. Y ese matrimonio extraño, él italiano, ella griega; el hombre llega borracho todas las tardes, y todas las tardes le pega a su mujer grandes puñetazos en la cabeza, así, sin necesidad de enfadarse, sólo porque se la encuentra allí y ella lo mira con los ojos lacrimosos de su cara rota de fatiga. Lalla odia a este hombre, aprieta los dientes cuando se le viene a la mente, pero también la asusta esa ebriedad tranquila y desesperada, y la sumisión de esa mujer, porque todo esto es lo que aparece en cada piedra y en cada mancha de las calles malditas de esta ciudad, en cada signo pintado en las paredes del Panier.

Hay por todas partes hambre, miedo, fría pobreza, como vieja ropa ajada y húmeda, como viejas caras marchitas y arruinadas.

Rue du Panier, rue du Bouleau, traverse Boussenoue: siempre las mismas paredes leprosas; en lo alto de los edificios que tantea la luz fría, al pie de los muros donde se estanca el agua verde, donde se pudren las basuras. Aquí no hay avispas, ni moscas que brinquen a placer en un aire donde pulule el polvo. No hay más que hombres, ratas, cucarachas, todo lo que vive en agujeros sin luz, sin aire, sin cielo. Lalla callejea como un perro viejo y de pelo erizado sin encontrar su sitio. Se sienta un instante en los peldaños de las escaleras, cerca de la tapia tras la que crece el único árbol de la ciudad, una vieja higuera preñada de olores. Se acuerda un instante del árbol que tanto quería allí, cuando el viejo Namán iba a reparar sus redes contando historias. Pero no aguanta mucho tiempo en el mismo sitio, como los perros viejos descoyuntados. Se pone otra vez en marcha a través del dédalo sombrío, mientras la luz del cielo declina poco a poco. Vuelve a sentarse un momento en uno de los bancos de la placita, donde está el jardín de los niños. Hay días en que le encanta quedarse allí mirando a los más pequeños, que se tambalean en la plaza, con las piernas que les flaquean y los brazos abiertos. Pero ahora hay sólo sombra y, en uno de los bancos, una vieja negra con un amplio vestido de abigarrados colores. Lalla va a sentarse a su lado, intenta hablarle.

«¿Vive usted aquí?»

«¿De dónde es usted? ¿De qué país?»

La vieja la mira sin entender, se asusta y se tapa la cara con el vuelo de su vestido abigarrado.

Al fondo de la plaza hay un muro que Lalla conoce de sobra. Se conoce cada mancha de revoque de argamasa, cada fisura, cada salida de herrumbre. En la parte más alta del muro están los tubos negros de las chimeneas, los canalones. Debajo del tejado, ventanucos sin postigos con los cristales sucios. Debajo del cuarto de la vieja Ida, cuelga de una cuerda ropa envarada por el polvo y la lluvia. Debajo quedan las ventanas de los gitanos. La mayor parte de los cristales están rotos, algunas ventanas ya no tienen siquiera travesaños, son meros agujeros negros abiertos como órbitas.

Lalla clava la mirada en esas bocas siniestras y de nuevo siente la presencia fría y aterradora de la muerte. Se estremece. Hay un vacío enorme en esta plaza, un torbellino de vacío y muerte que nace de esas ventanas, que da vueltas entre las paredes de las casas. En el banco, a su lado, la vieja mulata no se inmuta, no respira. Lalla le ve sólo un brazo descarnado, del que sobresalen unas venas como cuerdas, y la mano de dedos largos manchados de alheña, que mantiene el vuelo de su vestido cubriendo la parte de la cara del lado de Lalla.

¿Es posible que también aquí haya una trampa? Lalla desearía levantarse y marcharse corriendo, pero se siente clavada al banco de plástico, como en un sueño. La noche va cayendo sobre la ciudad, la penumbra inunda la plaza, envuelve los recovecos, las fisuras, entra por las ventanas de los cristales rotos. Empieza a hacer frío, y Lalla se arrebuja en su abrigo pardo, se sube el cuello hasta los ojos. Pero el frío, a través de las suelas de caucho de sus sandalias, va ganándole las piernas, las nalgas, los riñones. Lalla cierra los ojos para resistir, para dejar de ver el vacío que da vueltas en la plaza, en torno a los juegos abandonados de los niños, bajo los ojos ciegos de las ventanas.

Cuando abre los ojos de nuevo ya no hay nadie. La vieja mulata del vestido de colores se ha ido sin que Lalla se haya percatado. Curiosamente, el cielo y la tierra están menos oscuros, como si la noche hubiera retrocedido.

Lalla reanuda su recorrido por las callejas silenciosas. Baja las escaleras por donde las perforadoras neumáticas han destripado el suelo. El frío barre la calle, hace que castañeteen las chapas de las casetas de las herramientas.

Cuando llega frente a la mar, Lalla ve que el día no se ha acabado todavía. Hay una gran mancha clara encima de la catedral, entre las torres. Lalla atraviesa la avenida corriendo, sin fijarse en los autos que se lanzan, tocan el claxon y emiten destellos. Se acerca con calma al altozano, sube los escalones, pasa entre las columnas. Se acuerda de la primera vez que vino a la catedral. Le entró mucho miedo al ver que era algo tan enorme y abandonado, como un acantilado. Luego Radicz el mendigo le enseñó el lugar en el que pasa las noches en verano, cuando el viento que llega desde la mar es tibio como un soplo. Le enseñó el sitio desde donde, de noche, se ve entrar en el puerto los grandes cargueros con sus luces rojas y verdes. Le enseñó asimismo el rincón, entre las columnas del atrio, desde donde pueden verse la luna y las estrellas.

Pero esta tarde no hay nadie. La piedra blanca y verde está helada, el silencio pesa, perturbado tan sólo por el roce lejano de los neumáticos de los autos y los crujidos de los murciélagos que revolotean bajo la bóveda. Los palomos duermen ya, encaramados en las cornisas un poco en todas partes, apretados unos contra otros.

Lalla se sienta un momento en los escalones, protegida por la balaustrada de piedra. Mira el suelo manchado de guano y la tierra polvorienta frente al atrio. Pasa el viento con violencia, silbando entre las rejas. La soledad es aquí grande, como en un navío en alta mar. Duele, pone un nudo en la garganta y en las sienes, hace que los ruidos resuenen de modo extraño, hace que palpiten las luces a lo lejos, a lo largo de las calles.

Más tarde, al caer de la noche, Lalla regresa al corazón de la ciudad, hacia la parte alta. Atraviesa la place de Lenche, donde los hombres se agolpan en torno a las puertas de los bares, toma por la montée des Accoules, apoyando la mano en la barandilla doble de hierro pulido que tanto le gusta. Pero ni aquí logra disiparse su angustia. La sigue como uno de esos perrazos de pelo erizado y mirada hambrienta que merodean por los canalillos en busca de un hueso que roer. Es sin duda el hambre, el hambre que corroe el vientre, que se hace un hueco en la cabeza, pero es el hambre de todo, de todo lo no acordado, inaccesible. Hace tanto tiempo que los hombres no han saciado su hambre, tanto que no han gozado de reposo, dicha, amor, sino sólo de habitaciones subterráneas, frías, en las que flota el vapor de la angustia, sólo de esas calles oscuras por donde corren las ratas, por donde fluyen las aguas podridas, donde se amontonan las inmundicias. La calamidad.

Mientras avanza por los estrechos surcos de las calles, rue du Refuge, rue des Moulins, rue des Belles-Ecuelles, rue de Montbrion, Lalla ve todos los detritus como lanzados por la mar, latas de conserva oxidadas, papeles viejos, trozos de hueso, naranjas pochas, legumbres, trapos, botellas hechas añicos, anillas de caucho, cápsulas, pájaros muertos con las alas arrancadas, cucarachas aplastadas, tolvaneras, carcoma, podredumbre. Son las marcas de la soledad, del abandono, como si los hombres hubieran huido ya de esta ciudad, de este mundo, como si los hubieran dejado a merced de la enfermedad, de la muerte, del olvido. Como si no quedaran más que algunos hombres en este mundo, los desgraciados que continuaban viviendo en esas casas que se derrumban, en esos pisos que semejan ya unas tumbas, mientras el vacío se cuela por las ventanas boquiabiertas, el frío de la noche que oprime los pechos, que venda con su velo los ojos de los ancianos y los niños.

Lalla continúa avanzando entre los escombros, pisa encima de los amasijos de escayola caída. No sabe adónde va. Pasa y vuelve a pasar varias veces por la misma calle, dando vueltas a los altos muros del hospital. ¿Estará Aamma dentro, pasando la fregona por esas baldosas negras que nada podrá limpiar en la vida? Lalla no quiere regresar nunca más a casa de Aamma. Da vueltas por las calles sombrías al tiempo que una lluvia fina comienza a caer del cielo, porque el viento ha enmudecido. Pasan hombres, siluetas negras sin rostro que parecen perdidas también ellas. Lalla se hace invisible para dejarlas pasar, desaparece en el vano de las puertas, se oculta tras los autos aparcados. Cuando la calle se vacía de nuevo, sale, continúa andando sin ruido, cansada, loca de sueño.

Pero no quiere dormir. ¿Dónde podría abandonarse, olvidarse? La ciudad es demasiado peligrosa y la angustia no deja dormir a las chicas pobres como a los hijos de los ricos.

Hay demasiados ruidos en el silencio de la noche; ruidos del hambre, ruidos del miedo, de la soledad. Hay el ruido de las voces avinadas de los vagabundos, en los asilos, los ruidos de los cafés árabes donde no para la música monótona y las risas lentas de los fumadores de hachís. Hay el ruido terrible del loco que sacude a su mujer una tunda cada tarde, y la voz aguda de la mujer, que primero grita, y luego gime y lloriquea. Lalla oye ahora todos estos ruidos con nitidez, como si nunca cesaran de resonar. Hay sobre todo un ruido que la persigue sin descanso, que le perfora la cabeza y el vientre y repite todo el tiempo la misma desdicha: es el ruido de un niño que tose por la noche en algún sitio, en la casa de al lado, ¿quizá el hijo de esa tunecina tan gorda y pálida, de ojos verdes un tanto desorbitados? O puede que sea otro niño que tose en una casa, a varias manzanas de distancia, y luego otro que responde en otro sitio, en una buhardilla con el techo desvencijado, y otro que no consigue dormir en su alcoba gélida, y otro más, como si hubiera decenas, centenares de niños enfermos que tosieran en la noche haciendo el mismo ruido ronco que desgarra la garganta y los bronquios.

Lalla se detiene apoyando la espalda en una puerta, y se tapa los oídos apretando las palmas de las manos con todas sus fuerzas para no oír más las toses de niños que aúllan en la noche fría, de casa en casa.

Siguiendo un poco más, está la esquina desde donde se ve a un nivel inferior, como desde lo alto de un balcón, el gran cruce de las avenidas, semejante al estuario de un río, y el parpadeo cegador de todas las luces. Lalla baja entonces la colina por las escaleras, atraviesa el passage de Lorette, cruza el patio grande con sus muros ennegrecidos por el humo y la miseria, acompañada por el ruido de las radios y las voces huma-

282

nas. Se detiene un instante con la cabeza vuelta hacia las ventanas, como si alguien fuera a aparecer. Pero no se oye más que el ruido inhumano de una voz de radio que grita algo, que repite parsimoniosa la misma frase:

«¡Al son de esta música los dioses entran en escena!».

Pero Lalla no entiende lo que quiere decir esto. La voz inhumana cubre el ruido de los niños que tosen, el ruido de los hombres borrachos y de la mujer que lloriquea. Se entra enseguida en otro paso oscuro, una especie de corredor, y se desemboca en el bulevar.

Aquí, durante un instante, Lalla no experimenta miedo ni tristeza. La multitud se apura por las aceras con ojos centelleantes, manos ágiles, pies que patean el suelo de cemento, caderas que se cimbrean, prendas que se rozan, se electrizan. Por la calzada ruedan los autos, los camiones, las motos con los faros encendidos, y los reflejos de los escaparates se iluminan y apagan sin cesar. Lalla se deja llevar por el movimiento de la gente, ya no piensa en sí misma, está vacía, como si ya no existiera realmente. Por eso siempre termina volviendo a las grandes avenidas, para perderse en su marea, para ir a la deriva.

¡Hay muchas luces! Lalla las mira de frente según anda. Las luces azules, rojas, naranjas, violetas, las luces fijas, las que avanzan, las que bailan en su sitio como la lumbre de las cerillas. Lalla piensa un poco en el cielo constelado, en la noche inmensa del desierto cuando estaba tendida en la dura arena junto al Hartani y respiraban despacio, como si no formaran más que un solo cuerpo. Pero resulta difícil acordarse. Aquí hay que andar, andar con los demás, como si uno supiera adónde va, pero no hay final para el viaje ni escondrijo en el seno de la duna. Hay que andar para no caer, para que no te pisen los demás.

Lalla baja hasta el final de la avenida, luego remonta otra avenida, otra más... Siempre están las luces, y el ruido de los hombres y de sus motores ruge sin cesar. Y de repente vuelve el miedo, la angustia, como si todos los ruidos de neumáticos y pasos trazaran grandes círculos concéntricos en los bordes de un gigantesco embudo.

Ahora Lalla los ve de nuevo: ahí están, por todas partes, sentados contra los viejos muros ennegrecidos, amontonados en el suelo en medio de los excrementos y las inmundicias: los mendigos, los ancianos ciegos pidiendo limosna, las jóvenes de labios agrietados, con un crío aferrado a su seno flácido, las niñas pequeñas harapientas, con la cara plagada de postillas, que se aferran a la ropa de los viandantes, las viejas de color hollín y pelo enmarañado, todos a quienes el hambre y el frío han forzado a salir de sus cuchitriles y son rechazados como desechos por la marea. Ahí están, en el centro de la ciudad indiferente, inmersos en el rugido cargante de los motores y las voces, empapados por la lluvia, desquiciados por el viento, más feos y pobres si cabe al fulgor dañino de las bombillas. Miran a los que pasan con unos ojos nublados, con sus ojos húmedos y tristes, que se extravían y vuelven una y otra vez hacia ti como los ojos de los perros. Lalla anda despacio frente a los mendigos, los mira con el corazón en un puño, y de nuevo se establece ese vacío terrible que forja aquí su torbellino, ante estos cuerpos abandonados. Anda tan despacio que una vagabunda la atrapa por el abrigo y trata de arrastrarla hacia ella. Lalla se debate, se deshace con violencia de esos dedos que se crispan en el paño del abrigo; mira con horror y compasión el rostro todavía joven de la mujer, sus mejillas abotagadas por el alcohol, enrojecidas por el frío, y sobre todo esos dos ojos azules de ciega, casi transparentes, cuya pupila no es mayor que la cabeza de un alfiler.

«¡Ven! ¡Acércate!», repite la vagabunda, mientras Lalla pugna por quitarse de encima esos dedos de uñas partidas. Por fin el miedo se apodera de ella y Lalla arranca el abrigo de las manos de la vagabunda y se escurre a la carrera, mientras los demás mendigos prorrumpen en carcajadas y la mujer, que trata en vano de echarse en la acera, incrustada en su amasijo de pingajos, se deshace en imprecaciones a grito pelado.

Con el corazón palpitante, Lalla corre por la avenida, se tropieza con la gente que toma el fresco, que entra y sale de los cafés, de los cines, hombres trajeados que acaban de cenar y llevan todavía el brillo en el rostro por el esfuerzo que les ha costado comer y beber demasiado; chavales perfumados, parejas, militares de paseo, extranjeros de piel negra y pelo crespo que le dicen cosas que no entiende o tratan de atraparla, según pasa, lanzando grandes risotadas.

En los cafés hay una música que no para de percutir, una música machacona y salvaje que resuena en la tierra con ruido sordo, que vibra a través del cuerpo, en el vientre, en los tímpanos. Es siempre la misma música, que sale de los cafés y de los bares, que se estrella contra la luz de los tubos de neón, los colores rojos, verdes, naranja, contra las paredes, las mesas, las caras maquilladas de las mujeres.

¿Cuánto hace que Lalla avanza en medio de estos torbellinos, de esta música? Ya ha perdido la noción. Horas, a lo mejor noches enteras, noches sin días para interrumpirlas. Se acuerda de la extensión de las estepas pedregosas en la noche, de los montículos de guijarros que cortaban como cuchillas, de los senderos de las liebres y las víboras bajo la luna, y mira aquí, alrededor, como si fuera a verlo aparecer: el Hartani vestido con su sayal, con el brillo de sus ojos en su rostro negrísimo, con gestos tan lentos y morosos como el desplazamiento de los antílopes. Pero no hay más que esta avenida, siempre esta maldita avenida, y esos cruces repletos de caras, de ojos, de bocas, esas voces chillonas, esas palabras, esos murmullos. Esos rugidos de motores y de bocinas, esas luces brutales. No se ve el cielo, como si un leucoma cegara la tierra. ¿Cómo podrían llegar hasta aquí el Hartani y él, el guerrero azul del desierto, Es-Ser, el Secreto, como ella lo llamaba antes? Ellos no podrían reconocerla entre tantos rostros, tantos cuerpos, con todos estos autos, camiones, motocicletas. Ni siquiera podrían oír su voz aquí, con todos esos ruidos de voces que hablan en todas las lenguas, con esta música que resuena, que hace temblar el suelo. Por eso Lalla ya no los busca, ni les habla, como si hubieran desaparecido para siempre, como si hubieran muerto para ella.

Ahí están los mendigos, en el corazón mismo de la ciudad, en la noche. La lluvia ha cesado de caer, y la noche se presenta muy blanca, lejana, se ha ido hasta la medianoche. Los hombres se van haciendo raros. Entran y salen de los cafés y de los bares, pero desaparecen en auto a toda velocidad. Lalla tuerce a la derecha por la calle estrecha un poco en cuesta arriba, y camina ocultándose tras los autos aparcados. En la otra acera hay algunos hombres. Están inmóviles, no hablan. Miran hacia lo alto de la calle, la entrada de un edificio sórdido, una puertecita entreabierta pintada de verde que da a un pasillo iluminado.

Lalla se para, tambіén ella, y mira escondida detrás de un coche. Tiene el pulso muy acelerado, y sopla por la calle el vacío enorme de la angustia. El edificio se erige como una fortaleza sucia, con las ventanas sin postigos y los cristales empapelados con hojas de periódico. Algunas de las ventanas están iluminadas, con una luz mala, dura, o con un extraño fulgor debilucho color sangre. El conjunto sugiere un gigante inmóvil con decenas de ojos que miraran o durmieran, un gigante henchido de la fuerza del mal, dispuesto a devorar a los hombrecillos que aguardan en la calle. Lalla está tan débil que ha de apoyarse en la carrocería del coche, mientras una tiritona estremece todos sus miembros.

El viento del mal sopla en la calle, es quien provoca el vacío sobre la ciudad, el miedo, la pobreza, el hambre; quien forma esos torbellinos en las plazas y descarga el peso del silencio en las habitaciones solitarias donde se asfixian los niños y los ancianos. Lalla lo odia, sí, como a todos esos gigantes de ojos abiertos que imperan en la ciudad sólo para devorar a los hombres y a las mujeres, triturarlos en su vientre.

Al poco, la puertecilla verde del edificio se abre por completo, y ahora en la acera, enfrente de Lalla, se halla inmóvil una mujer. Ella es el centro de atención de los hombres, que la miran sin moverse, fumando cigarrillos. Es una mujer muy bajita, casi una enana, de cuerpo ancho y cabeza inflada asentada tal cual en los hombros, sin cuello. Pero su cara es infantil, con una boquita color cereza y unos ojos negrísimos contorneados de verde. Lo que llama de ella más la atención, al margen de su pequeña estatura, son los cabellos: cortos, rizados, de un rojo cobrizo que centellea de manera extraña a la luz del pasillo que hay tras ella, y forman como una aureola llameante sobre su cabeza de muñeca grasienta, como una aparición sobrenatural.

Lalla mira los cabellos de la minúscula mujer, fascinada, sin moverse, casi sin respirar. El viento frío sopla con violencia a su alrededor, pero la mujercilla sigue de pie a la entrada del edificio con el pelo flameándole en la cabeza. Lleva una minifalda negra que deja ver sus gruesos muslos blancos, y una especie de jersey violeta escotado. Calza escarpines de charol con tacones de aguja muy altos. Da algunos pasos en el sitio para combatir el frío, y el ruido de sus tacones resuena en el vacío de la calleja.

Algunos hombres se le acercan ahora sin dejar de fumar sus cigarrillos. Son árabes en su mayoría, de pelo muy negro, con una tez gris que Lalla no identifica, como si vivieran bajo la tierra y sólo salieran por la noche. No hablan. Tienen una catadura brutal, mal encarada, labios apretados, mirada dura. La mujercilla de cabellos de fuego ni los mira. Se enciende un cigarrillo a su vez y fuma deprisa, dando vueltas en el mismo sitio. Cuando enseña la espalda, parece jibosa.

En la parte alta de la calleja camina otra mujer. Ésta, en cambio, es muy alta y muy fuerte, aunque envejecida, marchita por el cansancio y la falta de sueño. Viste un amplio impermeable de hule azul, y lleva el pelo negro despeinado por el viento.

Baja despacio la calle, acompañada por el repiqueteo de sus zapatos de tacón alto, llega a la altura de la enana, y se detiene también ella ante la puerta. Los árabes se le acercan, le hablan. Pero Lalla no oye lo que dicen. Uno tras otro van alejándose, y se paran a distancia, con la vista clavada en las dos mujeres que fuman inmóviles. El viento recorre a rachas la calleja, les ciñe a las mujeres la ropa al cuerpo, les revuelve el pelo. Hay tanto odio y desesperación en esta calleja, como si descendiera sin límite por todos los peldaños del infierno, sin tocar nunca fondo, sin detenerse jamás. Hay tanta hambre, tanto deseo insatisfecho, tanta violencia. Los hombres silenciosos miran, inmóviles en el bordillo de la acera como soldaditos de plomo, con la vista clavada en el vientre de las mujeres, en sus senos, en la curva de sus caderas, en la pálida carne de sus gargantas, en sus piernas desnudas. Puede que no haya amor en ningún sitio, ni compasión, ni ternura. ¿Acaso el leucoma que separa la tierra del cielo ha asfixiado a los hombres, frenado las palpitaciones de sus corazones, hecho morir todos sus recuerdos, todos sus deseos antiguos, toda la belleza?

Lalla siente el vértigo continuo del vacío entrar en ella, como si el viento que pasa por la calleja fuera el de un largo movimiento giratorio. ¿Acaso el viento va a arrancar los techos de las casas sórdidas, arrasar puertas y ventanas, derribar las paredes podridas, voltear todos los coches y convertirlos en montones de chatarra? Tiene que pasar esto, pues hay demasiado odio, demasiado sufrimiento... Pero el gran edificio sucio sigue en pie, aplastando a los hombres con todo su tamaño. Son los gigantes inmóviles de ojos sanguinolentos, de ojos crueles, los gigantes devoradores de hombres y mujeres. Dentro de sus entrañas, tumban a las jóvenes en los viejos colchones llenos de manchas y las poseen en tan sólo unos segundos, hombres silenciosos cuyo sexo arde como un tizón. Luego se visten de nuevo y se marchan, y el cigarrillo que dejaron en el borde de la mesa no ha tenido tiempo de consumirse. En el interior de los gigantes devoradores, las viejas se acuestan bajo el peso de los hombres, que las aplastan, les ensucian las carnes amarillas. Y en todos estos vientres de mujer nace el vacío, el vacío intenso y helado que se escapa de ellas y sopla como un viento por las calles y callejas, lanzando sus torbellinos sin fin.

De repente, Lalla no aguanta más. Quiere gritar, llorar incluso, pero es imposible. El vacío y el miedo le han estrangulado la garganta y sólo con dificultad puede respirar. Sale de allí. Corre calleja adelante con todas sus fuerzas, y el ruido de sus pasos resuena seco en el silencio. Los hombres se giran y la ven escapar. La enana grita algo, pero un hombre la toma por el cuello y la obliga a pasar con él al interior del edificio. El vacío, perturbado un instante, se cierra de nuevo sobre ellos, los estrecha. Algunos hombres tiran su cigarrillo al regato y se marchan hacia la avenida, escurriéndose como sombras. Otros llegan y se detienen en el bordillo de la acera, y miran a la mujerona de pelo negro que sigue en pie frente a la puerta del edificio.

Cerca de la estación hay muchos mendigos que duermen, sepultados hasta el cuello en sus pingajos o envueltos en cartones, frente a las puertas. Brilla a lo lejos el edificio de la estación con sus grandes faroles blanco como astros.

A la vuelta de una puerta, al abrigo de una arqueta de piedra, inmersa en un gran lago de sombra húmeda, Lalla se ha tumbado en el suelo. Ha metido la cabeza y los miembros en el interior de su gran abrigo marrón hasta donde ha podido, igualito que una tortuga. La piedra es dura y fría, y el ruido mojado de los neumáticos de los autos la hace estremecer. Pero de todas formas ve el cielo que se abre, como antes en la estepa pedregosa, y entre los bordes del leucoma que se hiende puede ver todavía, con los ojos bien cerrados, la noche del desierto.

Lalla vive en el hotel Sainte-Blanche. Dispone de un cuartito chiquito, un cuchitril oscuro bajo los tejados que comparte con las escobas, los cubos, las antiguallas allí olvidadas hace años. Hay una bombilla eléctrica, una mesa y un viejo catre de tijera. Cuando le preguntó al patrón si podía vivir allí, éste se limitó a contestarle que sí, sin hacer preguntas. No hizo comentarios, respondió que podía dormir allí, que la cama no servía. También dijo que le deduciría del salario el dinero de la electricidad y el agua, nada más. Se puso otra vez a leer el periódico echado como estaba en la cama. Por eso a Lalla le cae bien el patrón, por más que sea sucio y no se afeite, porque no hace preguntas. Todo le da igual.

Con Aamma no pasó lo mismo. Cuando Lalla le dijo que iba a dejar de vivir en su casa, se le cerró la expresión y dio rienda suelta a todo tipo de cosas desagradables, porque creía que Lalla se iba para vivir con un hombre. Pero en cualquier caso terminó aceptando, porque de todos modos le convenía, debido a que sus hijos tendrían que venir pronto. Y no habría sitio suficiente para todos.

Lalla conoce ya un poco mejor a la gente del hotel Sainte-Blanche. Son todos muy pobres, venidos de tierras donde no hay comida, donde no hay casi nada para vivir. Hasta los más jóvenes tienen rostros curtidos, y no pueden hablar demasiado rato. En la planta en la que vive Lalla no hay nadie, porque es la de los desvanes que habitan los ratones. Pero justo debajo hay una habitación donde se alojan tres negros, hermanos. No son ni malos ni tristes. Siempre están alegres y Lalla disfruta oyéndolos reír y cantar los sábados por la tarde y los domingos. No sabe cómo se llaman ni qué hacen en la ciudad. Aunque a veces se cruza con ellos en el pasillo, cuando va a los servicios o cuando baja a primera hora de la mañana a restregar las escaleras. Pero ya no están allí cuando va a hacerles la habitación. No tienen apenas efectos personales, si acaso algunas cajas de cartón llenas de ropa y una guitarra.

Junto a la habitación de los negros, hay dos habitaciones ocupadas por norteafricanos de las obras que nunca se quedan mucho tiempo. Son amables pero taciturnos, y Lalla tampoco les habla mucho. No hay nada en sus habitaciones porque colocan toda la ropa en las maletas, y las maletas bajo la cama. Tienen miedo de que les roben.

Quien le cae muy bien a Lalla es un joven negro africano, que convive con su hermano en el cuartito del segundo piso, al fondo del todo del pasillo. Es la habitación más bonita, porque da a un trozo de patio que tiene un árbol. Lalla no se sabe el nombre del mayor, pero sí que el pequeño se llama Daniel. Es muy negro, y sus cabellos tan rizados que siempre lleva algo enredado en ellos, pedacitos de paja, plumas, briznas de hierba. Tiene una cabeza redondita y un cuello desmesurado. Por lo demás, todo en él es largo, brazos largos, piernas largas, y tiene unos curiosos andares, un poco como si fuera bailando. Siempre está alegre, se pasa el rato riendo cuando habla con Lalla. Ella no entiende bien lo que le dice, porque tiene un raro acento cantarín. Pero no tiene mayor importancia, porque hace gestos muy divertidos con sus largas manos y todo tipo de muecas con su gran boca repleta de dientes blanquísimos. Es el preferido de Lalla, por su cara lisa, por su risa, porque es un poco como un niño. Trabaja en un hospital con su hermano, y los sábados y los domingos se va a jugar al fútbol. Es su gran pasión. Tiene la habitación llena de carteles y fotos sujetos con chinchetas, por la pared, en la puerta, hasta en el interior del armario. Cada vez que ve a Lalla, le pregunta cuándo va a ir a verlo jugar al campo.

Ella fue allí un día, un domingo por la tarde. Se instaló en lo más alto de las gradas y lo miró. Parecía una motita negra en medio del césped verde del terreno de juego y gracias a ello pudo reconocerlo. Jugaba de delantero centro, conduciendo el ataque. Pero Lalla no le ha contado nunca que había ido a verlo, quizá para que siga pidiéndole que vaya con esa risa suya que resuena tan fuerte en los pasillos del hotel.

También hay un viejo que vive en un cuarto chiquito en el otro extremo del pasillo. Él nunca le habla a nadie y nadie tiene idea exacta de dónde es. Es un viejo con el rostro comido por alguna enfermedad terrible, sin nariz ni boca, si acaso con los dos orificios en vez de fosas nasales y una cicatriz en lugar de labios. Pero tiene unos hermosos ojos profundos y tristes, y siempre es educado y dulce, y Lalla lo estima por ello. Vive en esa habitación en la más absoluta pobreza, casi sin comer, y sólo sale por la mañana muy temprano para recoger en el mercado la fruta caída, y para darse un paseo al sol. Lalla no sabe su nombre pero le tiene afecto. Se parece un poco al viejo Namán, tiene el mismo estilo de manos, poderosas y ágiles, manos quemadas por el sol y plenas de saber. Cuando le mira las manos, es como si reconociera un tanto el paisaje ardiente, las extensiones de arena y piedras, los arbustos calcinados, los riachuelos desecados. Pero él no habla nunca de su tierra ni de sí mismo, guarda todo esto encerrado en lo más hondo. Apenas le dirige a Lalla unas pocas palabras cuando se la encuentra en el pasillo; sobre el tiempo que hace afuera, sobre las últimas noticias de la radio y poco más. Puede que sea el único en el hotel que conoce el secreto de Lalla, porque le ha preguntado dos veces, mientras la miraba con sus ojos llenos de profundidad, si no le resultaba demasiado duro el trabajo. No ha añadido nada más, pero Lalla ha pensado que él sabía que llevaba una criatura en su vientre, y hasta le ha entrado un poco de miedo de que el viejo le hablara de ello al patrón, porque entonces no la dejaría seguir en el hotel. Pero el viejo no dice nada a nadie más. Paga cada lunes por adelantado una semana de alojamiento sin que nadie sepa de dónde saca el dinero. Lalla es la única en saber que es pobre, porque en su habitación nunca hay nada para comer que no sea la fruta golpeada que se ha caído al suelo en el mercado. Así que a veces, cuando ella dispone de un poco de dinero, compra una o dos manzanas hermosas, o naranjas, y se las pone en la única silla del cuartito según pasa a limpiar. El viejo no le ha dado nunca las gracias, pero ella nota en sus ojos que se alegra cuando se la encuentra.

A los demás huéspedes Lalla los conoce sin conocerlos. Es gente que no se queda, árabes, portugueses, italianos, que sólo paran a dormir. Hay también los que se quedan, pero que no le gustan a Lalla, dos árabes del primero de aspecto brutal que se emborrachan con alcohol de quemar. Está el que lee sus revistas obscenas, que deja tiradas de cualquier manera todas esas fotos de mujeres desnudas en su cama deshecha para que Lalla las recoja y las mire. Es un yugoslavo que se llama Gregori. Un día Lalla entró en su habitación y estaba él. La agarró por el brazo y quiso empujarla a la cama, pero Lalla se puso a gritar y él se asustó. La dejó marchar insultándola a gritos. Desde aquel día Lalla no ha vuelto a poner los pies en su habitación cuando él se encuentra en ella.

Pero de todos puede decirse que no tienen una verdadera existencia, salvo el viejo de la cara comida. No existen porque no dejan rastro de su paso, como si no fueran más que sombras, fantasmas. Cuando se marchan, un buen día, es como si no hubieran venido nunca. El catre de tijera siempre es el mismo, y la silla desencajada, el linóleo manchado, las paredes mugrientas, cuya pintura forma ampollas, y la bombilla desnuda al cabo del hilo, con sus cagadas de mosca. Todo queda igual.

Pero es sobre todo la luz lo que viene de fuera, a través de los cristales sucios, la luz gris del patio interior, los pálidos reflejos del sol, y los ruidos: ruidos de los aparatos de radio, rugidos de los motores de los autos de la gran avenida, voces de los hombres que se encaran. Ruido del silbido de los grifos, ruido de descarga de la cisterna, chirridos de las escaleras, rugido del viento que sacude las chapas y los canalones.

Lalla escucha todos estos ruidos por la noche acostada en la cama, mirando la mancha amarilla de la bombilla encendida. Los hombres no pueden existir aquí, ni los niños, ni nada de lo que vive. Ella escucha los ruidos de la noche como desde el interior de una caverna, y es como si ella misma no existiera ya demasiado. Algo vibra en su vientre en este instante, palpita como un órgano desconocido.

Lalla se ovilla en su lecho, con las rodillas contra la barbilla, e intenta escuchar lo que se agita en ella, lo que empieza a vivir. Sigue presente el miedo, el miedo que incita a la fuga calles arriba y obliga a brincar de una esquina a otra, como una pelota. Pero al mismo tiempo hay una extraña corriente de dicha, de calor y de luz que parece venir desde muy lejos, desde más allá de mares y ciudades, y que une a Lalla con la belleza del desierto. Entonces, como cada noche, Lalla cierra los ojos, respira hondo. Lentamente se apaga la luz gris del cuchitril y aparece la noche hermosa. Está poblada de estrellas, fría, silente, solitaria. Descansa en la tierra sin límites, en la inmensidad de las dunas inmóviles. Junto a Lalla está el Hartani, vestido con su sayal, y su rostro de cobre negro brilla a la luz de las estrellas. Es su mirada lo que le llega, lo que la encuentra aquí, en este cuchitril, a la enfermiza claridad de la bombilla, y la mirada del Hartani bulle en ella, en su vientre, despierta la vida. Hace tanto que él desapareció, tanto tiempo que ella se marchó al otro lado de la mar, como si la hubieran echado, y sin embargo la mirada del joven pastor es muy fuerte; ella la siente en su interior, en el secreto de su vientre, moverse de verdad. Y los otros se borran, la gente de esta ciudad, los policías, los hombres de la calle, los huéspedes del hotel, todos desaparecen, y con ellos su ciudad, sus casas, sus calles, sus autos, sus camiones, y no queda a la postre más que la inmensidad del desierto donde Lalla y el Hartani duermen juntos. Los dos envueltos en el gran sayal, rodeados por la noche negra y las miríadas de estrellas; y se estrechan con fuerza uno contra el otro para no sentir el frío que invade la tierra.

Cuando alguien muere en el Panier, la funeraria de la planta baja del hotel se encarga de todo. Lalla creía al principio que se trataba de algún familiar del dueño del hotel; pero es un comerciante como los demás. Al principio Lalla pensaba que la gente venía a morir al hotel y que se les enviaba a continuación a las pompas fúnebres. No hay mucho personal en la tienda, sólo el patrón, monsieur Cherez, dos enterradores y el conductor de la limusina.

Cuando ha muerto alguien en el Panier, los empleados se ponen en marcha con la limusina y van a colgar grandes paños fúnebres con lágrimas de plata en la puerta de la casa. Frente a la puerta, en la acera, instalan una mesita recubierta con un mantel negro que también salpican lágrimas de plata. En la mesa hay un platito para que la gente pueda dejar una tarjetita con su nombre cuando van a hacer su visita de pésame al muerto.

Cuando murió monsieur Ceresola, Lalla lo supo enseguida, porque vio a su hijo en la tienda de la planta baja del hotel. El hijo de monsieur Ceresola es un pobre hombre, gordo, de poco pelo y bigote al cepillo, y siempre mira a Lalla como si ella fuera transparente. Pero monsieur Ceresola sí que era diferente. Lalla le tiene mucho cariño. Es italiano, no muy alto, pero viejo y delgado, y anda con dificultad por su reuma. Viste siempre un terno negro que debe de ser también muy viejo, porque el tejido está desgastado hasta la trama en los codos, en las rodillas. Lo combina con unos zapatos viejos de cuero negro, siempre bien lustrosos, y cuando hace frío, se pone una bufanda de lana y una gorra. Monsieur Ceresola tiene una cara muy seca y arrugada, pero curtida a fondo por el aire libre, pelo corto blanco y unas gafas raras de carey, reparadas con esparadrapo y bramante.

La gente lo aprecia en el Panier, porque es educado y amable con todo el mundo, y tiene un aire muy digno con su traje negro pasado de moda y sus zapatos lustrosos. Y además todo el mundo sabe que en su día fue carpintero de obra, un verdadero maestro carpintero de obra, y que vino de Italia antes de la guerra porque no quería a Mussolini. Es lo que cuenta en ocasiones cuando se cruza con Lalla por la calle yendo a hacer sus compras. Dice que llegó a París sin dinero, con lo justo para pagar dos o tres noches de hotel, y que no hablaba una palabra de francés; por ejemplo, cuando pidió jabón para lavarse le subieron un puchero de agua caliente.

Cuando Lalla se lo encuentra lo ayuda a llevar sus paquetes, porque camina con dificultad, sobre todo cuando hay que subir las escaleras hacia la rue du Panier. Y así, mientras caminan, le habla de Italia, de su pueblo y de los tiempos en que trabajaba de obrero en Túnez, y de las casas que construía en todas partes, en París, en Lyon, en Córcega. Tiene una extraña voz un poco alta, y a Lalla le cuesta bastante entender su acento, pero le gusta mucho oírlo hablar.

Ahora ha muerto. Cuando Lalla ha llegado a entenderlo, ha sido tal la tristeza de su expresión que el hijo de monsieur Ceresola la ha mirado con asombro, como si le sorprendiera que alguien pudiera pensar en su padre. Lalla ha vuelto a salir con gran rapidez, porque no le gusta nada respirar el aire de la funeraria, ni ver todas esas coronas de plástico, esos ataúdes, y sobre todo esos enterradores con sus ojos malvados.

Lalla deambula por las calles, despacio, con la cabeza gacha, y ha llegado así hasta la puerta de la casa de monsieur Ceresola. Rodeando la puerta estaban los paños fúnebres, y la mesita con su mantel negro y el platito. Había también un gran tablero encima de la puerta con dos letras en forma de medias lunas, así:

♡

Lalla entra en la casa, sube los estrechos peldaños de la escalera, como cuando llevaba los paquetes de monsieur Ceresola, despacio, deteniéndose en cada rellano para tomar aliento. Está tan cansada hoy, se siente tan pesada, como si fuera a quedarse dormida, como si fuera a morirse al llegar al último piso.

Se detiene ante la puerta, titubea un poco. Empuja por fin la puerta y entra en el pequeño apartamento. En primera instancia no reconoce el sitio, porque están cerrados los cuarterones y todo está oscuro. No hay nadie en el apartamento y Lalla avanza hacia el cuarto de estar, donde hay una mesa con un canastillo de fruta encima del hule. Al fondo de la pieza está la alcoba con la cama. Al acercarse, Lalla ve de pronto a monsieur Ceresola acostado en la cama boca arriba, como si durmiera. Su aspecto es tan apacible en la penumbra, con los ojos cerrados y los brazos estirados a ambos lados del cuerpo, que Lalla cree por un instante que tan sólo está transpuesto, que va a despertarse de un momento a otro. Ella le susurra, para no molestarlo:

«¿Monsieur Ceresola? ¿Monsieur Ceresola?».

Pero monsieur Ceresola no duerme. Se ve en su ropa; el mismo terno negro, los mismos zapatos lustrosos; pero la chaqueta está un poco descolocada, con el cuello algo levantado detrás de la cabeza, y Lalla piensa que se le va a chafar. Hay una sombra gris en las mejillas y en el mentón del anciano, y ojeras azules en torno a sus ojos, como si lo hubieran golpeado. Lalla vuelve a acordarse del viejo Namán cuando estaba echado en el suelo de su casa y ya no podía respirar. Piensa en él con tanta fuerza que durante algunos segundos lo ve, acostado en la cama, con el rostro desdibujado por el sueño y las manos extendidas junto al cuerpo. La vida sigue temblando en la penumbra de la habitación, con un murmullo muy bajo, apenas perceptible. Lalla se arrima al ladito de la cama, mira mejor el rostro apagado, color cera, el pelo blanco que le cae sobre las sienes en mechas rígidas, la boca entreabierta, las mejillas hundidas por el peso de la mandíbula, que cuelga. Lo que hace que la cara se vea rara es que ya no lleva las viejas gafas de carey; parece desnuda, débil por culpa de esas señales en la nariz, en torno a los ojos, a lo largo de las sienes, que ya no sirven. El cuerpo de monsieur Ceresola se ha vuelto de golpe demasiado pequeño, demasiado delgado para esa negra vestimenta, y es como si hubiera desaparecido, como si no quedara más que esa máscara y esas manos de cera, y esas prendas mal ajustadas colgadas en perchas demasiado reducidas. De repente a Lalla le vuelve el miedo, el miedo que quema la piel, que nubla la vista. La penumbra es asfixiante, un veneno que paraliza. La penumbra surge del fondo de los patios, recorre las calles estrechas a través del casco viejo, envuelve a todos los que encuentra a su paso, presos en sus cuchitriles: los niños pequeños, las mujeres, los ancianos. Entra en las casas, bajo los techos húmedos, en las bodegas, se instala en las fisuras más pequeñas.

Lalla permanece inmóvil frente al cadáver de monsieur Ceresola. Siente que el frío se apodera de ella y el extraño color cera le cubre la piel de la cara y de las manos. Vuelve a acordarse del viento maligno que sopló aquella noche en la Cité, cuando el viejo Namán estaba en trance de morir; y del frío que parecía salir de todos los hoyos de la tierra para aniquilar a los hombres.

Lentamente, sin apartar la vista del cuerpo muerto, Lalla retrocede hacia la puerta del apartamento. La muerte está en la sombra gris que flota entre las paredes, en la escalera, en la pintura desconchada de los pasillos. Lalla baja tan aprisa como puede, con el corazón palpitante y los ojos inundados de lágrimas. Se arroja a la calle y trata de correr hacia la parte baja de la ciudad, hacia la mar, rodeada por el viento y por la luz. Pero un dolor en el vientre la obliga a sentarse en el suelo, replegada sobre sí misma. Gime mientras la gente pasa por delante, la mira de manera furtiva y se aleja. Tienen miedo también ellos, eso se nota en la forma en que caminan rozando las paredes, un tanto ladeados, como los perros de pelo erizado.

La muerte está por todas partes, sobre ellos, piensa Lalla, no tienen escapatoria. La muerte se ha instalado en la tienda negra de la planta baja del hotel Sainte-Blanche, entre los ramos de violetas de yeso y las baldosas de mármol aglomerado. Allí habita, en la vieja casa podrida, en los cuartos de los hombres, en los pasillos. Ellos no lo saben, ni lo sospechan siquiera. Por la noche deja atrás la funeraria en forma de cucarachas, ratas, chinches, y se propaga por todas las húmedas habitaciones, por todos los jergones, repta y bulle por los suelos, las fisuras, lo llena todo como una sombra envenenada.

Lalla se incorpora, camina con pie inseguro y se presiona el bajo vientre con las manos, allí donde el dolor se hace abultado. Ya no mira a nadie. ¿Dónde podría ir? Ellos viven, comen, beben, hablan, y mientras tanto la trampa se cierra sobre ellos. Lo han perdido todo; exiliados, golpeados, humillados, trabajan al viento helado de las carreteras, bajo la lluvia, abren hoyos en la tierra pedregosa, se parten las manos y la cabeza, enloquecidos por las perforadoras neumáticas. Tienen hambre, tienen miedo, están paralizados por la soledad y el vacío. Cuando se detienen, la muerte no pierde ocasión de rondarlos, bajo sus plantas, en la funeraria, en la planta baja del hotel Sainte-Blanche. Allí, los enterradores de ojos malvados los borran del mapa, los apagan, hacen desaparecer sus cuerpos, les cambian la cara por una máscara de cera, las manos por guantes que sobresalen de sus prendas vacías.

¿Adónde ir, dónde desaparecer? Lalla querría buscarse un escondrijo, en fin, como entonces en la gruta del Hartani en lo alto de la escarpa, un sitio desde el que se viera sólo la mar y el cielo.

Se llega hasta la placita, y se sienta en el banco de plástico, frente al muro de la casa arruinada con las ventanas vacías como los ojos de un gigante muerto.

Ha habido después una especie de fiebre en la ciudad, un poco por todas partes. Puede que por el viento que se ha puesto a soplar al final del invierno, no el viento de la desgracia y la enfermedad, como cuando el viejo Namán había empezado a morir, sino un viento de violencia y frío que pasaba por las grandes avenidas de la ciudad levantando polvaredas y periódicos viejos, un viento que embriagaba, que hacía tambalearse. Lalla no ha sentido nunca un viento semejante. Penetra en el interior de la cabeza y se arremolina, atraviesa el cuerpo como una corriente fría despidiendo tremendos escalofríos. Así que esta tarde, en cuanto pisa la calle, se marcha corriendo, de frente, sin mirar siquiera la tienda de las pompas fúnebres donde se aburre el hombre de negro.

Afuera, en las grandes avenidas, hay mucha luz, porque el viento la ha traído consigo. Brinca, centellea en las carrocerías de los autos, en los cristales de las casas. También esto se adentra en la cabeza de Lalla, vibra en su piel, arranca centellas de su pelo. Hoy, por vez primera en mucho tiempo, puede ver en derredor la blancura eterna de las piedras y la arena, los destellos cortantes como el pedernal, las estrellas. Lejos, delante, al final de la gran avenida, envueltos por la niebla de luz, surgen los espejismos, las cúpulas, las torres, los minaretes y las caravanas que se mezclan con el hormigueo de la gente y de los autos.

Es el viento de la luz venido del oeste y que va en la dirección de las sombras. Lalla oye, como antes, el ruido de la luz que crepita en el asfalto, el ruido largo de los reflejos en los cristales, todos los crujidos de ascuas. ¿Dónde se halla? Hay tanta luz que se encuentra como aislada en el centro de una red de agujas. ¿Estará andando ahora por la inmensa extensión de piedras y arena, donde espera el Hartani, en el corazón del desierto? ¿Será que está soñando, según anda, por culpa de la luz y el viento, y que la gran ciudad va a disolverse pronto, a evaporarse al calor del amanecer tras la terrible noche?

En la esquina de una calle, cerca de la escalera que conduce a la estación, está, de pie frente a ella, Radicz el mendigo. Su cara refleja cansancio y ansiedad, y a Lalla le cuesta reconocerlo, porque el jovencito se ha vuelto casi un hombre. Lleva una ropa que es nueva para Lalla, un terno marrón que flota encima de su cuerpo famélico y unos zapatones de cuero negro que por fuerza tienen que martirizarle sus pies desnudos.

A Lalla le gustaría hablarle, decirle que monsieur Ceresola ha muerto, y que ella no piensa volver nunca más a trabajar al hotel Sainte-Blanche ni a ninguna de esas habitaciones donde la muerte puede llegar en cualquier instante y transformarte en máscara de cera; pero hay demasiado viento y demasiado ruido para hablar, así que se limita a enseñarle a Radicz el fajo de billetes de banco que lleva en la mano hechos un rebujo.

«¡Mira!»

Radicz abre los ojos como platos, pero no pregunta nada. Puede que crea que Lalla ha robado ese dinero o algo peor.

Lalla vuelve a meterse los billetes en el bolsillo del abrigo. Es todo lo que le queda de esos días pasados en la negrura del hotel frotando los linóleos con el cepillo de grama y barriendo los cuartos grises con olor a sudor y tabaco. Cuando le dijo al patrón del hotel que se despedía, tampoco él le hizo ningún comentario. Se levantó de su camastro siempre deshecho, y se acercó hasta la caja fuerte, al fondo de la habitación. Cogió el dinero, lo contó, añadió una semana de anticipo, se lo dio todo a Lalla y se volvió a la cama sin decir esta boca es mía. Lo hizo todo con parsimonia, en pijama, con las mejillas mal afeitadas y el pelo sucio, y reanudó al punto su lectura del periódico, como si todo lo demás careciera de importancia.

Así que ahora Lalla está borracha de libertad. Mira en derredor las paredes, las ventanas, los autos, la gente, como si fueran sólo formas, imágenes, fantasmas que el viento y la luz fuesen a barrer.

Radicz parece tan desdichado que Lalla se compadece de él y –«¡Ven!»– lo arrastra de la mano en medio de la vorágine del gentío. Juntos entran en unos almacenes enormes donde brilla la luz, no la hermosa luz del sol, sino un resplandor blanco y duro que reflejan los numerosos espejos. Pero este resplandor también embriaga, aturde y ciega. Con Radicz titubeando un poco detrás de ella, Lalla atraviesa la sección de los perfumes, los cosméticos, las pelucas, las pastillas de jabón. Va parándose un poco por todas partes, se compra varios jabones de todos los colores y se los da a oler a Radicz. Sigue con frasquitos de perfume, cuyo aroma aspira un instante mientras recorre los pasillos, y esto la marea hasta la náusea. Barras de labios, lápices de ojos verdes, negros, ocres, bases de maquillaje, brillantinas, cremas, pestañas postizas, postizos. Lalla pide que le enseñen todo ello y se lo muestra a Radicz, que no dice nada; luego escoge con minuciosidad un frasco cuadrado de esmalte para uñas color ladrillo, y una barra de carmín escarlata. Está sentada en un taburete alto frente a un espejo y prueba los colores en el dorso de la mano, mientras la vendedora de pelo pajizo la mira con ojos estúpidos.

En la planta superior Lalla se cuela entre las prendas de vestir, sin soltar a Radicz de la mano. Elige una camiseta, un mono de trabajo de dril azul, más unas zapatillas de tenis y unos calcetines rojos. Allí mismo abandona, en el probador, su vieja bata gris y sus sandalias de caucho, pero se queda con el abrigo marrón porque le gusta mucho. Camina ahora más ligera, pegando brincos con sus suelas elásticas y con una mano metida en el bolsillo del mono. El pelo negro le cae en bucles espesos sobre el cuello del abrigo y centellea a la luz de la electricidad blanca.

Radicz la mira y la encuentra hermosa, pero no se atreve a decírselo. Los ojos le brillan de alegría. Es como si Lalla llevara el resplandor del fuego en la negrura del pelo, en el cobre rojo de su cara. Ahora es como si la luz de la electricidad hubiera reanimado el color del sol del desierto, como si hubiera llegado derecha al Prisunic desde el camino que viene de las estepas pedregosas.

Puede que todo haya desaparecido en verdad y que los grandes almacenes estén aislados en medio de un desierto infinito, como una fortaleza de piedra y barro. Pero es la ciudad entera lo que la arena rodea, lo que la arena encierra, y se oye el crujido de las superestructuras de los edificios de cemento, mientras se agrietan los muros y caen las lunas de los rascacielos.

Es la mirada de Lalla lo que lleva la fuerza abrasadora del desierto. La luz es ardiente en su pelo negro, en la trenza espesa que se recoge en el hueco del hombro mientras camina. La luz es ardiente en sus ojos ambarinos, en su piel, en sus pómulos salientes, en sus labios. En los grandes almacenes abarrotados de ruido y electricidad blanca, la gente se aparta, se para al paso de Lalla y de Radicz el mendigo. Las mujeres, los hombres se detienen, pasmados, pues nunca en la vida han visto a alguien que se les parezca. Por el centro del pasillo, Lalla avanza vestida con su mono oscuro y su abrigo pardo que da paso a su cuello y a su rostro cobrizo. No es alta y sin embargo parece inmensa cuando avanza por el pasillo, y cuando baja luego por la escalera mecánica hacia la planta principal.

Es debido a toda la luz que emana de sus ojos, de su piel, de su pelo, la luz casi sobrenatural. Viene tras ella ese extraño muchacho delgaducho, con sus ropas de hombre y los pies desnudos en ese calzado de cuero negro. Sus largos cabellos negros rodean su rostro triangular de mejillas deprimidas y ojos hundidos. Va hacia atrás sin mover los brazos, sigiloso, un poco de lado, como los perros asustadizos. La gente también lo mira con extrañeza, como si fuera una sombra desgajada de algún cuerpo. El miedo se lee en su cara, pero trata de ocultarlo con una peregrina sonrisa dura que más bien parece una mueca.

Lalla se da la vuelta a veces, le hace una leve seña o lo agarra por la mano:

«¡Ven!».

Pero el joven se deja distanciar en un periquete.

Cuando están de nuevo fuera, en la calle, al sol y al viento, Lalla le pregunta:

«¿Tienes hambre?».

Radicz la mira con unos ojos brillantes, febriles.

«Vamos a comer», añade Lalla. Le enseña lo que queda del puñado de billetes arrugados en el bolsillo de su mono nuevo.

La gente recorre las grandes avenidas rectilíneas, unos deprisa, otros despacio, arrastrando los pies. Los autos no dejan de rodar junto a las aceras, como si acecharan algo, a alguien, una plaza de aparcamiento. Hay vencejos en el cielo sin nubes, bajan a los valles de las calles lanzando chillidos estridentes. Lalla está encantada de andar así, de la mano de Radicz, sin decir nada, como si fueran a la otra punta del mundo para no regresar jamás. Piensa en las regiones que hay al otro lado de la mar, las tierras rojas y amarillas, los negros riscos plantados en la arena, como unos dientes. Piensa en los ojos de agua dulce abiertos al cielo, y en el sabor del *chergui*, que levanta la piel al polvo y hace que las dunas avancen. Piensa incluso en la gruta del Hartani, en lo alto de la escarpa, donde vio el cielo, nada más que el cielo. Ahora es como si anduviera hacia ese territorio siguiendo las avenidas, como si se volviera. La gente se abre a su paso, con los ojos rasgados por la luz, sin comprender. Pasa ante ellos sin verlos, como si atravesara un pueblo de sombras. Lalla no habla. Aprieta con fuerza la mano de Radicz, avanza de frente, en la dirección del sol.

Cuando llegan a la mar, el viento sopla más enérgico, zarandea. Los autos atrapados en los atascos del puerto hacen sonar sus bocinas con violencia. Otra vez se lee el miedo en el rostro de Radicz, y Lalla mantiene su mano bien apretada, para darle seguridad. No puede permitirse dudar, de lo contrario la ebriedad del viento y la luz se esfumará, los abandonará a sí mismos, y les faltará el valor para ser libres.

Caminan por los muelles sin mirar los barcos con su rechinar de mástiles. Los reflejos del agua le bailan a Lalla en la mejilla, hacen que le brille su piel de cobre, sus cabellos. La luz es roja alrededor, del rojo de las ascuas. El joven la mira, deja que entre en él el calor que emana de Lalla, que lo embriaga. El corazón le late con fuerza, le retumba en las sienes, en el cuello.

Aparecen ahora los altos muros blancos, las amplias lunas del gran restaurante. Es allí donde ella quiere ir. Unos mástiles con banderas de colores que flamean al viento presiden la puerta. Lalla conoce la casa de sobra, hace mucho que la ve desde lejos, blanquísima, con sus grandes lunas que reflejan los destellos de la puesta del sol.

Entra con decisión empujando la puerta acristalada. La gran sala está a oscuras, pero en las mesas redondas los manteles hacen el efecto de manchas deslumbrantes. Al momento Lalla distingue todo con claridad: los ramilletes de rosas en sus floreros de cristal, la cubertería de plata, los vasos labrados, las servilletas inmaculadas, sin olvidar las sillas forradas de terciopelo azul marino y el entarimado de madera encerada que recorren los camareros vestidos de blanco. Es irreal y lejano, y sin embargo aquí es donde entra, andando despacio y sin ruido por el parqué y agarrando a Radicz el mendigo muy fuerte de la mano.

«Ven», dice Lalla. «Vamos a sentarnos allí.»

Señala una mesa, cerca de un gran ventanal. Cruzan la sala del restaurante. En torno a las mesas redondas, los hombres, las mujeres levantan la cabeza del plato y cesan de masticar, de charlar. Los camareros permanecen en suspenso, con el cucharón hundido en la fuente de arroz o la botella de vino blanco un poco inclinada, derramando en el vaso un hilillo muy fino que se deshilacha como una llama en trance de apagarse. Lalla y Radicz se sientan a la mesa redonda, cada uno a un lado del hermoso mantel blanco, separados por un ramillete de rosas. La gente se aplica de nuevo a masticar, a charlar, pero más bajo, y vuelve a correr el vino, el cucharón sirve el arroz y las voces cuchichean un poco, tapadas por el jaleo de los autos que pasan ante las amplias lunas cual monstruosos peces de acuario.

Radicz no se atreve a mirar en derredor. Tan sólo mira la cara de Lalla, con todas sus fuerzas. Nunca ha visto una cara más hermosa, más clara. La luz del ventanal ilumina sus espesos cabellos negros, forma una llamarada en torno a la cara de Lalla, en su cuello, en sus hombros, hasta en sus manos, que apoya de plano en el mantel blanco. Los ojos de Lalla son iguales que dos pedernales, color metal y fuego, y su cara es igual que una lisa máscara de cobre.

Un hombre de elevada estatura está de pie ante la mesa de ambos. Viste un traje negro, y su camisa es tan blanca como los manteles de las mesas. Tiene una carota aburrida y fofa, una boca sin labios. Justo cuando va a abrir la boca para decirles a los dos muchachos que salgan en el acto, y sin montar ninguna escena, su triste mirada tropieza con la de Lalla, y de golpe olvida lo que iba a decir. La mirada de Lalla es dura como el pedernal, henchida de tal fuerza que el hombre de negro se ve obligado a apartar la vista. Da un paso atrás como si fuera a marcharse; por fin dice, con una voz rara que se le atraganta un poco:

«¿Quie... quieren beber algo?».

Lalla sigue clavándole la vista, sin pestañear.

«Tenemos hambre», dice escuetamente. «Pónganos de comer.»

El hombre de negro se aleja y regresa con la carta, y la deposita en la mesa. Pero Lalla le devuelve el cartón y no deja de clavar sus ojos en los del hombre. Puede que al cabo de un rato, éste se acuerde de su odio y se avergüence de su miedo.

«Tráiganos lo mismo que a ellos», ordena Lalla. Y señala al grupo de la mesa de al lado, esos que los observan de vez en cuando por encima de las gafas dándose media vuelta.

El hombre se dirige a uno de los camareros, que viene empujando un carrito repleto de fuentes de todos los colores. El camarero va sirviendo en los platos tomate, hojas de lechuga, filetes de anchoa, aceitunas y alcaparras, patatas frías, huevos hilados y muchas cosas más. Lalla mira a Radicz comer con avidez, volcado sobre el plato como un perro royendo, y le dan ganas de reír.

La luz y el viento siguen bailando para ella incluso aquí, encima de los vasos y los platos, en los espejos de las paredes, en los ramilletes de flores. Las fuentes van llegando a la mesa una tras otra, enormes, llameantes, atiborradas de toda suerte de manjares desconocidos para Lalla: pescados que nadan en salsas anaranjadas, montículos de legumbres, platos de tonos rojos, verdes, pardos cubiertos por una campana plateada que Radicz destapa para aspirar los aromas. El *maître* les escancia con ceremonia un vino ambarino, y a continuación, en otro vaso ancho y liviano, un vino color rubí, casi negro. Lalla moja los labios en el brebaje, pero es más bien el color lo que bebe, mirando su transparencia. La luz los embriaga más que el vino, y los colores y los olores de la comida. Radicz come con avidez de todo al mismo tiempo, y bebe un vaso de vino tras otro. Pero Lalla no come apenas; se conforma con mirar al jovencito en pleno atracón y a las demás personas de la sala, que están como aleladas ante sus platos. El tiempo pasa a cámara lenta, o tal vez su mirada tiene el don de inmovilizar con la luz por aliada. Afuera, los autos continúan circulando frente a las lunas y puede verse el color gris de la mar entre los barcos.

Cuando Radicz ha terminado de comer todo lo que hay en las fuentes, se limpia la boca con la servilleta y se deja caer sobre el respaldo de su silla. Está un tanto colorado y le brillan con fuerza los ojos.

«¿Estaba bueno?», pregunta Lalla.

«Sí», contesta sin más Radicz. Tiene un poco de hipo de lo que se ha zampado. Lalla le hace beber un vaso de agua y le dice que la mire a los ojos hasta que se le pase el hipo.

El gordo de negro se les acerca a la mesa.

«¿Café?»

Lalla menea la cabeza. Cuando el *maître* les trae la cuenta en una bandejita, Lalla se la tiende.

«Léala.»

Saca del bolsillo del abrigo el fajo de billetes arrugados y los despliega uno a uno en el mantel. El *maître* coge el dinero. Cuando ya está a punto de retirarse, revoca su decisión.

«Hay un señor que tiene interés en hablar con usted, en aquella mesa, cerca de la puerta.»

Radicz agarra a Lalla por el brazo, tira de ella con violencia.

«¡Venga, vámonos de aquí!»

Al acercarse a la puerta, Lalla ve en la mesa de al lado a un hombre de unos treinta años, de aspecto más bien triste, él se incorpora y sale a su encuentro.

«Yo, disculpe por abordarla de esta forma, pero yo...», farfulla.

Lalla lo encara sonriendo.

«Verá, soy fotógrafo, y me encantaría hacerle unas fotos, cuando usted quiera.»

Como Lalla no contesta y sigue sonriendo, el hombre se embrolla cada vez más.

«Es que me he fijado en usted aquí, hace un rato, cuando entró en el restaurante, y era, era extraordinario, usted... Era verdaderamente extraordinario.»

Saca un bolígrafo del bolsillo de la chaqueta y escribe con nervio su dirección y su nombre en un trozo de papel.

Pero Lalla dice que no con la cabeza y no le coge el papel. «No sé leer», explica.

«Dígame entonces dónde vive», inquiere el fotógrafo. Tiene ojos azul grises, muy tristes y húmedos, como los ojos de los perros. Lalla lo mira con sus ojos plenos de luz, y el hombre sigue buscando algo que decir.

«Vivo en el hotel Sainte-Blanche», dice Lalla. Y se marcha a toda prisa.

Afuera la espera Radicz el mendigo. El viento le derrama sus largos cabellos por la carita delgaducha. No parece contento. Cuando Lalla le dirige la palabra se encoge de hombros.

Juntos caminan hasta la mar, sin saber adónde van. La mar de aquí no es como la playa de Namán el pescador. Es una gran pared de cemento que va costeando pegada a las rocas grises. Las olas cortas se estrellan contra las cavidades de las rocas produciendo estallidos, la espuma se eleva como una niebla. Pero es estupendo; a Lalla le encanta pasarse la lengua por los labios y sentir el sabor de la sal. Baja con Radicz, internándose por las rocas, hasta una anfractuosidad fuera del alcance del viento. El sol abrasa sin piedad en este lugar, brilla sobre la mar, plenamente, y sobre las rocas saladas. Después del ruido de la ciudad y todos esos olores raros del restaurante, da gusto estar aquí, sin más compañía que la mar y el cielo. Un poco hacia el oeste hay unos islotes, ciertos peñascos negros que surgen de la mar como si fueran ballenas, eso dice Radicz. Hay asimismo algunos barquitos con una gran vela blanca que se antojan juguetes de crío.

Cuando el sol empieza a ponerse en el cielo y la luz se mitiga sobre las olas, sobre las rocas, y el viento sopla también con menos fuerza, dan ganas de soñar, de hablar. Lalla mira las minúsculas plantas carnosas que huelen a miel y pimienta, tiemblan con cada ráfaga de viento en las cavidades de las rocas grises, frente al mar. Se le ocurre que querría volverse tan pequeñita como para poder vivir en un bosquecillo de esas plantitas; habitaría entonces en un agujero en la roca, y una sola gota de agua le bastaría para beber todo un día, y una sola miga de pan le bastaría para alimentarse hasta dos días.

Radicz saca del bolsillo de su vieja chaqueta marrón un paquete de cigarrillos un tanto desbaratado y le pasa uno a Lalla. Asegura que no fuma nunca ante los demás, sino sólo cuando se encuentra en un sitio que le gusta. Dice que con Lalla es con la primera persona que fuma. Son cigarrillos americanos que llevan un trozo de cartón y algodón en un extremo, y tienen un olor a miel que da náuseas. Fuman los dos despacio, mirando la mar de frente. El viento se lleva el humo azul.

«¿Quieres que te cuente cosas del sitio donde vivo, allí por donde los depósitos?»

La voz de Radicz ha sufrido ahora una total transformación, le sale un poco ronca, como si la emoción le embargara la garganta. Habla sin mirar a Lalla, fumando el cigarrillo hasta que le quema los labios y la punta de los dedos.

«Antes yo no vivía con el patrón, sabes. Vivía con mi padre y mi madre en una caravana; íbamos de feria en feria, teníamos una barraca de tiro al blanco; bueno, no con carabinas, con bolas y latas de conserva. Luego murió mi padre, y como éramos muchos y no teníamos bastante dinero, mi madre me vendió al patrón y me vine a vivir aquí, a Marsella. Al principio yo no sabía que mi madre me había vendido, pero un día se me ocurrió marcharme y el patrón me echó el guante y me dio una paliza, y me dijo que no volviera con mi madre nunca más, porque me había vendido y ahora él era como mi padre, así que desde entonces no he vuelto a marcharme de su casa, porque se me quitaron las ganas de ver a mi madre. Al principio estaba muy triste, porque no conocía a nadie y me encontraba muy solo. Pero después me acostumbré, porque el patrón es atento, nos da de comer a voluntad, y a la larga me-

311

jor así que quedarme con mi madre, que ya no quería saber nada de mí. Estábamos seis chavales con el patrón, bueno, siete al principio, uno se murió, pilló una neumonía y se murió enseguida. Total, que íbamos a sentarnos a los sitios que el patrón había pagado, y mendigábamos, y por la noche llevábamos el dinero a casa, nos quedábamos con un poquito y el resto era para el patrón, que compraba la comida con ello. El patrón siempre nos decía que tuviéramos cuidado con que no nos pescara la policía, porque si no nos llevarían a la asistencia social y él no podría sacarnos de allí. Por eso no parábamos nunca mucho en el mismo sitio y el patrón nos llevaba rápido a otra parte. Vivimos al principio en un cobertizo, al norte, y tuvimos luego una caravana como la de mi padre, e íbamos a instalarnos a los descampados de las afueras, con los gitanos. Ahora tenemos una casona para todos, justo antes de llegar a los depósitos, y hay otros chicos, trabajan para un patrón que se llama Marcel, y está Anita también con otros chicos, dos chavales y tres chavalas, me parece que la mayor es su hija de verdad. Trabajamos por la parte de la estación, pero no todos los días, para que no nos controlen, y vamos también al puerto, y al cours Belsunce o a la Canebière. Pero ahora el patrón dice que soy demasiado mayor para mendigar, dice que eso está bien para los pequeños y para las chicas, pero quiere que yo trabaje en serio, me enseña a mangar carteras, o en las tiendas y mercados. Mira, ¿ves?, este terno, esta camisa, estos zapatos, todo lo ha mangado para mí en una tienda mientras yo estaba al loro. Hace un rato, si hubieras querido, podías haberte marchado con tus trapos por nada, es fácil, sólo tienes que elegir y yo me encargo de sacártelos, me sé los trucos. Por ejemplo, para las carteras hacen falta dos, uno la coge y se la pasa rápido al otro, para que no lo cojan con las manos en la masa. El patrón dice que tengo cualidades para el oficio, porque tengo las manos largas y flexibles. Dice que es ideal para dedicarse a la música o para mangar. Ahora somos tres para hacer esto con la hija de Anita, y nos metemos por todos los supermercados. El patrón le dice a veces a Anita: venga, vamos de compras al supermercado, y se lleva a dos chavales, y algunas veces a la hija de Anita y a un chaval; pues bien, el chaval siempre soy yo. Mira, los supermercados son muy grandes, hay tantos pasillos que te puedes perder, con cosas de comer, ropa, zapatos, jabones, discos, de todo. Y de a dos se trabaja deprisa. Tenemos un bolso de doble fondo para los artículos más pequeños, para lo de comer, y lo demás Anita se lo mete en la barriga: tiene un chisme redondo que se coloca debajo del vestido como si estuviera embarazada, y el patrón lleva un impermeable con la tira de bolsillos por dentro, así es que vamos echando mano a todo lo que queremos y luego nos abrimos. Sabes, al principio tenía miedo de que me echaran el guante, pero lo que hay que hacer es escoger el momento adecuado y no pensárselo dos veces. Si dudas, los vigilantes se fijan en ti. Ahora soy capaz de reconocer a los vigilantes sin problema, aunque sea de lejos; todos tienen la misma forma de andar, de mirar de reojo, podría olerlos a un kilómetro. Yo, lo que prefiero es trabajar en la calle, con los bugas. El patrón dice que me va a enseñar a trabajar con los bugas, es su especialidad. Algunas veces se va a la ciudad y me trae un auto para que pueda entrenarme. Me ha enseñado a abrir las cerraduras con un alambre, o con una llave falsa. La mayoría de los bugas los puedes abrir con una llave falsa. También me enseña a sacar los cables del salpicadero y a desbloquear el antirrobo. Pero dice que soy demasiado pequeño para conducir. Así que me limito a coger lo que hay en los autos, hay casi siempre montones de cosas en la guantera, talonarios de cheques, papeles, hasta dinero, y debajo de los asientos, cámaras de fotos, radiocasetes. A mí me gusta más trabajar a primera hora de la mañana, solo, cuando no pasa nadie por la calle, si acaso un gato de tarde en tarde, y me encanta ver amanecer, y el cielo bien limpio por la mañana. El patrón también quiere que aprenda a hacérmelo con las cerraduras de las puertas de las casas, de las villas de los ricos, por aquí, cerca del mar, dice que si fuéramos dos podríamos hacer una cosa fina, porque somos ágiles y sabemos saltar tapias. Por eso nos enseña los trucos para abrir las cerraduras, y también las ventanas. Él ya no quiere hacerlo, dice que está demasiado viejo y no podría correr si hiciera falta, pero no es por eso, es porque lo agarraron una vez y le da miedo. Yo ya he ido una vez, con un tipo que se llama Rito y que es más mayor que yo; trabajó en su día para el patrón, y me llevó con él. Fuimos a una calle, cerca del Prado, él le había echado el ojo a una casa y sabía que no había nadie. Pero yo no entré, me quedé en el jardín mientras Rito sacaba afuera todo lo que podía, y luego lo transportamos todo hasta el coche donde nos esperaba el patrón. Pasé mucho miedo, porque a mí me tocó vigilar el jardín, y creo que habría pasado menos miedo si hubiera entrado en la casa a trabajar. Pero hay que controlar todo bien antes de ponerse, de lo contrario acaban cogiéndote. Primero, para entrar hay que saber dar con la ventana buena, y luego trepar por un árbol o por el canalón. No hay que tener vértigo. Y no hay que ponerse nervioso si llega la pasma, hay que quedarse quieto o esconderse en el tejado, porque si echas a correr te cazan en menos que canta un gallo. Total, que el patrón nos enseña todo eso en la casona donde vivimos, nos hace escalar la casa, nos hace andar por el tejado de noche, y hasta nos enseña a saltar como paracaidistas, eso que se llama hacer la *rulé*. Pero dice que no vamos a quedarnos allí indefinidamente, que vamos a comprarnos una caravana y a partir hacia España. A mí me gustaría más ir a Niza, pero creo que el patrón prefiere España. ¿Quieres venir con nosotros? Sabes, le diría al patrón que eres una amiga, no te preguntará nada, le diría simplemente que eres mi amiga y que vas a vivir con nosotros en la caravana; sería estupendo. A lo mejor hasta podrías aprender a trabajar en las tiendas, o podríamos hacernos los bugas juntos, por turno, para que la gente no desconfiara, ¿qué te parece? Sabes, Anita es muy amable, seguro que le cogerías cariño, es una mujer de pelo rubio y ojos azules, nadie se cree que sea gitana. Si vinieras con nosotros me daría igual no ir a Niza, no me importaría ir a España o a donde sea...»

Radicz se calla por fin. Querría preguntarle cosas a Lalla respecto al niño que lleva en el vientre, pero no se atreve. Se ha encendido otro pitillo y fuma, de vez en cuando le pasa el cigarrillo a Lalla para que le pegue una calada. Ambos miran la mar, tan bella, las islas, negras como las ballenas, y los barcos de juguete que surcan despacio la mar rebosante de luz. De cuando en cuando el viento sopla tan fuerte, que parece inminente que el cielo y la mar vayan a volcarse.

Ahora, Lalla mira sus fotos en las páginas de las revistas, en las primeras planas de los periódicos. Mira los fajos de fotos, el papel de contacto, los originales en color donde aparece su cara casi en tamaño natural. Hojea las revistas de atrás a adelante, sosteniéndolas un poco de lado y torciendo la cabeza.

«¿Te gustan?», le pregunta el fotógrafo con un poco de inquietud en la voz, como si tuviera importancia.

A ella le da risa, esa risa sin ruido que hace resplandecer sus dientes blanquísimos. Ella se ríe de todo esto, de las fotos, de los periódicos, como si se tratara de una broma, como si no fuera ella quien figurara en esas hojas de papel. Para empezar no es ella. Es Hawa, es el nombre que se ha puesto, que le ha dicho al fotógrafo, y así la llama él; así se le dirigió la primera vez que se topó con ella en las escaleras del Panier y se la llevó a su casa, a su gran apartamento vacío de la planta baja del edificio nuevo.

Ahora Hawa sale en todas partes, en las páginas de las revistas, en los contactos, en las paredes del apartamento. Hawa vestida de blanco, con un cinturón negro ciñéndole el talle, sola en el centro de un área rocosa, sin sombra; Hawa con un vestido de seda negra y la frente ceñida por un fular apache; Hawa de pie en el dédalo de calles del casco viejo, ocre, rojo, oro; Hawa de pie dominando el mar Mediterráneo; Hawa en medio de la muchedumbre en el cours Belsunce, o sobre la escalinata de la estación; Hawa vestida de índigo, pisando descalza el asfalto de esa explanada que es más grande que un desierto, escoltada por las siluetas de los depósitos y las chimeneas humeantes; Hawa andando, bailando, Hawa durmiendo, Hawa la del hermoso rostro cobrizo, la del cuerpo largo y liso que brilla a la luz, Hawa la de la mirada de águila y el espeso pelo negro cayendo en cascada sobre sus hombros, o alisado por el agua de mar igual que un casco de galalita.

Pero, ¿quién es Hawa? Cada día, tras despertarse en el colchón neumático colocado sobre el mismísimo suelo del amplio cuarto de estar gris blanco donde duerme, va a lavarse al cuarto de baño sin hacer ruido, se escurre al exterior por la ventana y se marcha por las calles del barrio, al azar, hasta la mar. El fotógrafo se despierta, abre los ojos pero no se mueve, hace como si no hubiera oído nada para no molestar a Hawa. Sabe que es así, que no hay que intentar retenerla. Él se limita a dejar la ventana abierta para que ella pueda entrar luego, como un gato cualquiera.

Algunas veces no regresa hasta la noche. Se cuela hasta el interior del apartamento por la ventana. El fotógrafo la oye; sale del laboratorio y va a sentarse al lado de ella en el cuarto de estar para charlar un poco. Sigue mostrándose conmovido cuando la ve, porque su cara está tan llena de luz y de vida, y entorna un poco los ojos porque al venir de la oscuridad del laboratorio se deslumbra. Sigue creyendo que tiene muchas cosas que decirle, pero cuando se encuentra frente a Hawa se le va el santo al cielo. Ella es la que habla; le cuenta lo que ha visto, lo que ha oído en las calles, y va comiendo un poco mientras habla, pan que se ha comprado, fruta, dátiles que se lleva a casa del fotógrafo por kilos.

Lo más extraordinario de esta situación son las cartas: llegan de todos los rincones con el nombre de Hawa en el sobre. Los periódicos de moda y las revistas se los hacen llegar añadiendo el nombre del fotógrafo y su dirección. Él se siente a la vez feliz e inquieto al recibir tantas cartas. Hawa le pide que se las lea, y escucha reclinando la cabeza un poco hacia un lado, bebiendo té de menta (ahora la cocinilla del fotógrafo está repleta de cajas de *gunpowder* y de té de jazmín, y de paquetitos de menta). Las cartas dicen algunas veces cosas extraordinarias, cosas muy tontas que escriben jovencitas que han visto la foto de Hawa en algún sitio y le hablan como si la conocieran de toda la vida. O cartas de muchachos que se han enamorado de ella y le dicen que es más hermosa que Nefertiti o que una princesa inca, y que les gustaría mucho coincidir con ella un día.

Lalla se echa a reír:

«¡Qué mentirosos!».

Cuando el fotógrafo le enseña las fotos que acaba de hacer, Hawa, con sus ojos rasgados y brillantes como gemas, y su piel centelleante color ámbar, y sus labios de sonrisa un tanto irónica, y su perfil afilado, Lalla Hawa se echa otra vez a reír y repite, mirándolo:

«¡Mentiroso! ¡Qué mentiroso!».

Porque piensa que no se le parecen.

También hay cartas serias que hablan de contratos, de dinero, de citas, de desfiles de moda. El fotógrafo toma todas las decisiones, se ocupa de todo. Llama por teléfono a los modistos, anota las citas en su agenda, firma los contratos. Él es quien escoge los modelos, los colores, quien decide dónde hacer las fotos. Se coge a Hawa en su camioneta Volkswagen roja y se marchan muy lejos, donde ya no hay más casas, sólo colinas grises cubiertas de zarzales, o al delta del gran río, a las playas lisas de los terrenos pantanosos, donde el cielo y el agua son del mismo color.

Lalla Hawa disfruta viajando en la camioneta del fotógrafo. Mira el paisaje que se desliza alrededor de los cristales, la carretera negra que serpentea hacia ella, las casas, los jardines, los eriales que van desapareciendo a ambos lados, que se esfuman. La gente está de pie al borde de la carretera, mira con semblante vacío, como en un sueño. Quizá es un sueño lo que vive Lalla Hawa, un sueño en el que no puede decirse que haya día y noche, hambre o sed, sino tan sólo el deslizamiento de los paisajes de tiza, de espinos, los cruces de carreteras, las ciudades que pasan, con sus calles, sus monumentos, sus hoteles.

El fotógrafo no deja de fotografiar a Hawa. Cambia de cámara, mide la luz, acciona el disparador. La cara de Hawa se prodiga en todas partes, en todas partes. Está a la luz del sol, encendida como una gloria en el cielo invernal o en el corazón de la noche, vibra en las ondas de los aparatos de radio, en los mensajes telefónicos. El fotógrafo se encierra a solas en su laboratorio, bajo la lamparita naranja, y mira indefinidamente la cara que va tomando forma sobre el papel en el baño de ácido. Primero los ojos, inmensos, manchas que se hacen más intensas, luego los cabellos negros, la curva de los labios, la forma de la nariz y la sombra bajo la barbilla. Los ojos miran a otra parte como hace siempre Lalla Hawa, a otra parte, al otro lado del mundo, y el corazón se le acelera al fotógrafo, como la primera vez que captó la luz de su mirada en el restaurante des Galères, o cuando más adelante se la encontró por casualidad en las escaleras del casco viejo.

Ella le da su forma, su imagen, nada más. A veces el contacto de la palma de la mano, o la chispa eléctrica cuando su pelo le roza el cuerpo, y luego su olor, un poco acre, un poco picante como el olor de los agrios, y el sonido de su voz, su risa clara. Pero, ¿quién es ella? ¿Acaso es sólo el pretexto de un sueño que él persigue en su laboratorio oscuro, con sus cámaras de fuelle y las lentes que agrandan la sombra de sus ojos, la forma de su sonrisa? Un sueño que comparte con los demás hombres en las páginas de los periódicos y en las fotos glaseadas de las revistas.

Lleva a Hawa en avión hasta la ciudad de París, circulan en taxi bajo el cielo gris junto al río Sena, rumbo a sus citas de negocios. Saca fotos en los muelles del río cenagoso, en las grandes plazas, en las avenidas sin fin. No se cansa de fotografiar el bello rostro cobrizo por el que la luz resbala como el agua. Hawa vestida con una combinación de satén negro, Hawa vestida con un impermeable azul noche, con el pelo recogido en una sola y tupida trenza. Cada vez que se topa con la mirada de Hawa, le da una punzada el corazón, y por eso se apresura a sacar fotos, cada vez más fotos. Avanza, retrocede, cambia de máquina, pone una rodilla en tierra. Lalla se mofa de él:

«Ni que estuvieras bailando».

Le gustaría montar en cólera, pero es imposible. Se enjuga la frente bañada en sudor, la ceja que resbala al contacto con el visor. Y de buenas a primeras, Lalla sale del campo iluminado, porque está cansada de que le hagan fotografías. Se marcha. Él, para no soportar el vacío, va a seguir mirándola algunas horas más en la noche del laboratorio improvisado en el cuarto de baño de su habitación de hotel, a la espera de que, mientras cuenta los latidos de su corazón, surja el bello rostro de la cubeta de ácido, sobre todo la mirada, la luz profunda que emana de esos ojos oblicuos, la luz color sombra. Desde lo más remoto, como si alguien distinto, secreto, mirara por esas pupilas, juzgara en silencio. Y luego lo que aparece enseguida, muy despacio, tal una nube que se forma: la frente, la línea de los pómulos altos, la textura de la piel cobriza, gastada por el sol y por el viento. Hay algo secreto en ella que se va desvelando al azar en el papel, algo que puede verse, pero nunca poseerse, ni sacando fotografías a cada segundo de su existencia hasta la muerte. Y esa sonrisa tan dulce, un tanto irónica, que marca las comisuras de los labios, que estrecha los ojos oblicuos. El fotógrafo querría aprehender todo ello con sus cámaras, y hacerlo renacer en la oscuridad de su laboratorio. Algunas veces tiene la impresión de que todo esto va a aparecer de verdad, la sonrisa, la luz de los ojos, la belleza de los rasgos.

Pero sólo dura un instante brevísimo. En la hoja de papel sumergida en el ácido se mueve el perfil, se modifica, se vuelve nebuloso, se cubre de sombra, y es como si la imagen borrara a la persona viva.

¿Radica tal vez en algo distinto de la imagen? ¿Será el aire con que anda, con que se mueve? El fotógrafo mira los gestos de Lalla Hawa, su manera de sentarse, de mover las manos con la palma abierta, formando una línea curva perfecta desde la sangradura del codo hasta la punta de los dedos. Mira la línea de la nuca, la espalda flexible, las manos y los pies anchos, los hombros, y la pesada cabellera negra de reflejos cenicientos que cae en bucles espesos sobre los hombros. Mira a Lalla Hawa, y es como si viera por instantes otro semblante superpuesto a la cara de la joven, otro cuerpo tras su cuerpo; apenas perceptible, ligero, fugitivo; la otra persona aparece en la profundidad, y se borra luego dejando una huella temblorosa. ¿Quién es? La que él conoce por Hawa, ¿quién es, cuál es su verdadero nombre?

Algunas veces, Hawa lo mira, o mira a la gente, en los restaurantes, en las salas de los aeropuertos, en los despachos; los mira como si sus ojos fueran simplemente a borrarlos, devolverlos a la nada a la que deben pertenecer. Cuando presenta esa mirada extraña, el fotógrafo siente un estremecimiento, como un frío que lo invadiera. No sabe qué es. Puede que se trate del otro ser que vive en Lalla Hawa quien mira y juzga el mundo a través de sus ojos, como si en ese instante todo lo de alrededor, esta ciudad gigantesca, este río, estas plazas, estas avenidas, todo desapareciera y dejara ver la inmensidad del desierto, la arena, el cielo, el viento.

Y el fotógrafo se lleva a Hawa a lugares que semejan el desierto; las grandes planicies pedregosas, las marismas, las explanadas, los terrenos baldíos. Por él Hawa camina a la luz del sol, y su mirada barre el horizonte como la de las aves de presa en busca de una sombra, de una silueta. Mira con detenimiento, como si buscara en serio a alguien; luego se queda quieta sobre su sombra, mientras el fotógrafo se pone a tirar fotos.

¿Qué busca? ¿Qué quiere de la vida? El fotógrafo se fija en sus ojos, en su cara, y siente la hondura de la inquietud tras la fuerza de su luz. También percibe la desconfianza, el instinto de fuga, esa especie de fulgor extraño que traspasa por momentos los ojos de los animales salvajes. Ella se lo dijo un día, él ya se lo esperaba, ella le habló dulcemente del niño que lleva en las entrañas, que le abomba el vientre y le hincha los senos, y añadió:

«Un día, sabes, me marcharé, partiré, y será inútil tratar de retenerme, porque partiré para siempre...».

No quiere dinero, no le interesa. Cada vez que el fotógrafo le da dinero –sus honorarios por las horas de pose–, Hawa toma los billetes de banco, escoge uno o dos y le devuelve el resto. Algunas veces hasta es ella la que le da dinero, puñados de billetes y monedas que se saca del bolsillo del mono, como si no quisiera guardarse nada.

O se echa a recorrer las calles de la ciudad en busca de los mendigos que piden en las esquinas, y les da el dinero, esos mismos puñados de monedas, apretando bien su mano contra la de ellos para que no se les pierda ni una. Da dinero a las gitanas de los velos que yerran con los pies descalzos por las grandes avenidas, y a las viejas de negro acurrucadas a la puerta de las oficinas de Correos; a los vagabundos tirados en los bancos, en las plazoletas, y a los viejos que hurgan en las basuras de los ricos cuando cae la noche. Todos la conocen bien, y cuando la ven llegar, la miran con unos ojos que brillan. Los vagabundos se creen que es una prostituta, porque sólo las prostitutas les dan tanto dinero, dan rienda suelta a sus ocurrencias, que acompañan con grandes risotadas, pero en todo caso parecen muy contentos de verla.

Ahora se habla de Hawa en cualquier sitio. En París van a

visitarla los periodistas, y una mujer le formula diversas preguntas una tarde, en el vestíbulo del hotel.

–Se habla de usted, del misterio de Hawa. ¿Quién es Hawa?

–No me llamo Hawa, cuando nací no tenía nombre, y me llamaba Bla Esm, que quiere decir Sin Nombre.

–Entonces, ¿por qué Hawa?

–Era el nombre de mi madre, y me llamo Hawa, hija de Hawa, eso es todo.

–¿De qué país es usted?

–El país del que vengo no tiene nombre, como yo.

–¿Dónde está?

–En un lugar donde ya no hay nada ni nadie.

–¿Por qué ha venido aquí?

–Me gusta viajar.

–¿Qué le gusta de la vida?

–La vida.

–¿Qué come?

–Fruta.

–¿Su color preferido?

–El azul.

–¿Su piedra preferida?

–Los guijarros del camino.

–¿Y en música?

–Las nanas.

–Dicen que usted escribe poemas.

–No sé escribir.

–¿Y en cuanto al cine? ¿Tiene proyectos?

–No.

–¿Qué es el amor para usted?

Pero de repente Lalla Hawa no aguanta más y se marcha a toda prisa, sin volverse, empuja la puerta del hotel y se pierde en la calle.

Hay ahora gente que la reconoce por la calle, chicas jóvenes que le acercan una foto de las suyas para que la firme. Pero como Hawa no sabe escribir, se limita a dibujar la señal de su tribu, la que estampan en la piel de los camellos y las cabras, y que recuerda un poco un corazón:

♡

Hay tanta gente por todas partes; en las avenidas, en las tiendas, por las carreteras. Tanta gente atropellándose, mirándose. Pero cuando la mirada de Lalla Hawa pasa sobre ellos, es como si todo se eclipsara, enmudeciera, se volviera desierto.

Lalla Hawa quiere atravesar esos lugares a toda prisa, para saber qué hay después. Una noche, el fotógrafo se la lleva a una sala de baile que se llama el Palace, el Paris-Palace, un nombre de ésos. Para bailar se ha puesto un vestido negro escotado en la espalda, porque el fotógrafo quiere hacer fotos.

También ése es un lugar que semeja las grandes plazas vacías donde sólo hay las siluetas de los edificios y las carrocerías de los autos aparcados al sol. Es un lugar terrible y vacío, donde los hombres y las mujeres se aprietan y gesticulan en la oscuridad agobiante, con los destellos de la luz eléctrica entre las nubes de humo de los cigarrillos y el ruido atronador que machaca los oídos, que hace retumbar el suelo y las paredes.

Lalla Hawa se sienta en un rincón, en un escalón, y mira a los que bailan, con sus rostros relucientes de sudor y la ropa punteada de estrellas. Al fondo de la sala, en una especie de caverna, están los músicos: mueven las guitarras, baten los tambores, pero el ruido de la música parece venir de otro lado, como gritos de gigantes.

Al cabo de un rato se lanza a bailar a la pista también ella, en medio de la gente. Baila como aprendió en su día, sola en medio de la gente, para esconder su miedo, porque hay demasiado ruido, demasiada luz. El fotógrafo sigue sentado en el escalón, sin moverse, sin pensar siquiera en fotografiarla. Al principio la gente no le hace a Hawa ni caso, porque la luz los deslumbra. De pronto es como si sintieran que algo extraordinario con lo que no contaban acabara de suceder. Se hacen a un lado, dejan de bailar uno tras otro para mirar a Lalla Hawa. Ella está sola por completo en el círculo de luz, no ve a nadie. Sigue el ritmo lento de la música eléctrica, y es como si la música estuviera en el interior de su cuerpo. La luz se refleja en el tejido negro de su vestido, en la piel cobriza, en el pelo. No se le ven los ojos por culpa de la sombra, pero su mirada se impone sobre el público, inunda la sala con toda su fuerza, con toda su belleza. Hawa baila con los pies desnudos en el suelo pulido, sus pies planos y estilizados baten el suelo al ritmo de los tambores, o más bien es ella quien parece dictar, con la planta de los pies y los talones, el ritmo de la música. Ondula el cuerpo con elasticidad, las caderas, los hombros, y los brazos los lleva levemente separados, como dos alas. La luz de los proyectores se estrella sobre ella, la envuelve, crea remolinos en torno a sus pasos. Está absolutamente sola en la sala central, sola como en medio de una explanada, sola como en medio de una estepa pedregosa, y la música eléctrica toca sólo para ella, con su ritmo lento y cansino. ¿Se habrán evaporado al final los que estaban allí, alrededor, hombres, mujeres, reflejos fugitivos de los espejos, deslumbrados, devorados? Ella no los ve en este momento, ya no los oye. Ha desaparecido hasta el fotógrafo sentado en su escalón. Se han vuelto rocas, bloques calcáreos. Pero ella por fin puede moverse, es libre, da vueltas sobre sí misma con los brazos separados, y bate el suelo con los pies, con la punta de los dedos, con el talón, como si estuviera sobre los radios de una rueda inmensa cuyo eje ascendiera hasta la noche.

Baila para escapar, para volverse invisible, para subir como un pájaro hacia las nubes. Bajo sus pies desnudos el suelo de plástico se vuelve abrasador, ligero, toma el color de la arena, y el aire musical le rodea el cuerpo a la velocidad del viento. El vértigo de la danza hace ahora aparecer la luz, no la luz dura y fría de los focos, sino la bella luz del sol cuando la tierra, las rocas y el cielo incluso son blancos. Es la música lenta y cansina de la electricidad, de las guitarras, del órgano y de los tambores, entra en ella y hasta puede que ni siquiera la oiga ya. La música es tan lenta y honda que le cubre la piel cobriza, el pelo, los ojos. La ebriedad de la danza se extiende a su alrededor, y los hombres y las mujeres, clavados un instante, reanudan los movimientos de la danza, pero siguiendo el ritmo del cuerpo de Hawa, golpeando el suelo con los dedos de los pies y los talones. Nadie dice nada, nadie rechista. Todos esperan, transportados, que el movimiento de la danza entre en cada uno, lo arrastre, al igual que esas trombas que avanzan en la mar. La pesada cabellera de Hawa se levanta y choca con sus hombros al compás, sus manos con los dedos separados se estremecen. En el suelo vitrificado, los pies desnudos de los hombres y de las mujeres baten cada vez más deprisa, cada vez más fuerte, mientras el ritmo de la música eléctrica se acelera. En la sala central ya no están todos aquellos muros, espejos, fulgores. Han desaparecido aniquilados por el vértigo de la danza, descompuestos. No están ya esas ciudades sin esperanza, esas ciudades de abismos, esas ciudades de mendigos y prostitutas, donde las calles son celadas, donde las casas son tumbas. Todo eso se acabó, la mirada ebria de los que bailan ha borrado todos los obstáculos, todos los embustes antiguos. Ahora, alrededor de Lalla, hay una extensión sin fin de polvo y piedras blancas, una extensión viva de arena y sal, y el oleaje de las dunas. Igual que antes, al final del sendero de cabras, donde todo parecía detenerse, como si hubiéramos llegado al límite de la tierra, al pie del cielo, al umbral del viento. Es como cuando ella sintió por vez primera la mirada de Es-Ser, a quien llama el Secreto. Así, en el centro de su vértigo, mientras sus pies continúan haciéndola girar sobre sí misma cada vez más aprisa, siente de nuevo, por primera vez desde hace tiempo, la mirada que cae sobre ella, que la examina. En el centro del área inmensa y desnuda, lejos de los hombres que bailan, lejos de las ciudades brumosas, la mirada del Secreto entra en ella, le toca el corazón. La luz se pone a arder de improviso con una fuerza insostenible, una explosión blanca y cálida que esparce sus rayos por toda la sala, un resplandor que ha de hacer añicos todas las bombillas, los tubos de neón, que fulmina a los músicos con los dedos en las guitarras, y que hace estallar todos los altavoces.

Lentamente, sin cesar de dar vueltas, Lalla se derrumba en el sitio, resbala por el suelo vitrificado, igual que un maniquí desarticulado. Permanece un buen rato sola, tirada por el suelo, con la cara tapada por el pelo, antes de que se le acerque el fotógrafo, mientras los que bailan se apartan sin entender todavía qué les ha pasado.

Se ha presentado la muerte. Empezó por los corderos y las cabras, sin olvidar los caballos que seguían en el lecho de la rivera con el vientre hinchado y las patas separadas. Luego les llegó el turno a los niños y a los viejos, que deliraban y no podían ya incorporarse. Morían en tal número que hubo que improvisar un cementerio para ellos río abajo, en una colina de polvo rojo. Los traían al alba, sin ceremonia, amortajados en telas viejas, y los enterraban en un simple hoyo cavado con urgencia, con algunas piedras encima para que los perros salvajes no los desenterraran. Al mismo tiempo que la muerte, había llegado el viento del *chergui*. Soplaba a rachas, envolviendo a los hombres con sus ondulaciones ardientes, barriendo toda humedad de la tierra. Nur erraba cada día por el lecho del río con otros niños a la caza de quisquillas. Colocaba también trampas preparadas con lazos de hierba y ramas menudas, para capturar las liebres y los gerbos, pero a menudo los zorros se habían pasado antes que él.

Era el hambre lo que minaba a los hombres y provocaba la muerte de los niños. Hacía días que habían llegado ante la ciudad roja, y desde entonces los viajeros no habían recibido alimento, y las provisiones tocaban a su fin. Cada día, el gran *cheij* enviaba a sus guerreros frente a los muros de la ciudad para solicitar alimento y tierras para su pueblo. Pero los notables prometían siempre y no daban nada. Eran tan pobres ellos mismos, decían. Habían faltado las lluvias, la sequía había endurecido la tierra, y las reservas de la cosecha se habían agotado. Algunas veces, el gran *cheij* y sus hijos se acercaban hasta las murallas de la ciudad para pedir tierras, simientes, una parte de los palmerales. Pero no había bastantes tierras para ellos mismos, decían los notables, desde la cabeza del río hasta el mar estaban adjudicadas las tierras fértiles, y los soldados de los cristianos venían a menudo a la ciudad de Agadir, arramblaban con la mayor parte de las mieses.

Una y otra vez, Ma el-Ainin escuchaba la respuesta de los notables sin decir nada, y retornaba a su tienda instalada en el lecho del río. Pero lo que crecía en su corazón no eran ya la cólera ni la impaciencia. Con la visita de la muerte, a diario, y del viento abrasador del desierto, era la desesperación lo que él compartía con su pueblo. Era como si los hombres que vagaban siguiendo las riberas vacías del río, o estaban acurrucados a la sombra de sus refugios, tuvieran a la vista la evidencia de su condenación. Esas tierras rojas, esos campos desecados, esas magras terrazas plantadas con olivos y naranjos, esos palmerales sombríos, todo ello les resultaba ajeno, lejano, semejante a los espejismos.

Pese a su desesperanza, Lagdaf y Saad Bu querían atacar la ciudad, pero el *cheij* rechazaba tamaña violencia. Los hombres azules del desierto estaban ahora cansados en exceso, hacía demasiado tiempo que marchaban y ayunaban. La mayor parte de los guerreros se encontraba en estado febril, enfermos de escorbuto, con las piernas cubiertas de llagas emponzoñadas. Incluso sus armas estaban inservibles.

La gente de la ciudad desconfiaba de los hombres del desierto y las puertas permanecían cerradas todo el día. Los que habían tratado de aventurarse en el recinto habían sido recibidos a tiros; era una advertencia.

Así pues, cuando acabó por entender que no había nada que esperar, que todos iban a morir, uno tras otro, en el lecho abrasador de la rivera, frente a las murallas de la ciudad despiadada, Ma el-Ainin dio la señal de partida hacia el norte. Esta vez no hubo plegaria, ni cantos ni danza. Uno tras otro, despacio, como animales enfermos que extienden sus miembros y se incorporan tambaleándose, los hombres azules han ido dejando el lecho del río, han reanudado su marcha hacia lo desconocido.

Ahora la tropa de guerreros del *cheij* ya no tenía la misma apariencia. Marchaban con el convoy de los hombres y los animales, exhaustos como ellos, con los ropajes raídos y la mirada febril y vacía. Puede que hubieran cesado de creer en las razones de esta larga marcha, que siguieran avanzando sólo por hábito, al límite de sus fuerzas, dispuestos a caer en cualquier momento. Las mujeres avanzaban, vencidas hacia adelante, con la cara oculta tras el velo azul, y muchas no llevaban ya consigo su niño, porque se había quedado en la tierra roja del valle del Sus. Y a la cola del convoy que se estiraba por todo el valle, se hallaban los niños, los ancianos, los guerreros heridos, todos los que marchaban con lentitud. Nur estaba entre ellos, guiando al guerrero ciego. Ya ni siquiera sabía dónde estaba su familia, perdida en algún lugar entre la nube de polvo. Algunos guerreros aislados conservaban todavía su montura. El gran *cheij* iba entre ellos en su camello blanco, envuelto en su manto.

Nadie hablaba. Cada uno avanzaba en soledad, con el rostro ennegrecido y la vista febril clavada fijamente en la tierra roja de las colinas, hacia el oeste, para encontrar la pista que, franqueando las montañas, permite llegar a la ciudad santa de Marraquech. Marchaban inmersos en esa luz que castiga el cráneo, la nuca, que hace que vibre el dolor en los miembros, que quema hasta el centro del cuerpo. Ya no se oía el viento, ni el ruido de los pasos de los hombres a rastras por el desierto. Cada uno oía únicamente el ruido de su propio corazón, el ruido de sus nervios, el sufrimiento que silba y rechina tras los tímpanos.

Nur no sentía ya la mano del guerrero ciego aferrada a su hombro. Tan sólo avanzaba, sin saber por qué, sin esperanzas de parar alguna vez. ¿No sería que el día en que su padre y su madre habían decidido abandonar los campamentos del sur, habían sido condenados a errar hasta el fin de su existencia en esta marcha sin fin, de pozo en pozo, a lo largo de los valles desecados? ¿Había acaso en el mundo otras tierras que no fueran estas extensiones infinitas, fundidas con el cielo por el polvo, montañas sin sombra, piedras afiladas, riveras sin agua, zarzales cuyos espinos pueden dar la muerte mediante una minúscula herida? Cada día, en la lejanía, en el flanco de las colinas, junto a los pozos, los hombres veían nuevas casas, fortalezas de barro rojo rodeadas por campos y palmeras. Pero las veían como se ven espejismos, trémulas en el aire recalentado, lejanas, inaccesibles. Los habitantes de los pueblos no se dejaban ver. Habían escapado a las montañas o se escondían detrás de sus murallas, dispuestos a enfrentarse a los hombres azules del desierto.

A la cabeza de la caravana, montando sus caballos, los hijos de Ma el-Ainin señalaban la estrecha abertura del valle, en medio del caos de las montañas.

«¡La ruta! ¡La ruta del norte!»

Franquearon, pues, las montañas durante días. El viento abrasador soplaba por los barrancos. El cielo azul se veía inmenso por encima de los riscos rojos. Aquí no había nadie, ni hombre, ni animal, sólo a veces la huella de una serpiente en la arena o, bien en lo alto del cielo, la sombra de un buitre. Avanzaban sin buscar la vida, sin ver una señal de esperanza. Como ciegos, los hombres y las mujeres caminaban unos a continuación de otros, plantando los pies en las señales de las pisadas que los precedían, mezclados con los animales del rebaño. ¿Quién los guiaba? La pista de tierra serpenteaba siguiendo los barrancos, franqueaba los desmoronamientos, se confundía con los lechos de los torrentes secos.

Por fin llegaron los viajeros a la orilla del *ued* Isen, engordado por el deshielo. El agua era hermosa y pura, saltaba entre las riberas áridas. Pero los hombres la miraron sin emoción, porque esta agua no les pertenecía, no podían retenerla. Permanecieron varios días a orillas del *ued*, mientras los guerreros del gran *cheij*, en compañía de Lagdaf y Saad Bu, remontaban la pista de Chichaua.

«¿Hemos llegado, es ésta nuestra tierra?», seguía preguntando el guerrero ciego. El agua fría del río bajaba en cascada por las rocas y la ruta se hacía más difícil. La caravana llegó ante un poblado bereber situado al fondo del valle. Los guerreros del *cheij* los esperaban allí. Habían montado su gran tienda y los *cheijs* de la montaña habían sacrificado unos corderos para recibir a Ma el-Ainin. Era el pueblo de Aglagla, al pie de la alta montaña. La gente del desierto se instaló junto a los muros del pueblo, sin pedir nada. Al atardecer aparecieron los niños del pueblo con la carne asada y la leche cuajada, y cada uno pudo saciar su hambre como no lo había hecho hacía mucho tiempo. Encendieron luego grandes fuegos con madera de cedro, porque la noche era fría.

Nur miró largo rato la danza de las llamas en la noche negrísima. También hubo cantos, una música extraña como no se había oído nunca, triste y lenta, con acompañamiento de flauta. Los hombres y las mujeres del pueblo solicitaron la bendición de Ma el-Ainin, para que los sanase de sus enfermedades.

A los viajeros tocaba ahora dirigirse a la otra vertiente de la montaña, en dirección a la ciudad santa. Puede que fuera allí donde la gente del desierto conociera de una vez por todas el final de su sufrimiento, según lo que decían los guerreros azules de Ma el-Ainin, ya que era en Marraquech donde Mulei Hafid, el califa, el Comendador de los Creyentes, había recibido el juramento de fidelidad de Ma el-Ainin catorce años atrás. Allí, el rey le había otorgado al *cheij* una tierra para que pudiera erigir en ella la escuela de los Gudfiya. Y además, era en la ciudad santa donde el hijo mayor de Ma el-Ainin esperaba a su padre para unirse a la guerra santa, y todos veneraban a Mulei Hiba, a quien llamaban Dehiba, la Parcela de Oro, a quien llamaban Mulei Sebaa, el León, pues era a quien habían elegido como rey de las tierras del sur.

Al atardecer, cuando la caravana hacía su alto y los fuegos se encendían, Nur conducía al guerrero ciego donde estaban sentados los soldados de Ma el-Ainin, y escuchaban los relatos de lo que había ocurrido antaño, cuando el gran *cheij* y sus hijos habían venido con los guerreros del desierto, todos a lomos de camellos rápidos, y cómo habían entrado en la ciudad santa y habían sido recibidos por el rey, con los dos hijos de Ma el-Ainin, Mulei Sebaa, el León, y Mohammed ech-Chems, a quien llamaban el Sol; referían también las ofrendas que el rey había presentado para que el *cheij* pudiese construir las murallas de la ciudad de Smara; y el viaje que habían llevado a cabo, con rebaños de camellos tan numerosos que cubrían toda la llanura, mientras las mujeres y los niños, y las provisiones y los víveres, embarcados a bordo del gran vapor que llevaba el nombre de *Bachir*, habían navegado varios días con sus noches de Mogador a Marsa Tarfaia.

También contaban con sus voces algo cantarinas la leyenda de Ma el-Ainin, y era como el relato de un sueño que hubieran hecho en otro tiempo. La voz de los guerreros se confundía con el ruido de las llamas, y Nur veía a intervalos la leve silueta del anciano a través de las volutas de la humareda, igual que una llama, en el centro del campamento.

«El gran *cheij* nació lejos, en el sur, en ese pago que llaman Hodh, y su padre era hijo de Mulei Idris, y su madre era del linaje del

Profeta. Cuando nació el gran *cheij*, su padre le puso Ahmed por nombre, pero su madre el sobrenombre de Ma el-Ainin, el Agua de los Ojos, porque ella había llorado de alegría en el momento de su nacimiento...»

Nur escuchaba en la noche, con la cabeza apoyada en una piedra, al lado del guerrero ciego.

«Cuando cumplió siete años sabía recitar el Corán sin cometer un error, por lo que su padre, Mohammed el-Fadel, lo envió a la gran ciudad santa de La Meca, y por el camino el niño iba haciendo milagros... Tenía el poder de sanar a los enfermos, y a quienes le pedían agua, él respondía: el cielo te dará el agua, y acto seguido una lluvia imponente descargaba sobre la tierra...»

El guerrero ciego cabeceaba levemente, como si acompasara las palabras, y Nur se veía lentamente acometido por el sueño.

«Entonces vino la gente de todos los lugares del desierto a ver al niño capaz de hacer milagros, y el niño, el hijo del gran Mohammed el-Fadel ben Maminna, ponía tan sólo un poco de saliva en los ojos del enfermo, le soplaba en los labios, y el enfermo se levantaba al punto y besaba la mano del niño, porque estaba curado...»

Nur sentía el contacto del cuerpo tembloroso del guerrero ciego mientras cabeceaba lentamente sobre los hombros. Era la voz monótona del narrador y el balanceo de las llamas y del humo; hasta la tierra parecía moverse al ritmo de la voz.

«Entonces el gran *cheij* se instaló en la ciudad santa de Chingeti, en el pozo de Nazarán, cerca de Ed-Dajla, para practicar sus enseñanzas, pues era depositario de la ciencia de los astros y los números, y de la palabra de Dios. Así se hicieron sus discípulos los hombres del desierto, y se les daba el nombre de Berik Allah, los que han recibido la bendición de Dios...»

La voz del guerrero azul continuaba salmodiando en plena noche, frente a las llamas que se elevaban, danzaban, con la humareda que envolvía a los hombres y los hacía toser. Nur escuchaba los relatos de los milagros, los manantiales surgidos del desierto, las lluvias que cubrían por completo los eriales, y las palabras del gran *cheij*, en la plaza de Chingeti o ante su morada de Nazarán. Escuchaba el comienzo de la larga marcha de Ma el-Ainin a través del desierto hasta la *smara*, la tierra de las brozas, donde el gran *cheij* había fundado su ciudad. Escuchaba la leyenda de sus combates contra los españoles, en El Aaiún, en Ifni, en Tiznit, con sus hijos, Rebbu, Taaleb, Lagdaf, ech-Chems y aquel a quien llamaban Mulei Sebaa, el León.

Así, con cada atardecer, la misma voz continuaba el relato de la leyenda, canturreando de esa manera, y Nur olvidaba dónde estaba, como si el hombre azul contara en realidad su propia historia.

Al otro lado de las montañas, se internaron en la gran llanura roja, y marcharon en dirección al norte, yendo de aldea en aldea.

En cada aldea venían a unirse a la caravana hombres de mirada febril, mujeres, niños, y ocupaban el hueco de los que habían muerto. El gran *cheij* iba delante en su camello blanco, rodeado por sus hijos y sus guerreros, y Nur veía a lo lejos la nube de polvo que parecía guiarlos.

Cuando llegaron frente a las puertas de la gran ciudad de Marraquech, no osaron acercarse y se asentaron junto al río desecado, al sur. Durante dos días, los hombres azules permanecieron a la espera, casi sin moverse, al abrigo de sus tiendas y en chozas de ramas. El viento caluroso del verano los cubría de polvo, pero seguían a la espera, todas sus fuerzas eran para aguardar.

Por fin, al tercer día, regresaron los hijos de Ma el-Ainin. Junto a ellos, y a caballo, había un hombre de elevada estatura, vestido como los guerreros del norte, y su nombre corrió de boca en boca: «Mulei Hiba, a quien llaman Mulei Dehiba, la Parcela de Oro, Mulei Sebaa, el León».

Cuando el guerrero ciego oyó su nombre, se puso a temblar, y manaban las lágrimas de sus ojos abrasados. Echó a correr de frente con los brazos abiertos, emitiendo un largo grito, una suerte de gemido agudo que desgarraba los oídos.

Nur intentó alcanzarlo, pero el ciego corría con todas sus fuerzas, tropezando con las piedras, tambaleándose por el suelo polvoriento. La gente del desierto se echaba a un lado a su paso, y algunos se asustaban incluso y apartaban la vista, porque pensaban que el ciego estaba poseído por el demonio. El guerrero ciego parecía devorado por una alegría y un sufrimiento sobrehumanos. Varias veces cayó al suelo, tropezando con una raíz o una piedra, pero otras tantas se incorporó y siguió corriendo hacia el lugar donde se encontraban Ma el-Ainin y Mulei Hiba, sin verlos. Nur llegó por fin hasta él y lo agarró por el brazo; pero el hombre perseveraba en su carrera a gritos, arrastrando a Nur consigo. Continuaba de frente, como si viera a Ma el-Ainin y a su hijo, avanzaba hacia ellos sin equivocarse. Entonces los guerreros del *cheij* se alarmaron, empuñaron sus fusiles para cortar el avance del ciego. Pero el *cheij* se limitó a decir:

«Dejadlos llegar».

Se bajó del camello y se acercó al guerrero ciego.

«¿Qué quieres?»

El guerrero ciego se tiró al suelo, con los brazos extendidos hacia adelante y el cuerpo sacudido por espasmos y sollozos, que lo ahogaban. Ya sólo escapaba de su garganta el largo y agudo gemido, ahora débil y anhelante como un lamento. Nur habló entonces:

«Dale la vista, gran rey», dijo.

Ma el-Ainin miró un largo rato al hombre que yacía en el suelo, su cuerpo sacudido por el llanto, sus andrajos, sus pies y sus manos ensangrentados por la marcha. Sin decir nada, se arrodilló junto al ciego y le posó la mano en la nuca. Los hombres azules y los hijos del *cheij* permanecieron en pie. El silencio era tan grande en ese instante que Nur experimentó un vértigo. Una fuerza extraña, desconocida, brotaba de la tierra polvorienta, envolvía a los hombres en su torbellino. Era tal vez la luz del ocaso, o el poder de la mirada, lo que se había radicado en el lugar, lo que pugnaba por escurrirse como un agua prisionera. Lentamente volvió a erguirse el guerrero ciego, su rostro apareció a la luz, maculado por la arena y el agua de las lágrimas. Con un pico de su jaique azul celeste, Ma el-Ainin enjugó el rostro del hombre. Luego le pasó la mano por la frente, por los párpados abrasados, como si quisiera borrar algo. Con la punta de los dedos untada de saliva, frotó los párpados del ciego, y le sopló en la cara con suavidad, sin pronunciar una palabra. El silencio duró tanto que Nur no se acordaba ya de lo que había pasado antes, de lo que había dicho él. Arrodillado en la arena junto al *cheij*, miraba tan sólo la cara del guerrero ciego, en la que parecía crecer una luz nueva. El hombre había dejado de gemir. Permanecía inmóvil frente al *cheij* con los brazos algo abiertos, con sus ojos heridos de par en par, como si estuviera emborrachándose lentamente con la mirada del *cheij*.

Se llegaron a continuación los hijos de Ma el-Ainin, y Mulei Hiba se acercó también él, y ayudaron al anciano a incorporarse. Con gran suavidad tomó Nur al guerrero por el brazo, y lo hizo levantarse a su vez. El hombre echó a andar, apoyado en el hombro del jovencito, y la luz de poniente se reflejaba en su cara como un polvo de oro. No hablaba. Avanzaba muy despacio, como un hombre que ha atravesado una larga enfermedad, plantando bien los pies en el suelo pedregoso.

Avanzaba con un cierto tambaleo, pero ya no llevaba los brazos abiertos, y no se leía más sufrimiento en su cuerpo. La gente del desierto seguía inmóvil y silenciosa mientras lo veía dirigirse al otro extremo de la llanura. Ya no había sufrimiento, y su rostro, ahora, reflejaba dulzura y sosiego, y su mirada se hallaba henchida de la luz dorada del sol que se hundía en el horizonte. Y en el hombro de Nur, su mano se había vuelto tan ligera como la de un hombre que sabe adónde va.

Ued Tadla, 18 de junio de 1910

Los soldados dejaron Zetat y Ben Ahmed antes del alba. El general Moinier mandaba la columna que salió de Ben Ahmed, dos mil infantes armados con fusiles Lebel. El convoy avanzaba con lentitud por la llanura abrasada en dirección al valle del río Tadla. Al frente de la columna figuraban el general Moinier, dos oficiales franceses y un observador civil. Un guía moro los acompañaba, vestido como los guerreros del sur, montado a caballo, como los oficiales.

El mismo día, la otra columna, compuesta por tan sólo quinientos hombres, había dejado la ciudad de Zetat para formar el otro brazo de la tenaza que debía estrangular a los rebeldes de Ma el-Ainin en su ruta hacia el norte.

La tierra desnuda se extendía ante los soldados hasta perderse de vista, ocre, roja, gris, brillante bajo el azul del cielo. El viento ardiente del verano arrasaba la tierra, levantaba polvaredas, velaba la luz como una bruma.

Nadie hablaba. Los oficiales que iban delante espoleaban sus caballos para separarse del resto de la tropa, con la esperanza de dejar un poco atrás la nube de polvo sofocante. Sus ojos escrutaban el horizonte intentando distinguir qué podría depararles: el agua, los poblados de barro o el enemigo.

Hacía tiempo que el general Moinier esperaba este instante. Cada vez que se hablaba del sur, del desierto, pensaba en él, en Ma el-Ainin, el irreductible, el fanático, el hombre que había jurado expulsar a todos los cristianos del suelo del desierto, la cabeza visible de la rebelión, el asesino del gobernador Coppolani.

«Nada serio», decía el estado mayor en Casa, en Fort-Trinquet, en Fort-Gouraud. «Un fanático. Una especie de brujo, un hacedor de lluvia que ha arrastrado tras de sí a todos los harapientos del Draa, del Tinduf, a todos los negros de Mauritania.»

Pero el viejo del desierto era inaprensible. Lo localizaban en el norte, cerca de los primeros puestos de control del desierto. Cuando se iba a ver, había desaparecido. Luego volvían a hablar de él, esta vez en la costa, en Río de Oro, en Ifni. Naturalmente, ¡con los españoles tenía las de ganar! ¿Qué hacían en El Aaiún, en Tarfaia, en el cabo Juby? Una vez consumado el golpe, el viejo *cheij,* un zorro astuto, regresaba con sus guerreros a su «territorio», allá al sur del Draa, a Sagia el-Hamra, a su «fortaleza» de Smara. Imposible desalojarlo de allí. Y luego estaban el misterio, la superstición. ¿Cuántos hombres habían podido atravesar esta región? Mientras cabalgaba en compañía de los oficiales, el observador se acordaba del viaje de Camille Douls, en 1887. El relato de su encuentro con Ma el-Ainin ante su palacio de Smara: vestido con su gran jaique azul celeste, tocado con su alto turbante blanco, el *cheij* se le había acercado, lo había mirado con detenimiento. Douls era prisionero de los moros, tenía la ropa raída y el rostro estragado por el cansancio y por el sol, pero Ma el-Ainin lo había mirado sin odio, sin desprecio. Era aquella mirada sostenida, aquel silencio, lo que aún perduraba, lo que había hecho estremecerse al observador cada vez que había puesto su mente en Ma el-Ainin. Pero quizá era el único en haberlo sentido, al leer en su día el relato de Douls. «Un fanático», decían los oficiales, «un salvaje que no piensa más que en pillar y matar, en pasar a sangre y fuego las provincias del sur, como en 1904, cuando Coppolani fue asesinado en el Taganet, como en agosto de 1905, cuando Mauchamp fue asesinado en Uzhda.»

Sin embargo, a diario, mientras marchaba con los oficiales, el observador sentía en él esa inquietud, esa aprensión que no podía explicarse. Era como si temiera toparse de repente, a la vuelta de una colina, en el cauce de un arroyuelo seco, con la mirada del gran *cheij*, solo en medio del desierto.

«Ahora está acabado, no podrá aguantar más, es una cuestión de meses, de semanas tal vez, está obligado a rendirse, a menos que se arroje al mar o se pierda en el desierto, ya no lo apoya nadie y lo sabe de sobra...»

Hace tanto tiempo que los oficiales esperan este momento, y el estado mayor del ejército en Orán, en Rabat, incluso en Dakar. El «fanático» está arrinconado, o el mar o el desierto. El viejo zorro se verá obligado a capitular. ¿Acaso no lo han abandonado todos? En el norte, Mulei Hafid ha firmado el Acta de Algeciras que pone fin a la guerra santa. Acepta el protectorado de Francia. Y luego llegó la carta de octubre de 1909, firmada por el propio hijo de Ma el-Ainin, Ahmed Hiba, a quien llaman Mulei Sebaa, el León, en la que ofrece la sumisión del *cheij* a la ley del Majzen, e implora auxilio. «¡El León! Qué solo está ahora el León, y los demás hijos del *cheij*, ech-Chems, en Marraquech, y Lagdaf, el bandido, el saqueador de la Hamada. No les quedan más reservas, ni armas, y la población del Sus los ha abandonado... No les queda más que un puñado de guerreros, ¡unos harapientos que tienen por todo armamento sus viejas carabinas de cañón de bronce, sus yataganes y sus lanzas! ¡La Edad Media!»

Mientras cabalga con los oficiales, el observador civil piensa en todos los que esperan la caída del viejo *cheij*. Los europeos de África del norte, los «cristianos», como los llama la gente del desierto –¿pero su verdadera religión no es la del dinero?–. Los españoles de Tánger, de Ifni, los ingleses de Tánger, de Rabat, los alemanes, los holandeses, los belgas y todos los banqueros, todos los hombres de negocios que están al acecho de la caída del imperio árabe, que preparan ya sus planes de ocupación, que se reparten los labrantíos, los bosques de alcornoques, las minas, los palmerales. Los agentes de la Banque de Paris et des Pays-Bas, que gravan el montante de los derechos de aduana en todos los puertos. Los especuladores del diputado Étienne, que han creado la Société des Émeraudes du Sahara, la Société des Nitrates du Gourara-Touat, por las cuales la tierra desnuda ha de dar paso a los ferrocarriles imaginarios, a las vías transahariana y transmauritana, y es el ejército el encargado de abrir paso a tiros.

¿Qué puede ya el viejo de Smara solo contra esa ola de dinero y balas? ¿Qué puede su mirada feroz de animal acorralado contra quienes especulan, codician las tierras, las ciudades, contra quienes buscan la riqueza que promete la miseria de este pueblo?

Junto al observador civil, los oficiales cabalgan con el rostro impasible, sin pronunciar una palabra inútil. Su mirada está clavada en el horizonte, más allá de las colinas pedregosas, donde se extiende el valle brumoso del *ued* Tadla.

¿Es posible que ni siquiera piensen en lo que hacen? Cabalgan, por la pista invisible que abre para ellos el guía targui a lomos de su caballo leonado.

Tras ellos, los tiradores senegaleses y sudaneses, con los uniformes grises por el polvo, inclinados hacia adelante, marchan pesadamente elevando mucho las piernas como si franquearan surcos. El ruido de sus pasos refleja su rastrillado regular en la tierra dura. Tras ellos, la nube de polvo rojo y gris asciende lentamente, ensucia el cielo.

Hace mucho que empezó todo. Ahora, no es posible ya hacer nada más, como si este ejército fuera al asalto de fantasmas. «Pero nunca aceptará rendirse, y menos a los franceses. Preferirá que maten a todos sus hombres, hasta el último, y que lo maten a él mismo, junto a sus hijos, antes que ser apresado... Y será mejor para él, porque, creedme, el gobierno no aceptará su rendición tras el asesinato de Coppolani, acordaos. No, es un fanático, cruel, salvaje, es preciso que desaparezca, él y toda su tribu, los Berik Allah, los Benditos de Dios como se denominan... La Edad Media, ¿no es cierto?»

El viejo zorro ha sido traicionado por los suyos, abandonado. Una tras otra, las tribus se han separado de él, porque los jefes se daban cuenta de que la progresión de los cristianos era irresistible, en el norte, en el sur, venían incluso por mar, atravesaban el desierto, dominaban las puertas del desierto, Tinduf, Tabalbala, Uadan, ocupaban la mismísima ciudad santa de Chingeti, donde Ma el-Ainin había practicado al comienzo sus enseñanzas.

En Bu Denib debió de tener lugar la última gran batalla, cuando el general Vigny aplastó a los seis mil hombres de Mulei Hiba. Entonces, el hijo de Ma el-Ainin se refugió en las montañas, desapareció para esconder su vergüenza, porque se había convertido en un *lajm,* una carne sin hueso, como dicen ellos, un vencido. El viejo *cheij* se ha quedado solo, prisionero de su fortaleza de Smara, sin comprender que no lo habían vencido las armas, sino el dinero; el dinero de los banqueros, que había comprado a los soldados de sultán Mulei Hafid y sus bellos uniformes; el dinero que los soldados de los cristianos venían a buscar a los puertos, descontando su parte de los derechos de aduana; el dinero de las tierras expoliadas, de los palmerales usurpados, de los bosques entregados a quienes sabían apropiárselos. ¿Cómo habría podido entender todo esto? ¿Tenía idea de lo que era la Banque de Paris et des Pays-Bas, un empréstito para la construcción de los ferrocarriles o una sociedad para la explotación de los nitratos del Gurara-Tuat? ¿Tenía la menor idea de que mientras oraba e impartía su bendición a los hombres del desierto, los gobiernos de Francia y Gran Bretaña firmaban un acuerdo que cedía a uno un país llamado Marruecos y al otro un país llamado Egipto? Mientras transmitía su palabra y su aliento a los últimos hombres libres, a los Izargien, a los Arosien, a los Tidrarin, a los Uled Bu Sebaa, a los Taubalt, a los Ergeibat Sahel, a los Uled-Delim, a los Imragien, mientras transmitía su poder a su propia tribu, a los Berik Allah, ¿tenía idea de que un consorcio bancario, cuyo principal miembro era la Banque de Paris et des Pays-Bas, concedía al rey Mulei Hafid un préstamo de 62.500.000 francos oro, cuyo interés al cinco por ciento estaba garantizado por el producto de todos los derechos de aduana de los puertos de la costa, y que los soldados extranjeros habían entrado en el país para controlar que al menos el sesenta por ciento de las recaudaciones diarias de las aduanas fuera abonado a la Banque? ¿Tenía noción de que en el momento del Acta de Algeciras, que ponía fin a la guerra santa en el norte, el endeudamiento del rey Mulei Hafid era de doscientos seis millones de francos oro, y que en consecuencia era evidente que jamás podría reembolsar a sus acreedores? Pero el viejo *cheij* no sabía nada de esto, porque sus guerreros no combatían a cambio de oro, sino por una mera bendición, y porque la tierra que defendían no les pertenecía ni a ellos ni a nadie, porque era tan sólo el espacio libre de su mirada, un don de Dios.

«... Un salvaje, un fanático que dice a sus guerreros antes del combate que va a hacerlos invencibles e inmortales, que los manda al asalto de los fusiles y las ametralladoras armados simplemente con sus lanzas y sus sables...»

Ahora, la tropa de tiradores negros ocupa todo la plana del río Tadla, frente al vado, mientras los notables de Qasbah Tadla han llegado para ofrecer su sumisión a los oficiales franceses. Las humaredas de las fogatas de campaña se elevan en el aire del atardecer y el observador civil mira, como en cada etapa, el hermoso cielo nocturno que se desvela poco a poco. No deja de pensar en la mirada de Ma el-Ainin, misteriosa y profunda, esa mirada que se detuvo en Camille Douls disfrazado de comerciante turco, y que lo escrutó hasta el fondo de su alma. ¿Fue tal vez entonces cuando intuyó lo que anunciaba la presencia de aquel hombre vestido de andrajos, aquel primer ladrón de imágenes, que escribía su diario cada tarde en las páginas de su Corán? Pero ahora es demasiado tarde, y ya nada puede impedir que el destino se cumpla. O el mar o el desierto. Los horizontes se estrechan sobre el pueblo de Smara, encierran a los últimos nómadas. El hambre, la sed los cercan, conocen el miedo, la enfermedad, la derrota.

«Hace mucho tiempo que podíamos habernos zampado de un bocado a su querido *cheij* y a todos sus desharrapados, si hubiéramos querido. Un cañón de 75 frente a su palacio de adobe, unas cuantas ametralladoras, y lo habríamos barrido. Puede que se haya pensado que no merecía la pena. Habrán dicho que mejor esperar a que caiga él solo, como una fruta agusanada... Pero ahora, con el asesinato de Coppolani, ya no es una cuestión de guerra: es una operación de policía contra una banda de malhechores, eso es todo.»

El viejo ha sido traicionado por los mismos a quienes quería defender. Los hombres del Sus, de Tarudant, de Agadir han dado la noticia: «El gran *cheij* Mulei Ahmed ben Mohammed el-Fadel, el llamado Ma el-Ainin, el Agua de los Ojos, está en marcha hacia el norte con sus guerreros del desierto, los del Draa, los de Sagia el-Hamra, y hasta los hombres azules de Ualata, de Chingeti. Son tan numerosos que cubren toda una llanura. Marchan hacia el norte, hacia la ciudad santa de Fez, para derrocar al sultán y nombrar en su lugar a Mulei Hiba, el llamado Sebaa, el León, el hijo mayor de Ma el-Ainin».

Pero el estado mayor no se ha tomado en serio la noticia. Los oficiales se han reído a sus anchas.

«El viejo de Smara se ha vuelto loco. ¡Como si con su tropa de desharrapados pudiera derrocar al sultán y expulsar al ejército francés!» Es lo que parecía: el viejo zorro está abocado al mar y al desierto, ha elegido suicidarse; es la única escapatoria que le queda, entregarse a la muerte con toda su tribu.

Así pues, hoy, 21 de junio de 1910, la tropa de tiradores negros está en camino, con los tres oficiales franceses y el observador civil al frente. Se ha desviado hacia el sur para enlazar con la otra columna que ha salido de Zetat. Las mandíbulas de la tenaza van cerrándose para estrujar al viejo *cheij* y a sus desharrapados.

El sol abrasa los ojos de los soldados con su luz entremezclada de polvo. A lo lejos, en la colina que domina la llanura pedregosa, surge un poblado ocre apenas distinto del desierto. «Qasbah Zidaniya», anuncia el guía escuetamente. Pero detiene su caballo al ins-

351

tante. A lo lejos, por las colinas, galopa un grupo de guerreros a caballo. Los tiradores negros toman posiciones, mientras los oficiales dirigen sus caballos a un lado. Restallan algunos disparos, diseminados, sin que ninguna bala silbe o acierte. Al observador civil se le ocurre que esto semeja sobre todo el ruido que provocan los cazadores en el campo. Cae preso un hombre herido, un árabe de la tribu de los Beni Amir. El *cheij* Ma el-Ainin no está lejos, sus guerreros marchan por la ruta de El-Boruj, al sur. La tropa reanuda su avance, pero ahora los oficiales se mantienen junto a los soldados. Todo el mundo escruta los zarzales. El sol aún está en lo alto del cielo cuando tiene lugar la segunda escaramuza en la pista de El-Boruj. Los disparos resuenan de nuevo en el silencio tórrido. El general Moinier da la orden de cargar hacia la hondonada del valle. Los senegaleses disparan rodilla en tierra y a continuación salen a la carrera con las bayonetas caladas. La tribu de los Beni Musa ha abatido a doce soldados negros antes de darse a la fuga a través de los zarzales, dejando en el campo decenas de muertos. La tropa senegalesa continúa cargando hacia la parte baja del valle. Los soldados van desalojando hombres azules por todos los rincones, pero no son los guerreros invencibles que esperaban. Son hombres harapientos, desgreñados, desarmados, que corren cojeando, que se caen al suelo pedregoso. Mendigos más bien, flacos, abrasados por el sol, comidos por la fiebre, que se tropiezan unos con otros y lanzan gritos de desamparo, mientras los senegaleses, poseídos por una sed asesina de venganza, descargan sobre ellos los fusiles, los clavan a bayonetazos en la tierra roja. En vano manda tocar llamada el general Moinier. Ante los soldados negros huyen en desorden los hombres y las mujeres, caen al suelo. Los niños corren entre los matorrales, mudos de terror, y los rebaños de corderos y de cabras se atropellan entre berridos. Los cuerpos de los hombres azules cubren el suelo por completo. Resuenan los últimos disparos, nada se oye al poco, de nuevo el peso del tórrido silencio se impone sobre el paisaje.

Inmóviles en lo alto de una colina, a lomo de sus caballos, que cabecean inquietos, los oficiales miran la amplia extensión de zarzales de la que ya han desaparecido los hombres azules, como si se los hubiera tragado la tierra. Los tiradores senegaleses regresan trayendo a sus compañeros muertos, sin dedicar una mirada a los cientos de hombres y mujeres astrosos que yacen por el suelo. En algún punto de la vertiente del valle, en medio de los matorrales espinosos, está sentado un muchacho junto al cuerpo de un guerrero muerto, y mira con todas sus fuerzas ese rostro ensangrentado al que se le han apagado los ojos.

En la calle iluminada por el amanecer, el muchacho avanza sin prisa junto a los coches aparcados. Su cuerpo delgado roza apenas las carrocerías, su reflejo va corriendo por las ventanillas, las aletas charoladas, los faros, pero no es eso lo que mira. Se asoma un poco a cada auto, y su mirada escruta el interior de la caja, los asientos, el piso bajo los asientos, el cristal trasero, la guantera.

Avanza en silencio, a solas por la gran calle vacía en la que el sol enciende, pura y nítida, su primera luz de la mañana. El cielo está ya muy azul, límpido, sin una nube. El viento de verano sopla desde el mar, se precipita en las calles, a lo largo de las avenidas rectilíneas, se arremolina en los jardincillos sacudiendo las palmeras y las grandes araucarias.

A Radicz le gusta mucho el viento de verano; no es un viento dañino, como el que arranca el polvo o penetra en el interior del cuerpo y hiela hasta los huesos. Es un viento ligero, cargado de suaves olores, un viento que huele a mar y hierba, que da sueño. Radicz se siente feliz porque ha dormido a la intemperie, en un jardín abandonado, con la cabeza entre las raíces de un gran pino real, no lejos del mar.

Antes de la salida del sol, se despertó y sintió enseguida que había empezado a soplar el viento de verano. Así que se revolcó un poco en la hierba como hacen los perros, y echó a correr sin detenerse hasta la orilla del mar. Lo miró un buen rato desde lo alto de la carretera, tan bello y tranquilo, gris todavía de la noche, pero teñido ya a retazos por el azul y el rosa de la aurora. Hasta le entraron ganas, un instante, de bajar por las rocas aún frías, de quitarse la ropa y zambullirse en el agua. Fue el viento de verano el que lo atrajo hasta el mar. Pero cayó en la cuenta de que no le quedaba mucho tiempo y era preciso espabilar, porque la gente estaba a punto de despertarse. Y empezó a subir hacia las calles en busca de coches.

Ahora llega frente a un gran complejo de edificios y jardines. Recorre las calles del parque, por donde se estacionan los coches. No hay nadie en los jardines, al menos hasta donde alcanza la vista. Las persianas de los edificios están echadas todavía, los balcones están vacíos. El viento de verano sopla al ras de las fachadas y hace castañetear las persianas. Hay también el suave ruido de las ramas de las mimosas y los laureles, y las grandes palmas que se balancean chirriando.

La luz se va mostrando poco a poco, primero en el cielo, luego en lo alto de los edificios, y los faroles palidecen. A Radicz le encanta esta hora, porque las calles siguen silenciosas, las casas cerradas, sin un alma, y es como si estuviera solo en el mundo. Recorre despacio los paseos y se le ocurre que toda la ciudad es suya, que no queda nadie más. Puede que, como tras una catástrofe, mientras dormía en el jardín abandonado, los hombres y las mujeres se hayan escapado, hayan huido corriendo hacia las montañas, abandonando sus casas y sus autos. Radicz avanza pegado a las carrocerías inmóviles, mirando al interior, los asientos vacíos, los volantes inmóviles, y tiene la extraña impresión de que una mirada lo observa, lo amenaza. Se detiene, levanta la cabeza hacia los altos muros de los edificios. La luz de la aurora alumbra ya la parte alta de las fachadas con su tono rosa. Pero las persianas y las ventanas permanecen cerradas y las balconadas están vacías. El ruido del viento que pasa es un ruido muy suave, muy lento, un ruido que no es para los hombres, y Radicz sigue percibiendo el vacío que se ha instalado en la ciudad, que ha suplantado el ruido y el movimiento de los hombres.

Puede que, mientras dormía con la cabeza entre las raíces del viejo pino real, misteriosamente, como venido de otro mundo, el viento de verano haya adormecido a todos los habitantes, hombres y mujeres, y estén tumbados en sus camas, en sus apartamentos, con los postigos candados, sumidos en un sueño mágico que no tendrá fin. Entonces la ciudad puede por fin descansar, respirar, con las grandes calles vacías, los coches inmóviles, las tiendas cerradas, las farolas y los semáforos apagados; entonces la hierba va a poder crecer a su aire en las grietas de la calzada, los jardines se van a convertir en nuevos bosques, y las ratas y los pájaros van a poder desplazarse a su gusto sin temor, como antes de que hubiera hombres.

Radicz se detiene a escuchar un momento. Es el instante preciso del despertar de los pájaros en sus ramas, los estorninos, los gorriones, los mirlos. Los mirlos, muy en particular, chillan con estrépito, y vuelan pesadamente de una palmera a otra, o avanzan a saltitos por el asfalto mojado de los grandes aparcamientos. Al muchacho le gustan mucho los mirlos. Tienen un precioso pelaje negro y un pico muy amarillo, y tienen esa forma tan curiosa de dar saltitos, con la cabeza puesta un poco de lado para prevenir los peligros. Recuerdan a los ladrones, y por eso le caen bien a Radicz. Son como él, un poco atolondrados, un poco raterillos, y saben emitir silbidos estridentes para avisar cuando hay algún peligro; saben reír con una especie de gorjeos que a él le hacen gracia. Radicz avanza despacio por los aparcamientos, y de tarde en tarde responde silbando a los trinos de los mirlos. Puede que, mientras el muchacho dormía en el jardín abandonado con la cabeza entre las raíces del gran pino real, los hombres y las mujeres hayan dejado la gran ciudad, sin más, sin hacer ruido, y los mirlos hayan ocupado su lugar. Esta idea le encanta a Radicz, y silba más fuerte, con ayuda de los dedos, para decirles a los mirlos que está de acuerdo con ellos, que todo es suyo, todo, las casas, las calles, los autos e incluso las tiendas y lo que tienen dentro.

La luz aumenta con rapidez en el parque en torno a los edificios. Las gotas de rocío brillan en los techos de los coches, en las hojas de los arbustos. Radicz debe hacer grandes esfuerzos para no entretenerse mirando todas esas gotas de luz. En el vacío del gran aparcamiento, con esas elevadas paredes blancas, esas persianas bajadas, esos balcones vacíos, brillan con una intensidad acrecentada, como si fueran las únicas cosas verdaderas y vivas. Titilan un poco al viento que sopla desde el mar, parecen miles de ojos fijos en plena mirada.

Y entonces, confusamente, Radicz vuelve a sentir la amenaza que pende sobre todo esto, aquí en el aparcamiento de los edificios, el peligro que acecha. Es una mirada, o una luz, que el jovencito no ve, no puede entender. La amenaza está escondida bajo las ruedas de los autos estacionados, en el reflejo de las ventanillas, en el fulgor desvaído de las farolas, que continúan encendidas aun de día. Esto le produce un escalofrío en la piel, y el jovencito siente que el corazón le late más despacio, se le acelera de repente, y un sudor frío le humedece las palmas de las manos.

Los pájaros ahora han desaparecido, con excepción de las pasadas de vencejos que vuelan a toda velocidad entre chillidos. Los mirlos se han escapado al otro lado de los grandes bloques de cemento, y el aire se ha quedado en silencio. Hasta el viento amaina poco a poco. El alba no se demora sobre la gran ciudad, exhibe un instante su milagro y después se esfuma. Es el turno del día. El cielo ha dejado de ser gris y rosa, lo invade un colorido mate. Hay una especie de bruma hacia el oeste, donde probablemente las grandes chimeneas de los depósitos han empezado a escupir sus humos envenenados.

Radicz ve todo esto, todo lo que ocurre, y se le encoge el corazón. Dentro de poco los hombres y las mujeres van a abrir puertas y ventanas, van a subir las persianas y salir al balcón, van a andar por las calles de la ciudad y poner en marcha los motores de sus autos y camiones, y circular mirándolo todo con sus ojos malvados. Por eso hay esta mirada, esta amenaza. A Radicz no le gusta el día. Ama sólo la noche, y la aurora, cuando todo está en silencio, deshabitado, cuando sólo hay murciélagos y gatos vagabundos.

Continúa remontando las calles del gran aparcamiento, escrutando con mayor atención el interior de los autos estacionados. De cuando en cuando descubre algo que podría ser interesante, y tantea las portezuelas, así, rápido, según pasa, por si estuvieran abiertas. Le ha echado el ojo a tres autos que no tienen puesto el seguro en las portezuelas, pero los deja por el momento, porque no está convencido de que valgan la pena. Piensa para sí que volverá enseguida, después de haber dado la vuelta al bloque, porque los coches abiertos se liquidan rápido.

Todavía no se ve el sol, pero su resplandor crece en el cielo, sobre los árboles. Sólo se ve la bella luz cálida abriéndose, difundiéndose en el cielo. A Radicz no le gusta lo que pasa de día, pero sí le gusta el sol, y le agrada la idea de verlo aparecer. Por fin llega: un disco incandescente que arroja un destello al fondo mismo de sus ojos, y Radicz deja de andar un instante, deslumbrado.

Aguarda, mientras escucha sus latidos en las arterias. La amenaza se cierne sobre él sin que consiga saber de dónde viene. La luz va creciendo, y con ella el peso del miedo, desde lo alto de las grandes paredes blancas a los cientos de persianas azules, desde lo alto de los tejados planos erizados de antenas, desde lo alto de los pilares de cemento, desde lo alto de las elevadas palmeras de tronco liso. Es sobre todo el silencio lo que da miedo, el silencio del día, y las luces eléctricas de las farolas que siguen encendidas produciendo un zumbido agudo. Es como si los ruidos habituales de los hombres y de los motores no pudieran volver a surgir, como si el sueño los hubiese detenido, envuelto en una ganga, con motores agarrotados, nudos en las gargantas, caras con los ojos cerrados.

«Bueno, manos a la obra.»

Radicz ha hablado en alto para darse valor. Su mano tantea de nuevo las manillas de las portezuelas, sus ojos escrutan el frío interior de las carrocerías. La luz del sol centellea en las gotas de rocío adheridas a las cajas y los parabrisas.

«Nada..., nada.»

La prisa se va imponiendo a la angustia. El día está tenso, blanco, el sol no ha tardado en salvar los tejados de los grandes edificios. Seguro que ya brilla sobre el mar, prendiendo reflejos chispeantes en las crestas de las olas. Radicz avanza sin mirar alrededor.

«Hombre, ya era hora.»

Se ha abierto una portezuela. Sin ruido, el chaval se introduce en el interior del coche; sus manos tantean todos los rincones, debajo de los asientos, en cada recoveco, en los cajetines de las portezuelas, abren la guantera. Sus manos tantean rápido, con habilidad, como las manos de un ciego.

«¡Nada!»

Nada; el interior del auto está vacío, frío y húmedo como una bodega.

«¡Cabrones!»

A la inquietud sucede la cólera, y el chaval remonta el paseo a lo largo del edificio, escrutando el interior de cada coche. De repente un ruido lo sobresalta, un carraspeo de motor y un ruido de chapas. Escondido detrás de una rubia color verde, Radicz ve pasar el camión de recogida de basuras. El camión da la vuelta a los edificios sin entrar en el aparcamiento. Se va, medio tapado por las hileras de laureles y por los troncos de las palmeras, y a Radicz se le ocurre que semeja un extraño insecto de metal, un escarabajo pelotero, por ejemplo, con su espalda redonda y su traqueteo.

Cuando se hace de nuevo el silencio, Radicz ve en la plataforma de la rubia algunas formas que podrían ser interesantes. Se acerca a la luneta trasera y vislumbra unas prendas de vestir, muchas prendas apiladas en la parte de atrás, en fundas de plástico color naranja. Delante también hay ropa, cajas de calcetines y, en el suelo, cerquita del asiento, difícil de descubrir para quien no sea experto en la materia, la esquina de un aparato radiotransistor. Las portezuelas de la rubia están cerradas con el seguro, pero la ventanilla está entreabierta; Radicz presiona con todas sus fuerzas, se apoya en el borde del cristal para ampliar la abertura. Milímetro a milímetro, el cristal va cediendo, y al poco Radicz puede meter su brazo largo y delgado hasta tocar con la punta de los dedos el botón del seguro, y tira de él. Abre la portezuela y se cuela en la parte delantera del coche.

La rubia es muy grande, con unos asientos profundos de escai verde oscuro. Radicz está contento de haber podido entrar en la furgoneta. Permanece un instante sentado en el frío asiento, con las manos al volante, y mira el aparcamiento y los árboles a través del enorme parabrisas. La franja superior del parabrisas es de tono verde esmeralda, y aporta un curioso fulgor al cielo blanco si se mira a su través. A la derecha del volante hay un aparato de radio. Radicz manipula los botones, pero el aparato no se enciende. Su mano aprieta el botón de la guantera y la tapa se abre. En la guantera hay papeles, un bolígrafo y un par de gafas negras.

Radicz se desliza sobre el respaldo del asiento delantero hasta la plataforma trasera. Examina la ropa con rapidez. Son prendas nuevas, ternos, camisas, trajes de chaqueta y pantalones de señora, jerseys, todo doblado en sus fundas de plástico. Radicz dispone a un lado una pila de prendas de vestir, cajas de calcetines, corbatas, fulares. Apretuja las prendas de cualquier manera en el interior de los pantalones, y anudando las perneras va haciendo paquetes. De repente se acuerda del aparato radiotransistor. Se deja ir sobre el asiento delantero y, con la cabeza apoyada en el piso, sus manos tantean el objeto, lo levantan un poco. Le da a un botón y esta vez surge la música, notas de guitarra que se deslizan, corren como el canto de los pájaros en la aurora.

Es cuando oye el ruido de los policías que se le echan encima. No los ha visto llegar, puede que ni haya oído el suave ruido de los neumáticos sobre la grava asfaltada del paseo circular, el rozamiento de la persiana que suben en algún lugar de la fachada inmensa y silenciosa del gran edificio blanco de luz; puede que lo haya alertado otra cosa, mientras estaba cabeza abajo escuchando la música de pájaros del aparato de radio. Algo se le anudaba, se le encogía en el interior del cuerpo, tras los ojos o en las entrañas, y el vacío colmaba la caja de la rubia como un frío. Entonces se incorporó y lo vio.

El coche negro de los policías llega a toda velocidad al paseo del aparcamiento. Sus neumáticos hacen un ruido de agua sobre el asfalto y la gravilla, y Radicz ve con nitidez las caras de los policías, sus uniformes negros. Al mismo tiempo, siente la mirada dura y cargada de odio que lo observa desde lo alto de uno de los balcones del edificio, donde la persiana acaba de subir con rapidez.

¿Hay que quedarse escondido en el gran vehículo, encerrado en la madriguera como un animal? Pero los policías vienen precisamente hacia él, lo sabe, no le cabe la menor duda. Su cuerpo abandona su postura de un brinco, sale despedido por la portezuela delantera de la rubia y emprende una carrera por la acera, en dirección a la tapia que acota el aparcamiento.

El coche negro acelera en el acto, porque los policías lo han visto. Hay ruido de voces, breves gritos que resuenan en el parque, repercuten en las grandes paredes blancas. Radicz oye pitidos estridentes, y hunde la cabeza entre los hombros, como si fueran balas. Los latidos de su corazón son tan violentos que prácticamente no puede oír nada más, como si toda la superficie del aparcamiento, los edificios, los árboles del parque y las calles asfaltadas se pusieran a palpitar con él, a sobresaltarse y experimentar dolor.

Sus piernas corren, corren, baten con fuerza el asfalto, baten con fuerza la tierra blanda de los arriates. Sus piernas brincan por encima de los macizos de flores, por encima de los muretes de los cuadros de césped. Salen a escape con todas sus fuerzas, enloquecidas y presas del pánico, sin saber dónde se pararán. Surge ahora la alta tapia de separación del aparcamiento, y las piernas no pueden levantar vuelo. Corren a lo largo del muro, zigzaguean entre los coches inmóviles. El chaval no necesita volverse para saber que el vehículo de los policías sigue allí, se acerca, toma las curvas a toda velocidad haciendo chirriar los neumáticos y rugir el motor. Al instante lo tiene tras él, en una larga línea recta a cuyo término se abre la avenida, y el cuerpo minúsculo de Radicz galopa como un conejo al que hubieran sacado del bosque. El coche negro de los policías se agiganta, se aproxima, sus ruedas devoran el paseo de asfalto y gravilla. Mientras corre, Radicz oye el ruido de las persianas que se levantan de manera generalizada en la fachada del edificio, y piensa ahora que toda la gente se ha asomado a los balcones para verlo correr. Y de pronto hay una abertura en el muro, una puerta tal vez, y el cuerpo de Radicz pega un brinco y atraviesa la abertura. Ya está del otro lado de la pared, solo en la gran avenida que conduce al mar, con tres, cuatro minutos de ventaja, el tiempo que precisa el coche negro de los policías para alcanzar la salida del aparcamiento y dar media vuelta para enfilar la avenida. También esto lo sabe el jovencito sin necesidad de pensarlo, como si su corazón enloquecido y sus piernas pensaran por él. Pero, ¿adónde ir? Al final de la avenida, a menos de cien metros, están el mar, las rocas. Hacia allí se dirige el joven por instinto, tan deprisa que el aire caliente del día hace que le lloren los ojos. Sus oídos no oyen el ruido del viento, y ya lo único que puede ver es la cinta negra de la carretera, donde brilla con fuerza la luz del sol, y, muy al fondo, sobre la pared de la cornisa, el color lechoso del mar y el cielo confundidos. Corre tan deprisa que ya no es capaz de oír los neumáticos del coche negro de los policías en la calzada, ni los dos tonos terribles del claxon que inundan ahora todo el espacio entre los edificios.

Unos brincos más, vamos, piernas, unos latidos más, corazón, vamos, que el mar no está ya lejos, el mar y el cielo confundidos, donde ya no hay ni casas, ni hombres, ni coches. Entonces, en el instante mismo en que el cuerpo del joven brinca en la calzada de la carretera de la cornisa, derecho hacia el mar y el cielo confundidos, como un corzo al que la jauría va a dar alcance, en ese instante irrumpe un gran autobús azul con los faros aún encendidos, y el sol naciente se abate como un relámpago sobre su parabrisas curvado, cuando el cuerpo de Radicz se estrella contra el capó y los faros en medio de un estruendo de chapa y de frenos que chirrían. No muy lejos de allí, en la linde del parque de las palmeras, hay una joven muy taciturna, inmóvil, como una sombra, que mira con todas sus fuerzas. Su quietud es total, sólo mira, mientras la gente acude de todas partes, se agolpa en la carretera en torno al autobús, al coche negro y a la manta que cubre el cuerpo destrozado del ratero.

Tiznit, 23 de octubre de 1910

En el lugar donde la ciudad se confunde con la tierra roja del desierto, viejos muros de piedra seca, ruinas de casas de adobe en medio de las acacias, algunas de las cuales han ardido, donde el viento polvoriento pasa en libertad, lejos de los pozos, lejos de la sombra de las palmeras, allí es donde el viejo *cheij* está a punto de morir.

Ha llegado aquí, a esta ciudad de Tiznit, al cabo de su larga e inútil marcha. En el norte, en el territorio del rey vencido, los soldados extranjeros progresan de ciudad en ciudad destruyendo todo lo que se les resiste. En el sur, los soldados de los cristianos han entrado en la vaguada santa de Sagia el-Hamra, han ocupado incluso la ciudad de Smara, el palacio vacío de Ma el-Ainin. El viento de la desgracia ha empezado a soplar contra los muros de piedra, a través de las estrechas cañoneras, el viento que todo lo asola, que todo lo vacía.

Ahora sopla aquí este viento maligno, el viento tibio que viene desde el norte, que trae consigo la bruma del mar. Alrededor de Tiznit, diseminados como bestias perdidas, los hombres azules aguardan al abrigo de sus chozas de ramas.

Por todo el campamento no se oye otro ruido que no sea el del viento, que hace restallar las ramas de las acacias, o de vez en cuando la llamada de algún animal amarrado. Hay un gran silencio, un silencio terrible que no se ha interrumpido desde el ataque de los soldados senegaleses en el valle del *ued* Tadla. Ahora las voces de los guerreros se han callado, los cantos se han apagado. Ya nadie habla de lo que ha de venir, tal vez porque no ha de venir ya nada.

Lo que sopla sobre la tierra reseca es el viento de la muerte, el viento maligno que viene de las tierras ocupadas por los extranjeros, Mogador, Rabat, Fez, Tánger. El viento tibio que transporta el rumor del mar, y de más allá incluso, el murmullo de las grandes ciudades blancas donde reinan los banqueros, los comerciantes.

En la casa de barro, con el techo medio derrumbado, yace el viejo *cheij*, tumbado en su manto encima mismo de la tierra batida. El calor es sofocante, el aire está infestado del zumbido de las moscas y las avispas. ¿Sabe ya que todo está perdido, que todo ha terminado? Ayer, anteayer, los mensajeros del sur han venido a traerle noticias, pero no ha querido oírlos. Los mensajeros se han guardado las noticias del sur, el abandono de Smara, la huida de Hassenna y de Lagdaf, los hijos menores de Ma el-Ainin, hacia la meseta de Taganet, la huida de Mulei Hiba hacia las montañas del Atlas. Pero ahora se llevan consigo la noticia que van a transmitir a quienes los aguardan abajo: «El gran *cheij* Ma el-Ainin va a morir muy pronto. No ven ya más sus ojos, y sus labios ya no pueden hablar». Dirán que el gran *cheij* se halla al borde de la muerte en la casa más pobre de Tiznit, como un mendigo, lejos de sus hijos, lejos de su pueblo.

Alrededor de la casa ruinosa están sentados algunos hombres. Son los últimos guerreros azules de la tribu de los Berik Allah. Han huido a través de la plana del río Tadla, sin volverse, sin esforzarse por entender. Los demás se han vuelto hacia el sur, hacia sus pistas, porque han comprendido que no había ya nada que esperar, que las tierras prometidas no les serían entregadas jamás. Pero no era tierra lo que ellos querían. Amaban al gran *cheij,* lo veneraban como si fuera un santo. Él les había impartido su bendición divina, y esta bendición los había vinculado a él como las palabras de un juramento.

Nur está hoy con ellos. Sentado en la tierra polvorienta, al abrigo de un techo de ramas, clava la mirada en la casa de barro con el techo medio derrumbado donde yace enfermo el gran *cheij.* Todavía no sabe que Ma el-Ainin está a punto de morir. Hace varios días que no lo ha visto salir, vestido con su manto blanco, sucio, apoyado en el hombro de su sirviente, seguido de Maimuna Laliyi, su primera mujer, la madre de Mulei Sebaa, el León. Al comienzo, cuando llegó a Tiznit,

Ma el-Ainin envió mensajeros para que sus hijos viniesen a buscarlo. Pero los mensajeros no han regresado. Cada atardecer, antes de la oración, Ma el-Ainin salía de la casa para mirar hacia el norte, la pista por donde Mulei Hiba tendría que haber venido. Ahora es tarde, y está claro que sus hijos ya no vendrán.

Ha perdido la vista hace dos días, como si la muerte se le hubiera llevado los ojos para empezar. En realidad, cuando salía para tornarse hacia el norte, ya no eran sus ojos quienes buscaban a sus hijos, era su cara toda, sus manos, su cuerpo quienes anhelaban la presencia de Mulei Hiba. Nur lo miraba, leve silueta casi fantasmal, rodeada por sus sirvientes, seguida por la negra sombra de Lalla Maimuna. Y sentía que el frío de la muerte oscurecía el paisaje, como si una nube hubiera ocultado el sol.

Nur pensaba en el guerrero ciego, tendido en la torrentera, en el lecho del río Tadla. Pensaba en el rostro apagado de su amigo que tal vez los chacales habrían devorado a estas alturas, y pensaba asimismo en todos los que habían muerto por el camino, abandonados al sol y a la noche.

Más tarde se unió a los restos de la caravana que habían sobrevivido a la masacre, y todos marcharon durante días, muertos de hambre y de fatiga. Huyeron como proscritos por los caminos más duros, evitando las ciudades, sin casi atreverse a probar el agua de los pozos. Entonces el gran *cheij* cayó enfermo y fue preciso detenerse aquí, a las puertas de Tiznit, en esta tierra polvorienta donde soplaba el viento maligno.

La mayor parte de los hombres azules había continuado su ruta, sin objetivo, sin meta, hacia las estepas del Draa, con el fin de dar con las pistas que antes dejaron atrás. El padre y la madre de Nur habían vuelto hacia el desierto. Pero él no había podido secundarlos. ¿Seguía acaso esperando un milagro, esa tierra que el *cheij* les había prometido, donde encontrarían la paz y la abundancia, donde los soldados extranjeros no podrían entrar nunca? Los hombres azules habían partido uno tras otro, arrastrando sus pingajos. Pero ¡había tantos muertos en su ruta! Nunca recobrarían la paz de antes, nunca los dejaría en paz el viento de la desgracia.

A veces llegaba el rumor: «¡Viene Mulei Hiba, Mulei Sebaa, el León, nuestro rey!». Pero no era más que un espejismo que se disolvía en el tórrido silencio.

Ahora es demasiado tarde, porque el *cheij* Ma el-Ainin está al borde de la muerte. De repente deja de soplar el viento, el peso del aire eleva a los hombres. Todos se alzan sobre sus piernas, miran hacia el oeste, por donde el sol se va poniendo en el horizonte. La tierra polvorienta de piedras afiladas como cuchillas adquiere un tinte brillante como el metal en fusión. El cielo se vela bajo una fina bruma a cuyo través el sol se ofrece como un disco rojo, enormemente dilatado.

Nadie entiende por qué se ha calmado el viento de repente, ni por qué domina el horizonte ese color extraño y quemado. Pero Nur siente de nuevo que el frío entra en él, como la fiebre, y empieza a tiritar. Se vuelve hacia la vieja casa ruinosa donde está Ma el-Ainin. Camina muy despacio hacia la casa, atraído a su pesar, con la mirada clavada en la puerta negra.

Los guerreros de Ma el-Ainin, los Berik Allah de faz sombría, miran al joven que avanza hacia la casa, pero ninguno de ellos se interpone para cortarle el paso. Sus miradas están cansadas y vacías, como si vivieran un sueño. ¿Acaso también ellos han perdido la vista a lo largo de la marcha inútil, esos ojos abrasados por el sol y la arena del desierto?

Nur avanza sin prisa por la tierra cuajada de guijarros hacia la casa de paredes de barro. La puesta de sol da brillo a las viejas paredes, modela la sombra de la puerta.

Es la puerta que Nur franquea ahora, como en su día, en compañía de su padre, en el sepulcro del santo. Durante un instante se queda quieto, cegado por la sombra, percibiendo el frescor húmedo de la casa. Una vez que sus ojos se han habituado, ve la pieza amplia y desnuda, el suelo de tierra batida. Al fondo de la pieza yace el viejo *cheij* sobre su manto, con la cabeza apoyada en una piedra. Lalla Maimuna está sentada a su lado, envuelta en su manto negro, con la cara velada.

Nur no hace nada de ruido, contiene la respiración. Al cabo de un buen rato, Lalla Maimuna vuelve la cara hacia el joven, porque ha sentido su mirada. El velo negro se corre, y descubre su bello rostro cobrizo. Sus ojos brillan en la penumbra, unas lágrimas le resbalan por las mejillas. El corazón empieza a latirle a Nur con gran violencia, y siente un dolor punzante en el centro del cuerpo. Cuando está a punto de retroceder hacia la puerta, de irse, la anciana le indica que entre. Camina despacio hacia el centro de la pieza, un tanto encorvado por el dolor en medio de su cuerpo. Cuando se halla ante el *cheij* le flaquean las piernas, y se desploma como un peso muerto, con los brazos extendidos por delante. Sus manos tocan el manto blanco de Ma el-Ainin, y se queda extendido con la cara hundida en la tierra húmeda. No llora, no dice nada, no piensa en nada, pero sus manos se aferran al manto de lana y lo aprietan tan fuerte que llegan a dolerle. A su lado se halla inmóvil Lalla Maimuna, sentada junto al hombre al que ama, embozada en su manto negro, y no ve nada más, ya no oye nada.

Ma el-Ainin respira despacio, con dolor. Su aliento apenas consigue elevarle el pecho con un ruido ronco que inunda toda la casa. En la penumbra, su cara demacrada parece todavía más blanca, casi transparente.

Nur mira al anciano con todas sus fuerzas, como si su mirada pudiera aminorar la marcha de la muerte. Los labios entreabiertos de Ma el-Ainin pronuncian retazos de palabras ahogados enseguida por sus estertores. Puede que aún entone los nombres de sus hijos, Mohammed Rebbu, Mohammed Lagdaf, Taaleb, Hassenna, Saad Bu, Ahmed ech-Chems, a quien llaman el Sol, y sobre todo el nombre de aquel cuya llegada ha acechado cada atardecer en la pista del norte, a quien aguarda todavía, Ahmed Dehiba, a quien llaman Mulei Sebaa, el León.

Lalla Maimuna enjuga con el vuelo de su manto el sudor que baña el rostro de Ma el-Ainin, pero él ni siquiera siente el contacto del paño con su frente y sus mejillas.

Los brazos se le envaran por momentos, y su busto se esfuerza; quiere sentarse. Le tiemblan los labios, los ojos le giran dentro de las órbitas. Nur se acerca más y ayuda a Maimuna a incorporar a Ma el-Ainin, lo mantienen sentado. Durante algunos segundos, con una energía increíble en un cuerpo tan ligero, el viejo *cheij* permanece sentado, con los brazos extendidos al frente, como si fuera a ponerse en pie. Su rostro delgado expresa una angustia intensa, y Nur se siente henchido de pavor por influjo de esa mirada vacía, de esos iris desvaídos. A Nur le vienen a la mente el guerrero ciego, la mano de Ma el-Ainin, que le tocó los ojos, su aliento insuflado en la cara del hombre herido. Ahora Ma el-Ainin conoce la misma soledad, ésa a la que no es posible escapar, y nadie puede aplacar el vacío de su mirada.

El sufrimiento que experimenta Nur es tan grande que desearía irse, dejar atrás esta casa de sombra y muerte, fugarse a la carrera por la llanura polvorienta hacia la luz dorada de poniente.

Pero de repente siente el poder en sus manos, en su aliento. Muy despacio, como si pugnara por rememorar gestos antiguos, Nur pasa la palma de su mano por la frente de Ma el-Ainin sin pronunciar una palabra. Se moja la punta de los dedos con saliva, y toca esos párpados palpitantes de inquietud. Sopla con suavidad en la cara, los labios, los ojos del anciano. Rodea el busto con su brazo y el leve cuerpo se abandona sin límite, se recuesta.

Ahora el semblante de Ma el-Ainin parece sosegado, liberado de su sufrimiento. Con los ojos cerrados, el anciano respira en calma, sin ruido, como si fuera a dormir. Nur también siente la paz en su interior, el dolor se ha desgajado de su cuerpo. Retrocede un poco sin dejar de mirar al *cheij*. Luego sale de la casa mientras la sombra negra de Lalla Maimuna se tiende en el suelo para dormir.

Afuera, la noche va cayendo poco a poco. Se oyen los gritos de los pájaros que sobrevuelan el lecho del *ued* en dirección al palmeral. El viento tibio del mar empieza a soplar de nuevo con intermitencias, deteriorando con su frote las hojas del techo ruinoso. Maimuna enciende la lámpara de aceite, da al *cheij* de beber. Frente a la puerta de la casa, Nur siente un nudo y un ardor en la garganta, no puede dormir. Varias veces en la noche, a un gesto de Maimuna, se aproxima al viejo, le pasa la mano por la frente, le sopla en los labios y en los párpados. Pero el cansancio y la aflicción han destruido su poder, y no consigue volver a despejar la inquietud que hace temblar los labios de Ma el-Ainin. Puede que sea el dolor instalado en el interior de su propio cuerpo lo que le corta el aliento.

Justo antes de la primera luz, cuando el aire afuera es silencioso e inmóvil, y no hay un solo ruido ni grito de insecto, muere Ma el-Ainin. Maimuna, que tiene su mano cogida, se da cuenta, y se tumba al lado de ese al que ama, y empieza a llorar sin intentar sofocar su llanto. Entonces Nur, de pie junto a la puerta, mira por última vez la silueta frágil del gran *cheij,* tendido en su manto blanco, tan ligero que parece flotar sobre la tierra. Y andando hacia atrás, se aleja, se encuentra solo en la noche, en la llanura cenicienta iluminada por la luna llena. El pesar y la fatiga le impiden llegar lejos. Cae a tierra cerca de los zarzales y se queda dormido en el acto, sin oír la voz de Lalla Maimuna, que llora como una canción.

Así es como un día se marchó, sin dar cuenta a nadie. Se levantó una mañana poco antes de la aurora, como solía hacer allí, en su tierra, para llegarse hasta la mar o hasta las puertas del desierto. Escuchó la respiración del fotógrafo que dormía en su amplia cama, agobiado por el calor del verano. Afuera se oía ya el griterío agudo de los vencejos, y en la lejanía, quizá, el suave ruido del chorro del agua del vehículo de riego municipal. Lalla tuvo sus dudas, porque deseaba dejarle algo al fotógrafo, un recuerdo, una señal, para despedirse. Como no tenía nada, tomó una pastilla de jabón y dibujó el famoso distintivo de su tribu, con el que firmaba sus fotos en la calle, en París:

ಬ

porque es el dibujo más viejo que ella se sabe, y recuerda un corazón.

A continuación se internó por las calles de la ciudad para no regresar nunca más.

Viajó en tren durante días y noches, de ciudad en ciudad, de región en región. Tuvo que esperar trenes en diversas estaciones, tanto que se le entumecían las piernas y tenía baldadas la espalda y las nalgas.

La gente iba y venía, hablaba, miraba. Pero no prestaba atención a la silueta de esta joven de aspecto cansado que estaba embutida, pese al calor, en un viejo y llamativo abrigo color marrón que le llegaba hasta los pies. Puede que pensaran que era pobre o estaba enferma. Algunas veces la gente le dirigía la palabra en los vagones, pero ella no entendía su idioma y se contentaba con sonreír.

Después, el barco se desliza despacio por una balsa de aceite, se aleja de Algeciras, se dirige a Tánger. En el puente abrasan el sol y la sal, y la gente se apiña a la sombra, hombres, mujeres, niños, sentados junto a sus cajas de cartón y sus maletas. Algunos cantan de cuando en cuando, para ahuyentar la angustia, una canción gangosa y triste; el canto se desvanece y no se oye más que la trepidación de las máquinas.

Por encima de la borda Lalla mira la mar azul oscuro, llana, por la que avanzan lentamente los rulos del oleaje. En la estela blanca del barco dan sus saltos los delfines, se persiguen, se separan. Lalla se acuerda del pájaro blanco, aquel que era un auténtico príncipe de la mar, que volaba sobre la playa en los tiempos del viejo Namán. El corazón le late más deprisa y ella mira con ebriedad, como si fuera a verlo aparecer de veras, con los brazos extendidos sobre la mar. Siente en la piel el ardor del sol, el ardor antiguo, y ve la luz del cielo, tan hermosa y tan cruel.

La voz de los hombres, que cantan su canción gangosa, la afecta de pronto, y siente que se le saltan las lágrimas sin saber muy bien por qué. Hace tanto tiempo que oyó esa canción, como un sueño antiguo, medio olvidado. Son hombres de piel negra, que llevan por toda indumentaria una camisa leopardo y un pantalón de tela demasiado corto, y unas sandalias japonesas para sus pies desnudos. Uno tras otro cantan así la canción gangosa y triste que ninguna otra persona puede entender, balanceándose y con los ojos entornados.

Y cuando oye la canción de estos hombres, Lalla siente en el fondo de sí misma, muy secreto, el deseo de volver a ver la tierra blanca, las altas palmeras de los valles rojos, las extensiones de piedras y arena, las grandes playas solitarias, e incluso los poblados de barro y tablas con sus tejados de chapa y papel alquitranado. Cierra un poco los ojos y lo ve todo frente a ella, como si no se hubiera ido, como si sólo hubiera dormido una o dos horas.

En el fondo de ella, en el interior de su vientre hinchado, hay también ese movimiento, esas sacudidas que duelen, que golpean el interior de la piel. Ahora piensa en el niño que quiere nacer, que ya vive, que ya sueña. Lalla se estremece un poco, y aprieta entre las manos su vientre dilatado, deja que su cuerpo siga el pesado balanceo del barco, con la espalda apoyada en la temblorosa pared de hierro. Incluso canta un poco para ella sola, entre dientes, un poco para el niño, que para de darle golpes y la escucha: la canción antigua, la que cantaba Aamma y antes su madre:

«Un día, el cuervo será blanco, el mar se secará, encontraremos la miel en la flor del cactus, prepararemos un lecho con las ramas de la acacia, un día, oh, un día, no habrá más veneno en la boca de la serpiente, y las balas de fusil no llevarán consigo ya la muerte, pues ese día dejaré a mi amor...».

La trepidación de las máquinas tapa el sonido de su voz, pero en el interior de su vientre, el niño desconocido escucha con atención la cantilena, y se duerme. En ese momento, para hacer más ruido y darse valor, Lalla canta más fuerte la canción que más le gustaba:

«¡Medi-terrá-a-a-ne-o...!».

El barco se desliza despacio en su balsa de aceite, bajo un cielo plomizo. Ahora hay una fea mancha gris en el horizonte, una especie de nube adherida a la mar: Tánger. Todas las caras se han vuelto hacia la mancha, y la gente ha enmudecido; hasta los negros han dejado de cantar. África se planta lentamente frente al estrave del barco, indecisa, desierta. El agua de la mar se vuelve gris, menos profunda. En el cielo vuelan las primeras gaviotas, grises también ellas, flacas y medrosas.

Así pues, ¿todo ha cambiado? Lalla piensa en el primer viaje, hacia Marsella, cuando todo aún era nuevo, las calles, las casas, los hombres. Piensa en el apartamento de Aamma, en el hotel Sainte-Blanche, en los descampados cercanos a los depósitos, en todo lo que ha quedado atrás en la gran ciudad mortífera. Piensa en Radicz el mendigo, en el fotógrafo, en los periodistas, en todos los que se han convertido en meras sombras. Ahora no dispone más que de la ropa que lleva, con el abrigo marrón que le dio Aamma al llegar. También de un dinero, el fajo de billetes de banco nuevos, sujetos con un alfiler, que tomó del bolsillo de la chaqueta del fotógrafo antes de marcharse. Pero es como si no hubiera ocurrido nada, como si no hubiera dejado nunca la Cité de las tablas y el papel alquitranado, ni la estepa pedregosa y las colinas donde vive el Hartani. Como si simplemente se hubiera quedado dormida una hora o dos.

Mira el vacío horizonte desde la popa del navío, y la mancha de tierra gris y la montaña donde se van agrandando esa especie de máculas que son las casas de la ciudad árabe. Se estremece, porque en su vientre, el niño ha empezado a moverse.

En el autocar que circula por la carretera polvorienta, que va parando para recoger a campesinos, mujeres, niños, Lalla sigue sintiendo la extraña ebriedad. La luz la envuelve, y el polvo fino que se eleva como una niebla a ambos costados del autocar, que entra en el interior de la carlinga, que se agarra a la garganta y rechina bajo los dedos, la luz, la sequedad, el polvo: Lalla siente estas presencias, y es como una nueva piel que la cubriese, como un nuevo aliento.

¿Es posible que haya existido algo distinto? ¿Hay acaso otro mundo, otras caras, otra luz? El engaño de los recuerdos no puede sobrevivir al fragor del autocar que va ahogándose, ni al calor, ni al polvo. La luz lo lava todo, esmerila todo, como antes en la estepa pedregosa. Lalla siente de nuevo encima, alrededor de ella, el peso de la mirada secreta; no ya la ávida mirada de los hombres, llena de deseo, sino la mirada de misterio de aquel que conoce a Lalla y reina sobre ella como un dios.

El autocar circula por la pista polvorienta, sube a lo alto de las colinas. Alrededor, únicamente, la tierra seca, abrasada, igual que una vieja piel de serpiente. Encima del techo del autocar, el cielo y la luz castigan con fuerza, y el calor aumenta en la carlinga como en el interior de un horno. Lalla siente las gotas de sudor que le corren por la frente, a lo largo del cuello, por la espalda. En el autocar, la gente permanece inmóvil, impasible. Los hombres están abrigados con sus mantos de lana, las mujeres están acurrucadas en el suelo, entre los asientos, cubiertas con sus velos azul negro. El chófer es el único que se agita, gesticula, mira por el retrovisor. Varias veces cruza la mirada con Lalla, y ella vuelve la cabeza. El gordo de la cara chata regula el retrovisor para poder mirarla mejor, y luego, con un movimiento iracundo lo pone otra vez en su sitio. La radio, con el volumen al máximo, silba y escupe, y deja oír, al pasar junto a un pilar eléctrico, una larga tirada de música gangosa.

El autocar circula todo el día por las carreteras de alquitrán y por las pistas de polvo, atraviesa los ríos resecos, se para frente a los poblados de barro donde esperan los niños desnudos. Los perros flacos corren junto al autocar, tratan de morderle las ruedas. Algunas veces el autocar se detiene en medio de una llanura desértica, porque el motor tiene sus fallos. Mientras el chófer de la nariz chata se agacha bajo el capó abierto para limpiar el difusor, los hombres y las mujeres bajan, se sientan a la sombra del autocar, o aprovechan para orinar acurrucados entre las matas de euforbio. Algunos se sacan del bolsillo limoncillos y los chupan un buen rato, haciendo chasquear la lengua.

El autocar reanuda su ruta, va dando tumbos, sube las colinas, así, en viaje interminable en dirección a poniente. La noche llega deprisa a la inmensidad de las llanuras desérticas, ensombrece las piedras y transforma el polvo en ceniza. Y de repente, en plena noche, se detiene el autocar, y Lalla distingue luces a lo lejos, al otro lado de la rivera. Afuera, la cálida noche está plagada del zumbido de los insectos, de los gritos de los sapos. Pero todo ello semeja el silencio tras las horas pasadas en el autocar.

Lalla baja, anda despacio junto a la rivera. Reconoce el edificio de los baños públicos, y luego el vado. La rivera está negra, la marea ha repelido la corriente de agua dulce. Lalla atraviesa el vado; el agua le llega hasta la mitad del muslo, pero el frescor de la rivera le viene bien. En la penumbra Lalla ve la silueta de una mujer que lleva un paquete en la cabeza y su largo vestido recogido hasta el vientre.

Un poco más lejos, en la otra orilla, se inicia el sendero que va hasta la Cité. Luego las casas de barro y tablas, una, otra. Lalla no reconoce ya las casas. Las hay nuevas por todas partes, hasta cerca de la orilla del río, por donde pasa el agua cuando hay una crecida. La luz eléctrica ilumina mal las callejas de tierra batida, y las casas de tablas y chapa parecen abandonadas. Según recorre las calles, Lalla va oyendo ruidos de voces que cuchichean, sollozos de bebés. Y en algún lugar más allá de la ciudad, irreal, el gañido de un perro salvaje. Lalla da sus pasos sobre huellas antiguas, y se quita las zapatillas de tenis para sentir con plenitud el frescor y la granulosa aspereza de la tierra.

Siempre es la misma mirada la que guía, aquí, en las calles de la Cité; es una mirada muy larga y muy dulce que viene de todos los lados a la vez, desde el fondo del cielo, que se mueve con el viento. Lalla pasa frente a las casas que conoce, aspira el aroma de las brasas de un fuego que está a punto de extinguirse, reconoce el rugido del viento entre las hojas de papel alquitranado, encima de las chapas. Todo esto regresa a ella de pronto, como si no se hubiera marchado nunca, como si tan sólo hubiera estado dormida una hora o dos.

En lugar de dirigirse a la casa de Ikikr, por donde la fuente, Lalla toma el camino de las dunas. El cansancio le abruma el cuerpo, le imprime un dolor en los riñones, pero la mirada desconocida la guía, le hace saber que ha de salir del poblado. Con los pies desnudos, camina lo más rápido que puede, entre las zarzas y los palmitos, hasta las dunas.

Allí nada ha cambiado. Marcha a lo largo de las dunas grises, como antes. De vez en cuando se detiene, mira alrededor, recoge el tallo de alguna planta carnosa para aplastarlo entre los dedos y aspirar el aroma picante que tanto le gustaba. Reconoce todas las cavidades, todos los senderos, los que llevan a las colinas guijarrosas, los que van a la salina, los que no van a ninguna parte. La noche es profunda y suave, y arriba refulgen las estrellas. ¿Cuánto tiempo ha discurrido para ellas? No han cambiado de sitio, su llama no se ha consumido, como la de las lámparas maravillosas. Puede que las dunas se hayan movido, pero ¿cómo saberlo? El viejo esqueleto que dejaba al descubierto sus garras y sus cuernos, y que le daba tanto miedo, ha desaparecido ahora. Ya no están las latas de conserva abandonadas, y han ardido algunos arbustos; les han cortado las ramas en trozos para el fuego de los braseros.

Lalla no consigue encontrar su rincón en lo alto de las dunas. El paso que conducía a la playa está enarenado. Con gran esfuerzo, Lalla va escalando las dunas de arena fría hasta la cresta. Le silba la respiración en la garganta, y el dolor que siente en los riñones es tan punzante que no consigue reprimir algún gemido. Apretando los dientes, transforma sus gemidos en canción. Pone su mente en la canción que le gustaba cantar antes, cuando estaba asustada:

«¡Mediterrá-a-a-neo...!».

Intenta cantar, pero su voz no tiene suficiente fuerza.

Camina ahora por la arena dura de la playa, al ladito de la espuma de la mar. El viento no sopla con gran fuerza, y el rugido del oleaje es suave en medio de la noche, y Lalla se siente de nuevo embriagada, como en el barco y en el autocar, como si todo a su alrededor la aguardara, centrara en ella su esperanza. Puede que la mirada de Es-Ser, al que llama el Secreto, esté en la playa, confundida con la luz de las estrellas, el rugido de la mar, la blancura de la espuma. Es una noche sin miedo, una noche lejana como Lalla no ha conocido en su vida.

Se acerca ahora al lugar donde el viejo Namán solía sacar la barca para calentar la pez o reparar las redes. Pero el sitio está vacío, la playa se extiende en la noche, desierta. Sólo queda la vieja higuera, de pie junto a la duna, con sus anchas ramas inclinadas hacia atrás por la asiduidad del viento. Lalla reconoce con arrobo su fragancia poderosa e insulsa, mira el movimiento de sus hojas. Se sienta al pie de la duna, no lejos del árbol, y lo mira con detenimiento, como si fuera a reaparecer el viejo pescador a cada instante.

El peso del cansancio abruma el cuerpo de Lalla, el dolor le ha entumecido las piernas y los brazos. Ella se deja caer hacia atrás en la arena fría, y el sueño la gana enseguida, tranquilizada por el rugido de la mar y la fragancia de la higuera.

La luna surge al este, se eleva en la noche sobre las colinas pedregosas. Su pálida luz ilumina la mar y las dunas, baña el rostro de Lalla. Más tarde, en la noche, llega también el viento, el viento tibio que sopla desde la mar. Pasa sobre el rostro de Lalla, sobre su pelo, espolvorea su cuerpo con arena. Es el cielo lo que es grande, y la tierra ausente. Bajo las constelaciones han cambiado las cosas, se han movido. Las Cités han ensanchado su círculo, especie de mohos en el seno de los valles, a salvo de las bahías y los estuarios. Hay quien ha muerto, algunas casas se han venido abajo entre una nube de polvo y cucarachas. Y sin embargo, en la playa, cerca de la higuera, en el sitio al que venía el viejo Namán, es como si no hubiera pasado nada. Es como si la joven hubiera dormido sin parar.

La luna avanza con lentitud hasta llegar al cenit. Luego inicia su descenso hacia el oeste, hacia alta mar. El cielo es puro, sin nubes. En el desierto, más allá de las llanuras y las colinas pedregosas, el frío sordo de la arena se expande como un agua. Es como si aquí toda la tierra, y hasta el cielo, la luna y las estrellas, hubieran contenido la respiración, hubieran suspendido su tiempo.

Todos se han detenido ahora en tanto llega el *fizhar*, la primera luz del alba.

En el desierto ya no corren el zorro, el chacal, en pos del gerbo o de la liebre. La víbora cornuda, el escorpión, la escolopendra, se han detenido en la tierra fría, bajo el cielo negro. El *fizhar* los ha sobrecogido, los ha transformado en piedras, en polvo de piedra, en vapor, porque es la hora a la que el tiempo del cielo se expande sobre la tierra, paraliza los cuerpos, y a veces interrumpe la vida y la respiración. En el seno de la duna, Lalla no se mueve. La piel se le estremece en largos escalofríos que le sacuden los miembros y le hacen castañetear los dientes, pero sigue inmersa en el sueño.

Llega entonces la segunda luz del alba, el *blanco*. La claridad empieza a mezclarse con la negrura del aire. Enseguida arranca destellos en la espuma de la mar, en las costras de sal de los riscos, en las piedras cortantes al pie de la vieja higuera. El fulgor pálido y gris alumbra la cima de las colinas pedregosas, eclipsa poco a poco las estrellas: la Cabra, el Perro, la Serpiente, el Escorpión, y las tres estrellas hermanas, Mintaka, Alnilam, Alnitak. Y el cielo parece bascular, una gran mancha blanquecina lo anubla, apaga los últimos astros. En el seno de las dunas, las hierbecillas espinosas tiritan un poco, mientras en sus pelos forman perlas las gotas de rocío.

Por las mejillas de Lalla se escurren un poco las gotas, como si fueran lágrimas. La joven se despierta y gime bajito. No abre los ojos todavía, pero su lamento se eleva, se funde con el rugido incesante de la mar, que le llega de nuevo a los oídos. El dolor va y viene en el interior de su vientre, lanza llamadas cada vez más próximas, acompasadas como el rugido de las olas.

Lalla se incorpora un poco en su lecho de arena, pero el dolor es tan fuerte que le corta la respiración. De pronto se da cuenta de que ha llegado el momento del nacimiento del niño, aquí y ahora, en esta playa, y la invade el miedo, la atraviesa con su onda, porque se sabe sola, y que nadie vendrá a ayudarla, nadie. Quiere levantarse, da algunos pasos en la arena fría, tambaleándose, pero vuelve a caer y su lamento se transforma en grito. Aquí no hay más que la playa gris y las dunas todavía en sombra, y frente a ella, la mar, pesada, gris y verde, apagada, confundida aún con la negrura.

Recostada de lado en la arena, con las rodillas flexionadas, Lalla gime de nuevo al ritmo lento de la mar. El dolor viene por oleadas, largas ondas espaciadas cuya cresta más alta avanza en la oscura superficie del agua, enganchando por instantes un poco de luz pálida, hasta que rompe. Lalla sigue la marcha de su dolor en la mar, cada escalofrío llegado del fondo del horizonte, de esa zona oscura donde la espesa noche persiste, que tan pronto irradia lentamente hasta los confines de la playa, al este, como se despliega un poco al sesgo, lanzando capas de espuma, mientras el rechinar del agua en la arena dura avanza hacia ella, la envuelve. A veces el dolor es demasiado fuerte, como si su vientre se vaciara desgarrándose, y el gemido se aviva en su garganta, tapa el estrépito que provoca el oleaje al aplastarse en la arena.

Lalla se alza de rodillas, intenta marchar a cuatro patas por la duna hasta el camino. El esfuerzo es tan intenso que, pese al frío del alba, el sudor le inunda la cara y el cuerpo. Aguarda otro poco con los ojos clavados en la mar. Se vuelve hacia el camino, al otro lado de las dunas, y grita, llama: «¡Harta-a-ni! ¡Harta-a-ni!», como antes, cuando iba por la estepa pedregosa y él se ocultaba en la oquedad de un risco. Intenta también silbar como los pastores, pero tiene los labios resquebrajados y trémulos.

Dentro de poco va a despertarse la gente en las casas de la Cité; van a echar a un lado las ropas de la cama, y las mujeres a llegarse hasta la fuente para sacar la primera agua del día. Puede que las niñas se den una vuelta entre los matorrales en busca de leña menuda para el fuego, y que las mujeres vayan a encender el brasero para asar un poco de carne, calentar la papilla de avena o el agua para el té. Pero todo ello queda lejos, en otro mundo. Es como un sueño que siguen interpretando los hombres en la llanura cenagosa donde viven, en la desembocadura del gran río. O, más lejos todavía, al otro lado de la mar, en la gran ciudad de los mendigos y los rateros, la ciudad mortífera de los edificios blancos y los coches cebo. El *fizhar* ha derramado por todas partes su blanco fulgor, frío, en el instante en que los ancianos se topan con la muerte en pleno silencio, en medio del miedo.

Lalla siente que se vacía, y el corazón se le pone a latir muy despacio, muy doloroso. Las olas de sufrimiento se han aproximado, ahora, de tal modo, que no hay más que un único dolor continuo que ondea y late en el interior de su vientre. Lentamente, con infinitos esfuerzos, Lalla arrastra su cuerpo a lo largo de la duna empujando con los antebrazos. Por delante, a algunas brazadas, se yergue al cielo blanco, negrísima, sobre las piedras apiladas, la silueta del árbol. Nunca le había parecido tan alta la higuera, tan robusta. Su ancho tronco está torcido hacia atrás, sus gruesas ramas retoñadas, y las bonitas hojas dentadas se agitan un poco con el viento fresco, brillando a la luz del día. Pero es el olor sobre todo lo que resulta bello y poderoso. Envuelve a Lalla, parece atraerla, la embriaga y la asquea a la vez, ondea con las olas del dolor. Respirando a duras penas, Lalla pugna por alzar su cuerpo muy despacio a lo largo de la arena, que la frena. Tras ella, sus piernas separadas van dejando una estela en la arena, como un barco al que jalaran en seco.

Lentamente, con sufrimiento, se deshace del fardo, demasiado pesado, gimiendo cuando el dolor se hace demasiado intenso. No aparta la vista de la silueta del árbol, la alta higuera de tronco negro y hojas claras que lucen con el resplandor del día. A medida que se acerca a la higuera, ésta se agranda cada vez más, se vuelve inmensa, parece ocupar el cielo entero. Su sombra se extiende alrededor como un lago oscuro al que aún se aferran los últimos colores de la noche. Lentamente, con el cuerpo a rastras, Lalla entra en el interior de esta sombra bajo las elevadas ramas, poderosas como los brazos de un gigante. Esto es lo que quiere, sabe que sólo el árbol puede auxiliarla en este momento: su olor poderoso la penetra, la rodea, lo que aplaca su cuerpo magullado, se mezcla con el olor de las algas y la mar. Al pie del árbol alto, la arena deja al descubierto los riscos enmohecidos por el aire marino, bruñidos, desgastados por el viento y por la lluvia. Entre los riscos están las raíces poderosas, semejantes a unos brazos de metal.

Apretando los dientes para no emitir quejidos, Lalla rodea el tronco de la higuera con sus brazos, y lentamente se va alzando con esfuerzo, se pone en pie con el apoyo de sus rodillas temblorosas. El dolor en el interior de su cuerpo es ahora como una herida que abriera poco a poco y se desgarrara. Lalla no puede poner su mente en algo distinto de lo que ve, oye, siente. El viejo Namán, el Hartani, Aamma, el fotógrafo incluso, ¿quiénes son, qué ha sido de ellos? El dolor que brota del vientre de la joven se expande por toda la inmensidad de la mar, por toda la inmensidad de las dunas hasta el cielo pálido, es más fuerte que todo, lo borra todo, lo vacía todo. El dolor le inunda el cuerpo como un ruido poderoso, le vuelve el cuerpo del tamaño de una montaña que reposara echada en tierra.

El tiempo discurre lento ahora debido al dolor, late al ritmo del corazón, al ritmo de los pulmones que respiran, al ritmo de las contracciones del útero. Lentamente, como si alzara un peso inmenso, Lalla incorpora su cuerpo apoyándolo en el tronco de la higuera. Sabe que sólo el árbol puede ayudarla, como el que ayudó antaño a su madre, el día de su nacimiento. Por instinto, va dando con los gestos ancestrales, esos gestos cuya significación la rebasa, sin que nadie haya tenido que enseñárselos. En cuclillas al pie del árbol alto y sombrío, afloja el cinturón de su vestido. Su abrigo marrón está estirado en el suelo, en el guijarral. Ata el cinturón a la primera rama maestra de la higuera, después de haber retorcido el tejido para hacerlo más resistente. Cuando se agarra con las dos manos al cinturón, el árbol oscila un poco, dejando caer una lluvia de gotas de rocío. El agua virgen le corre a Lalla por la cara, y se la bebe con fruición pasándose la lengua por los labios.

En el cielo se inicia ahora la hora *roja*. Las últimas manchas de la noche desaparecen, y la blancura lechosa da paso al arrebol del alba última, al este, sobre las colinas pedregosas. La mar se ensombrece más, es casi violácea, mientras en la cresta de las olas se encienden destellos de púrpura y la espuma resplandece más blanca todavía. Jamás había mirado Lalla la llegada del día con tanta fuerza, con los ojos dilatados, doloridos, y la cara quemada por el esplendor de la luz.

Es el momento en que los espasmos se vuelven de pronto violentos, terribles, y el dolor es semejante a la gran luz roja y cegadora. Para no gritar, Lalla muerde el tejido de su ropa a la altura del hombro, y sus dos brazos levantados por encima de la cabeza tiran tan fuerte del cinturón de tela, que el árbol se mueve y el cuerpo se le eleva. A cada instante de dolor extremo, al compás, Lalla se suspende de la rama del árbol. El sudor le resbala ahora por la cara y la ciega, el color sangriento del dolor está ante ella, en la mar, en el cielo, en la espuma de cada ola que rompe. A veces, entre los dientes apretados, se le escapa a su pesar un grito que el rugido de la mar ahoga. Es un grito de dolor y desamparo al mismo tiempo, por culpa de toda esa luz, de toda esa soledad. El árbol se dobla un tanto con cada sacudida, y sus anchas hojas espejean. A pequeñas bocanadas, Lalla respira su olor, el olor del azúcar y la savia, y es como un olor familiar que la tranquiliza y la aplaca. Tira de la rama maestra, sus riñones chocan con el tronco de la higuera, las gotas de rocío siguen lloviéndole sobre las manos, la cara, el cuerpo. Hay incluso unas hormigas negras pequeñísimas que corren a lo largo de sus brazos agarrados al cinturón y bajan por su cuerpo para escapar.

Esto dura muchísimo, tanto que Lalla siente los tendones de sus brazos endurecidos como cuerdas, pero sus dedos se aferran al cinturón con tanta fuerza que nada podría soltarlos. Y de pronto siente que se le vacía el cuerpo, de modo increíble, mientras sus brazos tiran con violencia del cinturón. Muy despacio, con gestos de ciego, Lalla se deja escurrir hacia atrás resbalando por el cinturón de tela, hasta que toca las raíces de la higuera con sus riñones y su espalda. El aire entra por fin en sus pulmones y, en el mismo instante, oye el grito agudo del niño que empieza a llorar.

En la playa, la luz roja se volvió naranja, color oro más tarde. El sol debe de tocar ya las colinas pedregosas, al este, en los dominios de los pastores. Lalla sostiene al niño en brazos, corta el cordón umbilical con los dientes y lo ata como un cinturón alrededor del minúsculo vientre sacudido por el llanto. Con gran lentitud, repta por la arena dura hacia la mar, se arrodilla en la espuma ligera y sumerge al niño, que berrea, en el agua salada, lo baña, lo lava con mimo. Regresa después al árbol, reclina al bebé en el gran abrigo marrón. Con los mismos gestos instintivos, que no podría explicarse, escarba en la arena con sus propias manos, cerca de las raíces de la higuera, y entierra la placenta.

Y se tiende por fin al pie del árbol, con la cabeza arrimada al robusto tronco; abre el abrigo, toma al bebé en sus brazos y lo acerca a sus senos hinchados. Cuando el niño empieza a mamar, con los ojos cerrados y la carita diminuta descansada en su seno, Lalla deja de resistirse a la fatiga. Mira un instante la hermosa luz del día que comienza, y la mar tan azul con sus olas oblicuas, que semejan animales en plena carrera. Se le cierran los ojos. No duerme, pero es como si flotara en la superficie de las aguas, sin que cuente el tiempo. Siente el calor del pequeño ser que se aprieta contra su pecho, que chupa su leche con glotonería. «Hawa, hija de Hawa», piensa Lalla, una sola vez, porque le resulta curioso y le hace bien, como una sonrisa, tras tanto sufrimiento. Y se pone a esperar, sin impaciencia, a que alguien venga de la Cité de tablas y papel alquitranado, un chaval que pesque cangrejos de mar, una vieja en busca de leña seca o una chiquilla que se limite a disfrutar paseando por las dunas para mirar las aves marinas. Aquí siempre termina por venir alguien, y la sombra de la higuera es bien fresca y suave.

Agadir, 30 de marzo de 1912

Vinieron entonces por última vez, aparecieron en la gran llanura, cerca del mar, en la desembocadura del río. Venían de todas direcciones, los del norte, los Ida u Truma, los Ida u Tamán, los Ait Daud, los Meskala, los Ait Hadi, los Ida u Zemzen, los Sidi Amil, los de Bigudín, Amizmiz, Ichemraren. Los de oriente, más allá de Tarudant, los de Tazenajt, Uarzazate, los Ait Kalla, los Asarag, los Ait Kedif, los Amtazguin, los Ait Tumert, los Ait Yus, Ait Zarhal, Ait Udinar, Ait Mudzit, los de los montes Saghro, de los montes Bani; los de las orillas del mar, desde Esauira hasta Agadir la fortificada, los de Tiznit, Ifni, Aoreora, Tantan, Gulimín, los Ait Mellul, los Lahusin, los Ait Bella, Ait Buja, los Sidi Ahmed u Musa, los Ida Gugmar, los Ait Baha; y los del gran sur sobre todo, los hombres libres del desierto, los Imragien, los Arib, los Ulad Yahia, Ulad Delim, los Arosien, los Jalifiya, los Ergeibat Sahel, los Sebaa, los pueblos de lengua bereber, los Ida u Meribat, los Ait ba Amran.

Se reunieron en el lecho del río, tan numerosos que cubrían todo el valle. Pero no eran guerreros en su mayoría. Eran mujeres y niños, hombres heridos, viejos, todos los que habían huido sin descanso por las rutas de polvo, ahuyentados por la llegada de los soldados extranjeros, y que no sabían adónde ir. El mar los había frenado aquí, frente a la gran ciudad de Agadir.

La mayor parte de ellos no sabía por qué había venido hasta aquí, al lecho del río Sus. Puede que fueran sólo el hambre, el cansancio, la desesperación, los que los habían guiado hasta la desembocadura del río, frente al mar. ¿Adónde podían dirigirse? Hacía meses, años, que erraban en pos de una tierra, de una rivera, de un pozo donde instalar sus tiendas y levantar los corrales para sus corderos. Muchos habían muerto, perdidos en las pistas que no llevan a ninguna parte, en el desierto, alrededor de la gran ciudad de Marraquech, o en los barrancos del *ued* Tadla. Los que habían podido escapar habían retornado al sur, pero los antiguos pozos se hallaban exhaustos, y los soldados extranjeros multiplicaban su presencia. En la ciudad de Smara, donde se erigía el palacio de piedras rojas de Ma el-Ainin, soplaba ahora el viento del desierto, que todo lo erosiona. Los soldados de los cristianos habían cerrado poco a poco su cerco sobre los hombres libres del desierto, ocupaban los pozos de la vaguada santa de Sagia el-Hamra. ¿Qué pretendían esos extranjeros? Querían la tierra entera, no conocerían el reposo en tanto no la hubieran devorado toda, no cabía la menor duda.

Hacía días que la gente del desierto estaba aquí, al sur de la ciudad fortificada, y aguardaba algo. A las tribus de las montañas se habían unido los últimos guerreros de Ma el-Ainin, los Berik Allah; éstos llevaban en el rostro las huellas del desamparo, del abandono causado por la muerte de Ma el-Ainin. En su mirada brillaban de forma extraña la fiebre, el hambre. Cada día, los hombres del desierto miraban hacia la ciudadela, donde debía aparecer Mulei Sebaa, el León, con sus guerreros a caballo. Pero, a lo lejos, los muros rojos de la ciudad permanecían en silencio, las puertas cerradas. Y este silencio, que duraba desde hacía días, tenía algo de amenazante. Grandes pájaros negros daban vueltas en el cielo azul, y en la noche se oían los gañidos de los chacales.

Nur también estaba allí, solo entre la multitud de hombres derrotados. Hacía tiempo que se había habituado a esta soledad. Su padre, su madre y sus hermanas habían vuelto hacia el sur, hacia las pistas infinitas. Pero él no había podido regresar ni tras la muerte del *cheij*.

Cada atardecer, tendido en la tierra fría, pensaba en la ruta que Ma el-Ainin había abierto hacia el norte, hacia las tierras nuevas, y que el León iba a seguir ahora para convertirse en el verdadero rey. Desde hacía dos años, su cuerpo se había avezado al hambre y al cansancio, y no quedaba nada en su espíritu que no fuera el deseo de esta ruta que pronto iba a abrirse.

Por la mañana se propagó el rumor por todo el campamento: «¡Mulei Hiba, Mulei Sebaa, el León! ¡Nuestro rey! ¡Nuestro rey!». Se oyeron detonaciones, y los niños y las mujeres gritaron haciendo tintinear sus voces. La multitud se volvió hacia la llanura polvorienta, y Nur vio a los jinetes del *cheij*, envueltos por una nube roja.

Los gritos y los disparos de fusil cubrían el ruido de las pezuñas de los caballos. La niebla roja se elevaba a lo alto del cielo de la mañana, formaba remolinos sobre el valle del río. El grueso de los guerreros corrió delante de los jinetes, descargando hacia el cielo sus carabinas de cañón largo. Eran en su mayoría hombres de las montañas, bereberes vestidos con sus sayales, hombres salvajes, rudos, de ojos flameantes. Nur no reconocía a los guerreros del desierto, los hombres azules que habían seguido a Ma el-Ainin hasta su muerte. Los que estaban aquí no habían sido marcados por el hambre y la sed, no habían sido abrasados por el desierto durante días y meses; venían de sus campos, de sus aldeas, sin saber por qué ni contra quién iban a batirse.

A lo largo del día corrieron los guerreros por todo el valle, hasta las murallas de Agadir, mientras los caballos de Mulei Sebaa, el León, galopaban levantando la gran nube roja. ¿Qué pretendían? Corrían y gritaban tan sólo, y las voces de los niños y de las mujeres tintineaban en el lecho del río. Por momentos Nur veía pasar a los jinetes en medio de su nube roja, rodeados por destellos luminosos, a los jinetes del León que blandían sus lanzas.

«¡Mulei Hiba! ¡Mulei Sebaa, el León!» Las voces de los niños estallaban a su alrededor. Y los jinetes desaparecían hacia el otro extremo de la llanura hacia las murallas de Agadir.

La ebriedad reinó en el valle durante todo el día, con el fuego del sol que abrasaba los labios. El viento del desierto rompió a soplar al caer la tarde, extendiéndose sobre los campamentos una niebla de oro, escondiendo los muros de la ciudad. Nur se puso al abrigo de un árbol envuelto en su manto.

Poco a poco decayó la ebriedad, con la llegada de la noche. El frescor de la sombra vino sobre la tierra reseca a la hora de la plegaria, cuando los animales se arrodillaron para protegerse de la humedad de la noche.

Nur seguía pensando en el verano que vendría, en la seguridad, en los pozos, en los lentos rebaños que su padre iba a conducir hasta las salinas del otro lado del desierto, a Ualata, a Uadan, a Chinchan. Pensaba en la soledad de esas tierras sin límites, tan lejanas que no se sabe ya nada ni del mar ni de las montañas. ¡Hacía tanto tiempo que no había conocido reposo alguno! Era como si no hubiera más que esto en cualquier dirección: extensiones de polvo y guijarros, los barrancos, los ríos secos, los riscos erizados como cuchillos, y sobre todo el miedo, como una sombra sobre todo lo que se ve.

A la hora de comer, cuando iba a compartir el pan y la papilla de mijo de los hombres azules, Nur miraba la noche constelada que cubría la tierra. El cansancio le quemaba la piel, como la fiebre, que proyecta sus grandes escalofríos por todo el cuerpo.

En su precario campamento, en sus refugios de ramajes y hojas, los hombres azules ya no hablaban. No se contaban ya la leyenda de Ma el-Ainin, ya no cantaban. Envueltos en sus mantos agujereados, miraban las brasas de las hogueras parpadeando cuando el viento cambiaba la dirección del humo. Puede que ya no esperaran nada más, con la vista nublada y el corazón latiéndoles muy despacio.

Una tras otra se extinguían las fogatas, y la oscuridad invadía todo el valle. A lo lejos, adentrada en el mar negruzco, la ciudad de Agadir parpadeaba débilmente. Entonces Nur se acostaba en el suelo, con la cabeza orientada hacia las luces y, como cada atardecer, pensaba en el gran *cheij* Ma el-Ainin, que había sido enterrado frente a la casa en ruinas, en Tiznit. Lo habían colocado en la fosa con la faz mirando hacia el oriente; en las manos le habían puesto sus únicas riquezas, su libro santo, su cálamo, su rosario de ébano. Habían vertido la tierra mollar sobre su cuerpo, el polvo rojo del desierto, y dispuesto por último piedras grandes, para que los chacales no desenterrasen el cuerpo; y los hombres habían aplastado la tierra con sus pies desnudos hasta alisarla y endurecerla como una losa. Cerca de la tumba había una acacia joven de espinas blancas, como la que estaba frente a la casa de la plegaria en Smara.

Entonces, uno tras otro, los hombres azules del desierto, los Berik Allah, los últimos condiscípulos de la Gudfiya, se habían arrodillado encima de la tumba, y habían pasado lentamente sus manos por la tierra lisa, y luego por sus rostros, como para recibir la última bendición del gran *cheij*.

Nur pensaba en aquella noche, cuando todos los hombres dejaron atrás la llanura de Tiznit, y él se quedó a solas con Lalla Maimuna al lado del sepulcro. En medio de la noche fría, estuvo escuchando la voz de la vieja que lloraba incesantemente en el interior de la casa ruinosa, como una canción. Se quedó dormido en el suelo, echado junto al sepulcro, y su cuerpo permaneció sin moverse, sin soñar, como si también él hubiera muerto. Al día siguiente, y los días que vinieron, apenas si abandonó la sepultura, sentado en la tierra ardiente, envuelto en su manto de lana, con los ojos y la garganta ardiendo de fiebre. Ya el viento trasladaba el polvo que iba cubriendo la tierra de la sepultura, la borraba con dulzura. Acto seguido, la fiebre se adueñó de su cuerpo, y perdió el sentido. Unas mujeres de Tiznit se lo llevaron a su casa y lo cuidaron mientras deliraba al borde de la muerte. Cuando lograron que sanara, al cabo de varias semanas, se dirigió de nuevo hacia la casa en ruinas donde había muerto Ma el-Ainin. Pero no quedaba nadie; Lalla Maimuna había partido hacia su tribu, y el soplo del viento había arrastrado tal cantidad de arena que Nur no fue capaz de dar con el emplazamiento de la sepultura.

Puede que fuera así como debían discurrir las cosas, pensaba; puede que el gran *cheij* hubiera vuelto hacia su verdadero dominio, perdido en la arena del desierto, llevado por el viento. Ahora, Nur miraba la gran extensión del río Sus en medio de la noche, apenas alumbrada por la niebla de la galaxia; el gran fulgor que es la huella de la sangre del cordero del ángel Gabriel, según dicen. Era la misma tierra silenciosa, como al lado de Tiznit, y Nur tenía por instantes la impresión de seguir oyendo el largo lamento cantado de Lalla Maimuna, pero debía de ser el gañido de un chacal en medio de la noche. Aquí aún vivía el espíritu de Ma el-Ainin, cubría la tierra entera, mezclado con la arena y el polvo, oculto en las grietas, o luciendo vagamente en los filos de las piedras.

Nur sentía su mirada, arriba en el cielo, en las manchas de sombra de la tierra. Sentía la mirada encima de él, como aquel día en la plaza de Smara, y un escalofrío le recorría el cuerpo. La mirada entraba en él, imponía su vértigo. ¿Qué trataba de decir? Puede que solicitara algo, así, sin necesidad de palabras, en la llanura, rodeando a los hombres con su luz. Puede que pidiera a los hombres que se reunieran con él allí donde estaba, mezclado con la tierra gris, disperso en el viento, convertido en polvo... Nur iba quedándose dormido, arrastrado por la mirada inmortal, sin moverse, sin soñar.

Cuando oyeron el rugido de los cañones por primera vez, los hombres azules y los guerreros se pusieron a correr hacia las colinas para mirar el mar. El rugido desquiciaba el cielo como el trueno. Solo, mar adentro, a la altura de Agadir, un gran buque acorazado, semejante a un lento y monstruoso animal, arrojaba sus fogonazos. El ruido llegaba un largo momento después, un fragor seguido del rugido desgarrador de los obuses que explotaban en el interior de la ciudad. En algunos instantes, los altos muros de piedra roja no eran más que un amasijo de ruinas sobre las que se elevaba la negra humareda de los incendios. De los muros derruidos, comenzó a salir la población; hombres, mujeres, niños, ensangrentados, entre alaridos. Abarrotaron el valle del río, alejándose del mar a toda prisa, poseídos por el pánico.

La llama corta brilló varias veces en la boca de los cañones del crucero *Cosmao,* y el rugido desgarrador de los obuses que estallaban en la Qasbah de Agadir retumbó por todo el valle del río Sus. El humo negro de los incendios ascendió a lo alto del cielo azul, cubriendo con su sombra el campamento de los nómadas.

Entonces surgieron los guerreros a caballo de Mulei Sebaa, el León. Atravesaron el lecho del río, replegándose hacia las colinas, ante los habitantes de la ciudad. A lo lejos, el crucero *Cosmao* estaba inmóvil en el mar color metal, y sus cañones giraron lentamente hacia el valle, por donde huía la gente del desierto. Pero la llama no volvió a brillar en la boca de los cañones. Se abrió un largo silencio, con tan sólo el ruido de la gente que corría y los gritos de los animales, mientras el humo negro continuaba ascendiendo al cielo.

Cuando aparecieron los soldados de los cristianos frente a las murallas derruidas de la ciudad, nadie entendió en primera instancia quiénes eran. Puede incluso que Mulei Sebaa y sus hombres creyeran un instante que se trataba de los guerreros del norte que Mulei Hafid, el Comendador de los Creyentes, había enviado a la guerra santa.

Pero eran los cuatro batallones del coronel Mangin, llegados a marchas forzadas hasta la ciudad rebelde de Agadir –cuatro mil hombres vestidos con uniformes de tiradores africanos, senegaleses, sudaneses, saharauis, armados con fusiles Lebel y una decena de ametralladoras Nordenfeldt–. Los soldados avanzaron lentamente hacia la orilla del río, desplegándose en semicírculo, mientras al otro lado del río, al pie de las colinas guijarrosas, el ejército de tres mil jinetes de Mulei Sebaa empezó a girar sobre sí mismo, formando un gran torbellino que elevaba al cielo el polvo rojo. Al margen del torbellino, Mulei Sebaa, vestido con su manto blanco, miraba con inquietud la larga línea de los soldados de los cristianos, semejante a una columna de insectos en marcha por la tierra desecada. Sabía que la batalla estaba perdida de antemano, como en su día en Bu Denib, cuando las balas de los tiradores negros habían segado a más de un millar de sus jinetes venidos del sur. Inmóvil en su caballo, que se revolvía de impaciencia, miraba a los extraños que avanzaban lentamente hacia el río, como de maniobras. Varias veces intentó Mulei Sebaa dar la orden de retirada, pero los guerreros de las montañas no atendían órdenes. Lanzaban sus caballos al galope en su ronda frenética, borrachos de polvo y del olor a pólvora, emitiendo gritos en su lengua salvaje, invocando los nombres de sus santos. Cuando se acabe la ronda, se abalanzarán hacia la trampa que les han tendido, todos morirán.

Mulei Sebaa se veía ahora impotente, y unas lágrimas de dolor le bañaban ya los ojos. Al otro lado del lecho del río desecado, el coronel Mangin mandó disponer las ametralladoras a cada ala de su ejército, en lo alto de las colinas pedregosas. Cuando los jinetes moros cargaran hacia el centro, en el momento en que atravesaran el lecho del río, los barrería el fuego cruzado de las ametralladoras, y no habría más que añadir el golpe de gracia a la bayoneta.

Hubo todavía un pesado silencio, mientras los jinetes dejaron de dar vueltas en la llanura. El coronel Mangin miraba con sus gemelos, intentaba comprender: ¿no irían a batirse ahora en retirada? Entonces habría que marchar de nuevo durante días por esta tierra desértica, al encuentro de este horizonte que se escurre y desespera. Pero Mulei Sebaa seguía inmóvil a caballo, porque sabía que el final se hallaba próximo. Los guerreros de las montañas, los hijos de los jefes de tribu habían llegado hasta aquí para combatir, no para huir. Habían cesado de dar vueltas para orar, antes del ataque.

Luego, todo sucedió enseguida, bajo el cruel sol de mediodía. Los tres mil jinetes cargaron en orden cerrado, como en una parada, blandiendo sus fusiles de chispa y sus largas lanzas. Cuando arribaron al lecho del río, los suboficiales al mando de las ametralladoras miraron al coronel Mangin, que había alzado el brazo. Dejó pasar a los primeros jinetes, y de pronto bajó el brazo, y los cañones de acero comenzaron a disparar sus balas a raudales, seiscientas por minuto, con un ruido siniestro que trituraba el aire y resonaba por todo el valle, hasta las montañas. ¿Existe acaso el tiempo cuando algunos minutos bastan para matar a mil hombres, mil caballos? Cuando los jinetes comprendieron que habían caído en una trampa, que no franquearían ese muro de balas, se afanaron por retroceder, pero era demasiado tarde. Las ráfagas de las ametralladoras barrían el lecho del río, y los cuerpos de hombres y caballos no cesaban de caer, como si una enorme guadaña invisible los segara. Sobre los cantos rodados corrían arroyos de sangre, que se mezclaban con los insignificantes hilillos de agua. Luego se hizo otra vez el silencio, mientras los últimos jinetes se salvaban hacia las colinas, salpicados de sangre, a lomos de sus caballos con el pelo erizado de pavor.

Sin prisa, el ejército de los soldados negros se puso en marcha por el lecho del río, compañía tras compañía, con los oficiales y el coronel Mangin al frente. Partieron por la pista del este, hacia Tarudant, hacia Marraquech, a la caza de Mulei Sebaa, el León. Partieron sin volver la cabeza hacia el lugar de la masacre, sin mirar los cadáveres destrozados de los hombres, esparcidos sobre los cantos rodados, ni los caballos derribados, ni los buitres, que ya habían hecho acto de presencia en las orillas. Tampoco miraron las ruinas de Agadir, el humo negro que seguía ascendiendo al cielo azul. En la lejanía, el crucero *Cosmao* se deslizaba con parsimonia sobre el mar color metal, ponía rumbo hacia el norte.

Entonces cesó el silencio, y se oyeron todos los gritos de los vivos, los hombres y los animales heridos, las mujeres, los niños, como un solo gemido interminable, como una canción. Era un ruido cuajado de horror y sufrimiento que se elevaba por todas partes a la vez sobre la llanura y el lecho del río.

Ahora Nur andaba por los cantos rodados, en medio de los cuerpos esparcidos. Ya las moscas voraces y las avispas zumbaban formando nubes negras encima de los cadáveres, y Nur sentía un nudo de náusea atravesado en la garganta.

Con gestos lentísimos, como si surgieran de un sueño, las mujeres, los hombres, los niños apartaban las brozas y caminaban por el lecho del río, sin hablar. Todo el día, hasta la caída de la noche, lo pasaron trasladando los cuerpos de los hombres a la orilla del río para enterrarlos. Cuando cayó la noche, encendieron fogatas en ambas orillas, para mantener los chacales y los perros salvajes alejados. Vinieron las aldeanas con pan y leche cuajada, y Nur comió y bebió con fruición. Al punto se quedó dormido tendido en el suelo, sin pensar siquiera en la muerte.

Al día siguiente, desde el alba, los hombres y las mujeres cavaron nuevas tumbas para los guerreros, y también enterraron sus caballos. En las tumbas colocaron guijarros gruesos del río.

Cuando todo hubo acabado, los últimos hombres azules reanudaron su marcha por la pista del sur, esa que, de puro larga, parece no tener fin. Nur marchaba con ellos, con los pies desnudos, sin otra pertenencia que su manto de lana y un poco de pan forrado con un lienzo húmedo. Eran los últimos Imazighen, los últimos hombres libres, los Taubalt, los Tekna, los Tidrarin, los Arosien, los Sebaa, los Ergeibat Sahel, los últimos supervivientes de los Berik Allah, los Benditos de Dios. No poseían más que lo que veían sus ojos, lo que hollaban sus pies desnudos. Frente a ellos, la tierra llanísima se extendía como el mar, centelleante de sal. Ondeaba, creaba sus blancas urbes de magníficos muros y cúpulas que refulgían como burbujas. El sol les abrasaba la cara y las manos, la luz imponía su vértigo, cuando las sombras de los hombres semejan pozos sin fondo.

Cada atardecer, sus labios sangrantes buscaban el frescor de los pozos, el barro salobre de las riveras alcalinas. Luego los oprimía la fría noche, les quebrantaba los miembros y el aliento, descargaba en sus nucas un peso. No había límite para la libertad, era tan vasta como la inmensidad de la tierra, hermosa y cruel como la luz, amable como los ojos del agua. Cada día, con el primer brillo del alba, los hombres libres regresaban a sus moradas, hacia el sur, donde nadie, salvo ellos, sabía vivir. Cada día, con los mismos gestos, borraban el rastro de sus hogueras, enterraban sus excrementos. Vueltos hacia el desierto, elevaban su plegaria sin palabras. Se marchaban, como en un sueño, desaparecían.